JAPANSE MYTHEN

〇
山
童

やまわらは

Joshua Frydman

Japanse mythen

Goden, helden en geesten

Vertaald door Janne Van Beek

Athenaeum—Polak & Van Gennep
Amsterdam 2023

Frontispice: Een eenogige *oni* spookt door de wilde bossen
van premodern Japan.

Voor Nathan, die zich voor geen enkele tempel door afstand
of geesten laat afschrikken.

Eerste, tweede (e-boek) en derde druk, 2023

Oorspronkelijke titel *The Japanese Myths. A Guide to Gods, Heroes and Spirits*
Copyright oorspronkelijke uitgave © 2022 Thames & Hudson Ltd, London
Published by arrangement with Thames & Hudson Ltd as
in Proprietor's Edition
Copyright vertaling © 2023 Janne Van Beek / Athenaeum—Polak &
Van Gennep, Weteringschans 259, 1017 XJ Amsterdam

Omslag Ilona Snijders
Omslagbeeld *Katsushika Hokusai*, ca. 1836, The Metropolitan Museum of Art,
Purchase, Mary and James G. Wallach Foundation Gift, 2013
Binnenwerk Perfect Service

ISBN 978 90 253 1597 9 / NUR 630
www.uitgeverijathenaeum.nl

INHOUD

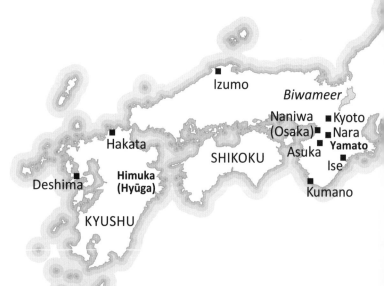

JAPANSE ZEE

Izumo

Biwameer

Naniwa ■Kyoto
(Osaka)■ ■Nara
■ **Yamato**
Hakata Asuka
SHIKOKU ■
Ise■
■ **Himuka**
Deshima **(Hyūga)** Kumano
KYUSHU

HOKKAIDO

HONSHU   *GROTE OCEAAN*

Edo (Tokyo)
Kamakura

1

WAT ZIJN DE JAPANSE MYTHEN?

Japan wordt sinds oudsher geassocieerd met mythen. Een van de eerste Engelstaligen die Japans staatsburger werd, Lafcadio Hearn (1850-1904), wijdde zijn leven aan het verzamelen van de overgeleverde volksverhalen van landelijk Japan, die hij beschikbaar maakte voor buitenlandse lezers. Met zijn bundel korte verhalen *Kwaidan. Stories and Studies of Strange Things* (1904) oogstte hij grote bekendheid in het Westen. Zijn verhalen over de sneeuwvrouwen en mensetende reuzen die in de heuvels rondwaren, voedden het exotisme van de Japanse houtsneden en kledij die in deze periode zo populair waren in West-Europa en Noord-Amerika. Hearns boek gaf de aanzet tot een meer dan honderdvijftig jaar durende obsessie met Japanse mythen. Want hoeveel hedendaagse liefhebbers van Japanse cinema, anime, manga, literatuur en populaire muziek raken tot op de dag van vandaag wel niet in vervoering van de beeltenissen van goden en monsters die de in mist gehulde valleien en grillige bergpieken van de eilanden bevolken? Aan die moderne aantrekkingskracht van de Japanse mythologie gaat een lange geschiedenis vooraf.

De huidige Japanse samenleving heeft een complexe band met haar geschiedenis. Japan is een van de meest geavanceerde economische en technologische grootmachten van de eenentwintigste eeuw en maakt in dat opzicht zonder meer deel uit van de moderne westerse wereld. Tegelijkertijd staat het land in andere opzichten mijlenver af van het Westen. De nauwe banden tussen Japan, de Verenigde Staten en West-Europa ontstonden kort voor Hearns tijd, maar de mythen, volksverhalen en legenden die hij op schrift stelde zijn veel ouder. Ze zijn bovendien verweven met Japanse religies als het boeddhisme en het shintoïsme, die maar weinig mensen in Europa en Amerika werkelijk begrijpen.

Mythologie is zeker niet statisch, maar kan achteraf gezien wel die indruk wekken. De bekendste mythologieën ter wereld, zoals de Egyptische, Grieks-Romeinse en Noorse, hebben hun oorsprong dan ook in samenlevingen die zijn uitgestorven of waarin de religies die we met deze mythologieën associëren niet meer gepraktiseerd worden. We zien deze oudere mythologieën alsof ze bevroren zijn in de tijd, terwijl ze juist uit verhalen bestaan die verteld werden in heel verschillende perioden, waarin uiteenlopende beelden van dezelfde goden en helden terugkeren. Dit alles gaat niet op voor Japan, waar de religies die de mythen hebben beïnvloed nog steeds gepraktiseerd worden; hun goden worden nog altijd vereerd en hun helden blijven relevant. Al interpreteren moderne Japanners hun mythen heel anders dan pakweg een eeuw of misschien zelfs een millennium geleden, de mythologie zelf heeft binnen de Japanse samenleving niet aan invloed en levendigheid ingeboet. Om de Japanse mythologie te kunnen begrijpen, moeten we de context ervan begrijpen: waar komen deze mythen vandaan, waarom waren ze belangrijk en op welke manier zijn ze nog altijd van betekenis?

WAT IS 'JAPAN'?

Het huidige Japan is op politiek en cultureel vlak amper vergelijkbaar met dat van pakweg tweehonderd, vijfhonderd of duizend jaar geleden. Toch is er duidelijk sprake van een continuïteit: veel moderne Japanners stammen af van Japanse inwoners van duizend jaar geleden; zij wonen grotendeels in dezelfde gebieden en vereren dezelfde goden. Om de vinger te kunnen leggen op wat hun overtuigingen Japans maakt, moeten we op verschillende manieren nadenken over 'Japan'.

Het land dat we vandaag Japan noemen bestaat uit vier hoofdeilanden, van noord naar zuid: Hokkaido, Honshu, Shikoku en Kyushu. Honshu, dat 'vasteland' betekent, is veruit het grootste eiland, gevolgd door Hokkaido, Kyushu en ten slotte Shikoku, het kleinste van de hoofdeilanden. Daarnaast omvat de Japanse archipel bijna zevenduizend kleinere eilanden.

De Japanse naam van het land, Nihon of Nippon 日本, betekent 'oorsprong van de zon' en verwijst naar de geografische ligging van de eilandengroep: ten oosten van het Aziatische continent. De naam 'Japan' is een zeventiende-eeuwse verbastering van de Chinese uit-spraak van diezelfde karakters uit de jaren 1600; in modern Manda-rijn is dat *riben*, dus in het Oudmandarijn uit de zeventiende eeuw waarschijnlijk iets in de trant van *jeh-pen*. Nihon is een vorstelijke naam, geschikt voor een koninkrijk. De naam zou dateren uit de regeerperiode van keizerin Suiko 推古天皇 (r. 593-628), de drie-endertigste monarch volgens de traditionele volgorde. In een brief aan Keizer Yang 陽 (r. 569-618), van de Chinese Suidynastie, schreef Suiko: 'Van de zoon van de hemel in het land van de rijzende zon (*Nihon*) aan de zoon van de hemel in het land van de ondergaan-de zon.' Deze brief is integraal opgenomen in de *Sui Shu* ('Boek van de Sui'; 636).[1] Keizer Yang zou in woede ontstoken zijn toen hij deze aanhef las omdat de heerser van een barbaars koninkrijk (een vrouw notabene!) zich een gelijkwaardige titel aanmatigde als de keizer van China. Volgens de *Sui Shu* was hij zo boos dat hij de brief liet ver-branden en nooit antwoordde.

Of deze anekdote uit de *Sui Shu* betrouwbaar is valt te betwisten, maar het staat vast dat de naam Nihon minstens vanaf de achtste eeuw gangbaar was in en buiten Japan. Hij werd door het keizerlijk hof erkend als officiële titel en is mede daardoor altijd de naam van het land gebleven.[2] De afbakening van de grondgebieden waarmee de naam Nihon geassocieerd werd, kreeg evenwel pas tweehonderd jaar geleden vaste vorm. Neem bijvoorbeeld Hokkaido, het noorde-lijkst gelegen hoofdeiland, dat tegenwoordig bekendstaat om zijn la-vendelvelden, skipistes en het biermerk Sapporo. Dit eiland maakt pas sinds het einde van de achttiende eeuw deel uit van Japan. Vóór die tijd circuleerden er talloze namen voor deze geheimzinnige bar-baarse streek. Voor een groot deel van de Japanse geschiedenis wer-den de oorspronkelijke bewoners van Hokkaido, de Aino, afgeschil-derd als zonderlinge wilden die beren vereerden – een reputatie die helaas standhield tot lang na de onrechtmatige toe-eigening en kolo-nisatie van hun grondgebied.

Ook een groot deel van het noorden van Honshu was in de Ja-panse geschiedenis lange tijd een gevaarlijk grensgebied. Om-streeks de zevende eeuw had het keizerlijk hof het volledige eiland opgeëist, maar alles ten noorden van de voorsteden rond het huidige Tokio was een onbestemd niemandsland dat in de periode tot het einde van de twaalfde eeuw stapsgewijs werd ingelijfd in een reeks militaire operaties. De eilandenketen tussen het zuiden van Kyushu, het eiland Okinawa en Taiwan, die tegenwoordig is verdeeld tussen de prefecturen Kagoshima en Okinawa, was een afzonderlijk land, het koninkrijk Ryukyu, dat bestond van de veertiende tot de zeventiende eeuw. Het koninkrijk verloor zijn onafhankelijkheid aan het begin van de zeventiende eeuw en maakt sindsdien deel uit van Japan, met uitzondering van de kortstondige Amerikaanse bezetting tussen 1945 en 1972. Tegenwoordig worden al deze gebieden als 'Japans' beschouwd. Historisch gezien behoorden ze echter niet tot de eilanden, en dat weerspiegelen de zogenaamde 'Japanse' mythen.

Voor het merendeel van de geschiedenis was de definitie van 'Japan' gebaseerd op het grondgebied waarover het Japanse hof regeerde.

De zon komt op achter de heilige gehuwde rotsen van Futami in de huidige prefectuur Mie. Deze rotsen, verbonden met een heilig touw van gevlochten rijststro, worden vereerd in het nabijgelegen Futami Okitama-heiligdom.

Zelfs in perioden waarin de overheid onder controle van ande-re mogendheden viel, zoals tijdens de shogunaten (dynastieën die in de middeleeuwen bestuurd werden door krijgsheren), behiel-den de keizer en het hof een centrale rol. Voor Japanners in voorgaande eeuwen viel het land meestal samen met het grondgebied dat door en voor de keizer werd geclaimd, ook als die in strikte zin geen macht had. In de moderne tijd is de definitie van 'Japan' verschoven naar het gebied dat onder controle valt van het Japanse volk, een term die verwijst naar mensen van etnisch en/of cultureel Japanse afkomst die de Japanse taal spreken. Het blijft lastig te benoemen wat een 'volk' of zelfs een moderne 'natie' eigen maakt, zelfs voor een land als Japan dat zowel door veel Japanners als buitenstaanders als relatief homogeen wordt beschouwd.

GODSDIENST EN GELOOF IN JAPAN

Het merendeel van de moderne Japanners geeft aan niet religieus te zijn. Het gaat om een van de hoogste percentages ter wereld.[3] Deze ontwikkeling is echter recent. De vele oude tempels en heiligdommen die het land rijk is, getuigen immers van een lange religieuze traditie – en zelfs van meer dan één. Sinds het prille begin van zijn geschiedenis hebben in Japan verschillende religies naast elkaar bestaan, een evenwicht dat diep verankerd is in de Japanse cultuur, van de mythen uit de achtste eeuw tot de hedendaagse folklore, populaire beeldcultuur en urban legends.

De twee voornaamste godsdiensten in Japan zijn het shintoïsme en het boeddhisme. Het shintoïsme is het inheemse geloofssysteem van Japan, maar het boeddhisme deed hier al vroeg zijn intrede; sindsdien ontwikkelden de twee religies zich onder wederzijdse invloed. Het boeddhisme ontstond in India en verspreidde zich halverwege het eerste millennium vanuit China naar Japan. Het was niet de enige godsdienst die van het vasteland naar Japan overwaaide; het confucianisme, een van de belangrijkste inheemse geloofssystemen van China, legde dezelfde weg af. Het confucianisme was in de eerste plaats een filosofie en werd zelden als religie geprakti-seerd, maar drukte niettemin een stempel op de Japanse religie en cultuur. Ook het taoïsme (soms daoïsme), een ander belangrijk

Chinees geloof, was invloedrijk in Japan, maar werd hier in tegenstelling tot het confucianisme nooit geïntroduceerd als een samen-
hangend denksysteem. Wie de Japanse mythen wil begrijpen, moet
ook inzicht hebben in dit web van nauw met elkaar verbonden religies.

Het shintoïsme
Het shintoïsme of shinto (eigenlijk shintō 神道, 'de weg van de
goden') is het enige inheemse geloofssysteem van Japan. In sommige opzichten lijkt deze stroming helemaal niet op een officiële religie.
Het shintoïsme heeft geen heilige teksten en voor een groot deel van
zijn geschiedenis werd het priesterschap ingevuld door het keizerlijk hof. De meeste moderne definities komen van onderzoekers die
sinds de middeleeuwen hebben beslist wat shintoïsme al dan niet is,
en tot op de dag van vandaag bestaat er discussie over wat deze religie kenmerkt.[4]

In het shintoïsme staat de verering van *kami*, of 'goden', centraal,
een begrip dat geen eenduidige definitie kent. Sommige kami, vooral die uit de oude mythen, hebben een naam en zijn belichaamd,
zoals de zonnegodin Amaterasu of haar jongere broer Susanowo, die
gewelddadige natuurkrachten personifieert. Deze kami lijken het
meest op de goden met namen uit andere pantheons, al bestaan er
nog talloze andere soorten. Specifieke plaatsen in de natuur als bergen en rivieren hebben hun eigen kami, net als dieren, planten en
zelfs door de mens gemaakte voorwerpen zoals zwaarden en spiegels. De berg Fuji vormt niet alleen de thuisbasis voor vele individuele kami, maar is zelf ook een individuele kami, en wordt als plek
tegelijkertijd beheerst door de kami van bergen in het algemeen.
Al deze kami kunnen probleemloos naast elkaar vereerd worden,
omdat ze bestaan bij de gratie van mensen die in hen geloven en
hun bestaan erkennen. Hoewel er sprake is van een hiërarchie kan
niemand met zekerheid zeggen of een kami die op een berg verblijft
machtiger is dan de kami die de berg personifieert, en dit zou hoe
dan ook van weinig belang zijn. Kami worden namelijk niet gedefinieerd door *wat* ze zijn, maar door *waar* ze zich bevinden.

Een draak (een kami van water en weer) breekt door het wolkendek
rond de berg Fuji.

Het shintoïsme

- Het enige inheemse geloofssysteem van Japan.
- Betekent letterlijk 'weg van de goden'. Centraal staat de verering van geesten die 'kami' worden genoemd. Dieren, voorwerpen en plaatsen, zoals bijvoorbeeld bergen, kunnen elk een eigen kami hebben.
- Kami worden vereerd in heiligdommen, die priesters en priesteressen kennen. Traditionele poorten, de zogenaamde *torii* ('vogelzitstokken'), verschaffen toegang tot deze heiligdommen.
- De nadruk ligt eerder op 'rein' tegenover 'onrein' dan op morele concepten als 'goed' en 'kwaad'.

Kami zijn plaatsgebonden verschijnselen. De kami van een berg is almachtig op die ene berg. De grote kami van natuurlijke verschijnselen zijn dan weer almachtig op de plaats waar ze zich bevinden of waarvoor ze kiezen zich te bevinden. Amaterasu is de godin van de zon, maar haar krachten zijn niet beperkt tot de zon of het zonlicht zelf; ze neemt in legenden bijvoorbeeld ook de vorm aan van onweerswolken, een slang of een profetie. Kami kunnen kortom alles, maar alleen in het gebied waarin ze heersen. De meeste goden – die van specifieke plaatsen, levende wezens of voorwerpen – hebben alleen invloed in hun directe omgeving.

Kami worden vereerd in 'heiligdommen', die zo genoemd worden om ze te onderscheiden van boeddhistische en andere religieuze plekken. Het Japans heeft verschillende benamingen voor shinto-heiligdommen, waarvan *jinja* ('gods huis') de meest gangbare is.[5] Naar grote en belangrijke heiligdommen wordt ook wel verwezen met *taisha* ('groot huis') of *jingū* ('gods paleis'). Er zijn zowel mannelijke priesters (*kannushi*) als vrouwelijke priesteressen (*miko*). Gedurende een groot deel van de Japanse geschiedenis waren titels erfelijk, en werden de families die aan het hoofd van een heiligdom stonden geassocieerd met de god die daar vereerd werd en diens kracht(en).

De beroemde 'drijvende' toriipoort van het Itsukushima-heiligdom op het gelijknamige eiland (Miyajima in de volksmond) in de huidige prefectuur Hiroshima.

De meeste heiligdommen hebben een of meer *torii* ('vogelzitstokken'), dunne houten poorten met bovenaan twee horizontale lateibalken, waarvan de bovenste langer is dan de onderste. Torii markeren de ingang van een gewijde plek en vormen een herkenbaar beeld van het shintoïsme.

Bomen, rotsen en andere grote locaties die kami personifiëren kunnen voor verering worden afgebakend met heilig touw van zuivere hennep, rijststro of zijde, voorzien van breed uitwaaierende kwasten onder de knopen. Ook papieren stroken en takken van de *sakaki* (*Cleyera japonica*), een groenblijvende bloeiende boom die voorkomt in Japan, gebruikt men als rituele voorwerpen en om gewijde plaatsen af te bakenen. Deze plaatsen zijn cruciaal in het shintoïsme. Het zijn natuurlijke gebieden waarover een bepaalde kami heerst; deze zones moeten rein blijven.

Smekelingen wassen hun handen voor ze een shinto-heiligdom betreden, waar een priester een krans van sakaki zuivert bij een toriipoort.

Reinheid is een van de belangrijkste concepten binnen het shin-toïsme. Reinheid kan gedefinieerd worden als de natuurlijke staat van de levende wereld, onbezoedeld door de dood of alles wat daarmee te maken heeft.[6] Bloed, met inbegrip van bloed afkomstig van menstruatie of geboorte, maar ook urine, uitwerpselen, braak-sel, bedorven voedsel, stilstaand water en delen van een dood li-chaam zijn ritueel vervuild en moeten daarom uit de buurt van de kami gehouden worden. Aan de ingang van een heiligdom staat doorgaans een wasbekken met stromend water, zodat gelovigen hun handen en mond – en daardoor hun lichaam en geest – ritueel kunnen reinigen voor ze de gewijde ruimte betreden. 'Rein' is niet hetzelfde als 'goed', en 'onrein' is niet noodzakelijk 'kwaad'; volgens de shintoïstische doctrine zijn kami gesteld op reinheid, en veraf-schuwen ze onreinheid. Een aantal voorvallen in de oude Japanse mythen kunnen verklaard worden in het licht van het spannings-veld tussen reinheid versus onreinheid in plaats van goed versus kwaad.

Het boeddhisme

Het boeddhisme (Jp. *bukkyō* 仏教) ontstond in India en verspreidde zich na een ontwikkeling van zeven eeuwen naar Centraal- en Oost-Azië. Het drong aan het einde van de Handynastie (206 v.Chr.-220 n.Chr.) door tot China, en was omstreeks de Tangdynastie (618-908 n.Chr.) uitgegroeid tot een van de belangrijkste religies van China, een positie die het tot op de dag van vandaag heeft behouden. Het boeddhisme breidde zich uit naar gebieden die we tegenwoordig kennen als Tibet, Vietnam, Mongolië en Korea. Omstreeks de zesde eeuw na Christus bereikte deze religie Japan, via het toenmalig Ko-reaans koninkrijk Paekche.

Nadat het boeddhisme eerst China en vervolgens de rest van Oost-Azië had bereikt, onderging het een diepgaande evolutie. De kern van de religies, zowel de doctrine rond Siddhartha Gautama als andere vroege werken over de filosofische en religieuze leer – de heilige boeken die soetra's (Jp. *kyō*) worden genoemd – vormden de basis van de boeddhistische traditie die we tegenwoordig het the-ravada noemen, of de 'traditie van de ouderen'. Een aantal andere teksten, waarvan sommige mogelijk helemaal niet uit India komen, werden belangrijker voor Chinese boeddhisten, met name de *Lotussoetra* (Jp. *Myōhō Hokkekyō*).

Het boeddhisme

- Ontstond in India en verspreidde zich over Centraal- en Oost-Azië. Bereikte Japan vanuit China tijdens de zesde eeuw na Christus.
- Alle wezens, inclusief goden, zitten gevangen in een eindeloze cyclus van wedergeboorte; alleen boeddha's, die verlichting hebben bereikt, zijn hiervan gevrijwaard.
- Gebedshuizen worden 'tempels' genoemd; ze worden geleid door monniken (of priesters) en nonnen.
- Centraal staan morele en filosofische kwesties, zoals de aard van de werkelijkheid.

De historische boeddha, Śākyamuni (Jp. *Shaka*; zie hoofdstuk vijf), predikt het begrip 'vaardige middelen' op een beschilderde uitgave van de *Lotussoetra*.

De *Lotussoetra* introduceert het concept 'vaardige middelen' (Sanskriet *upāya*, Jp. *hōben*), oftewel manieren waarop men tijdens het leven verlichting kan bereiken en dus kan ontsnappen aan de eindeloze cyclus van wedergeboorte die uiteindelijk leidt naar de waarheid en het boeddhaschap. De boeddhistische stroming die dit idee centraal stelt staat bekend als mahayana, of het boeddhisme van het 'grote voertuig'.

Technisch gezien kent het boeddhisme geen eigen goden. In plaats daarvan verkondigt deze religie dat zelfs goden gebonden zijn aan de 'werelden van verlangen', zoals het universum wordt genoemd, en dus net als wij onderworpen zijn aan de kringloop van wedergeboorte. Goden uit andere religies zijn meestal verenigbaar met de boeddhistische wereldvisie omdat het beperkte wezens zijn die, in tegenstelling tot boeddha's die verlichting hebben bereikt en het bestaan overstijgen, gebonden zijn aan hun eigen bestaan.

Boeddhistische gebedshuizen noemen we 'tempels' om ze te onderscheiden van shinto-heiligdommen. In het Japans verwijst men ernaar met *tera* of *jiin,* en de meeste namen eindigen met de karakters *-ji* 寺 (tempel) of *-in* 院 (klooster). In de tempels verblijven mannelijke priesters, ook wel monniken genaamd, die in het Japans bekendstaan onder verschillende benamingen waarvan de meeste variaties zijn op *sō* of *bō.* Naast of in plaats van monniken worden de tempels soms gerund door vrouwelijke nonnen, die men in het Japans *ama* of *ni* noemt; beide woorden maken gebruik van het karakter 尼. Boeddhistische geestelijken volgen strengere regels dan shintoïstische. Tot enkele honderden jaren geleden legden ze een kuisheidsgelofte af; oppervlakkig gezien vertoonden ze veel overeenkomsten met christelijke monniken en nonnen. In een poging controle te krijgen over boeddhistische instituten verplichtte het laatste shogunaat deze geestelijken te trouwen, zodat de tempels binnen de familie konden blijven, een traditie die nog steeds in gebruik is.

Anders dan het shintoïsme kende het boeddhisme dat Japan bereikte al een lange geschiedenis, een groot aantal geschreven teksten en een complexe moraalfilosofie. Een ander verschil is dat het boeddhisme zich actief bezighoudt met diepere filosofische kwesties, zoals de vraag naar het verschil tussen goed en kwaad of naar de plek van de mens in het universum. Alle boeddhistische scholen, ook die hun oorsprong hebben in Japan, ontwikkelden eigen nuances in hun filosofie en geloof. Aangezien shintoïstische kami makkelijk in het boeddhistisch systeem pasten, konden deze twee religies probleem-

De vijf verdiepingen tellende boeddhistische Kōfukuji-tempel
in Nara is de op een na grootste bewaard gebleven boeddhistische
tempel in zijn soort in Japan.

loos naast elkaar bestaan en uiteindelijk zelfs een symbiose vormen.
Hoewel er verwoede pogingen werden ondernomen ze te scheiden,
meest recent in de periode voor de Tweede Wereldoorlog, zijn de
Japanse boeddhistische en shintoïstische stromingen zo nauw verweven dat ze elkaars cultuur, kunst en mythologie zijn gaan beïnvloeden. Zo zullen veel moderne Japanners shintoïstische rituelen
gebruiken bij geboorten en huwelijken, en boeddhistische voor be-
grafenissen en andere zwaarmoedige aangelegenheden, terwijl veel
van die rituelen uit een rijke traditie van gedeelde gebruiken putten.

Het confucianisme
Het confucianisme (Jp. *jukyō* 儒教) wordt vaak een 'denkwijze' genoemd, maar in China en Oost-Azië beoefent men het al vele eeu-

wen als religie. Het bestond oorspronkelijk uit een verzameling filosofieën die worden toegeschreven aan de mogelijk fictieve Kong Qiu 孔丘 (551-479 v.Chr.), wiens naam door Europese missionarissen gelatiniseerd werd tot 'Confucius'. Confucius was geleerde en raadgever aan het hof in de periode waarin China nog geen keizerrijk vormde, maar uit verschillende koninkrijken bestond. Hij reisde tussen de verschillende over het Chinese Laagland verspreide staten om regeerders te adviseren over hun heerschappij, en verzamelde volgelingen die zijn principes aanhingen. In de decennia na zijn dood tekenden die laatsten zijn leer op, onder meer in het bekende *Gesprekken van Confucius* (Ch. *Lunyu*; Jp. *Rongo*). Deze geschriften circuleerden eeuwenlang, tot de regering van de Handynastie ze uiteindelijk invoerde als officiële Chinese staatsideologie. In de daaropvolgende periode van de Zuidelijke en Noordelijke Dynastieën (220-589 n.Chr.) werd Confucius vereerd als een bovennatuurlijke wijze. Uit zijn leer ontstond een religieuze vertakking die zich onderscheidde van de zuiver filosofische stroming.[7]

Toen vijftienhonderd jaar na het leven van Confucius de Tangdynastie aan de macht kwam, waren zijn filosofische en morele lessen uitgegroeid tot een formele staatsreligie. In heel China waren confucianistische tempels te vinden met een actieve clerus en religieuze doctrines. Tijdens de Tangdynastie deed deze religieuze vorm van het confucianisme voor het eerst zijn intrede in de Japanse archipel. Als volwaardige religie kreeg het confucianisme nooit vaste voet aan de grond in Japan, maar het werd evenmin beoefend als een zuiver filosofische methode. Enkele belangrijke leerstellingen werden opgenomen in andere Japanse geloofssystemen.[8] Het grondbeginsel van het confucianisme is de relatie tussen hemel en aarde. De hemel wordt niet beschouwd als een specifiek oord waar bepaalde goden huizen, maar eerder als een conceptuele wereld, een ideale weerspiegeling van de aarde in een staat van perfectie. Naarmate de afstand tussen aarde en hemel toeneemt, raken natuur en maatschappij verder uit evenwicht. Hemel en aarde kunnen weer op één lijn worden gebracht door rechtschapen te handelen, wat betekent dat men leeft volgens een voorgeschreven universele moraal, en dat men bepaalde hiërarchieën in stand houdt. Deze hiërarchieën manifesteren zich op aarde in bepaalde relaties: ouder en kind, oudere en jongere broer, man en vrouw, heer en vazal, en vorst en onderdaan. Deze hiërarchieën moeten beschermd worden om te voorkomen dat de fundamentele harmonie van de samenleving uiteenvalt.[9] Als hemel en aarde uit balans raken leidt dat niet alleen tot moreel verval, maar ook tot catastrofen als natuurrampen en opstanden.

Om de harmonie te bewaren dienen goede confucianisten kinderlijk gehoorzaam te zijn en respect te betuigen aan hun ouders en voorouders. Ze moeten ook andere hiërarchische relaties respecteren, hun plicht ernstig nemen en leven volgens strenge morele voorschriften. Bovendien is een goed confucianist leergierig; studie, met name van geschreven teksten, is een belangrijk onderdeel van de morele ontwikkeling. Omdat het confucianisme de nadruk legt op moraal, eerbied en ijver en geen specifieke religieuze figuren vereert (op Confucius en zijn volgelingen na), vond het gemakkelijk aansluiting bij het boeddhisme en andere Japanse religies. Op die manier kon het confucianisme standpunten en ideeën beïnvloeden zonder direct een rol te spelen in de oude Japanse mythen of in meer recente volksverhalen.

Het taoïsme en Chinese volkstradities
De laatste grote Chinese religie die de Japanse mythologie beïnvloedt, is het taoïsme (Jp. *dōkyō* 道教). Net als het confucianisme wordt het taoïsme eerder beschouwd als denksysteem dan als religie, maar ontwikkelde het zich toch als zodanig, met een eigen geestelijkheid, tempels en heilige geschriften. Anders dan het confucianisme is het

Confucius, hier afgebeeld als lid van het laat-Chinese keizerlijke hof.

taoïsme zoals we het vandaag de dag begrijpen echter niet het resultaat van een lange reeks ontwikkelingen binnen eenzelfde denksysteem, maar een kunstmatige samenstelling van elementen uit verschillende premoderne Chinese geloofstradities.[10]

De twee belangrijkste taoïstische teksten stammen ongeveer uit dezelfde periode als de *Gesprekken van Confucius*: de *Daodejing* en de *Zhuangzi*. De *Daodejing* (*Het boek van de weg en de deugd* Jp. *Dōtokukyō*, ca. zesde eeuw v.Chr.) wordt toegeschreven aan een figuur die alleen bekendstaat onder de naam Laozi 老子 of 'de oude meester', en omvat een collectie aforismen en adviezen die doen denken aan de *Gesprekken van Confucius*. De *Zhuangzi* (Jp. *Sōji*), toegeschreven aan Zhuang Zhou 荘周 (ca. vierde eeuw v.Chr.), is nadrukkelijker filosofisch en bestaat uit een aantal beschouwingen over de aard van de werkelijkheid. Deze twee boeken hadden oorspronkelijk mogelijk niets met elkaar te maken, maar sinds de vierde en vijfde eeuw na Christus werden ze steeds vaker beschouwd als een tweeluik uit dezelfde traditie.[11]

Het taoïsme

- Ontstond in China in dezelfde periode als het confucianisme en combineert elementen uit verschillende premoderne Chinese geloofsovertuigingen, waaronder plaatselijke folklore en tradities.
- Centraal staat het leven volgens 'de weg', in harmonie met de natuur.
- Geassocieerd met magische tradities, sprookjes, Chinese astrologie, waarzeggerij en huisgoden.
- Voornaamste werken: de *Daodejing* (Jp. *Dōtokukyō*, ca. zesde eeuw v.Chr.) en de *Zhuangzi* (Jp. *Sōji*, ca. vierde eeuw v.Chr.).
- Japan heeft geen taoïstische tempels of priesters; taoïstische invloeden doen zich op andere manieren gelden.

Beide teksten gaan over leven volgens 'de weg' (Ch. *dao*, Jp. *dō* of *michi*), dat vele betekenissen heeft, maar bovenal inhoudt dat men in harmonie met de natuur leeft. In tegenstelling tot het confucianisme, dat strenge morele regels voorschrijft om hemel en aarde op één lijn te brengen, gaat de taoïstische filosofie ervan uit dat de aarde al perfect is. Die perfecte – zij het rommelige – harmonie van de natuurlijke wereld wordt slechts verstoord door mensen en hun verdorven gedachten. Om volgens de weg te leven, moet men afstand doen van menselijke opvattingen over rijkdom, macht en status, en gewoonweg bestaan. Er zijn talloze manieren om dit doel te bereiken, en de *Daodejing* noch de *Zhuangzi*, laat staan de vele afgeleide commentaren en teksten, omschrijven een helder omlijnd pad. Volgens sommige taoïsten is die verwarring onderdeel van de weg.

Al vanaf het prille begin incorporeerde het taoïsme plaatselijke folklore en tradities. Die relatie en het verband met de natuurlijke wereld zorgden ervoor dat het taoïsme lange tijd geassocieerd werd met magische tradities, sprookjes en tal van obscure goden. Bekend zijn vooral de onsterfelijken (Ch. *xianren*, Jp. *sennin*), mensen die zo één zijn geworden met de weg dat ze het sterfelijke leven overstijgen. Goden kun je ze niet noemen, maar ze beschikken wel over mysterieuze krachten; ze kunnen bijvoorbeeld op wolken rijden of het verstrijken van de tijd beheersen. Boven deze onsterfelijken staan de meer verheven figuren, zoals de koningin-moeder van het westen 西王母 (Ch. *Xiwangmu*), een eeuwenoude mysterieuze godin met onvoorstelbare krachten. De koningin-moeder bevindt zich in het verre westen, zoals haar naam suggereert, en wordt wel eens tegenover mythische figuren geplaatst die de andere windrichtingen vertegenwoordigen. Haar functie en krachten variëren naargelang de legende, mythe of parabel, net zoals dat het geval is bij veel andere taoïstische goden.

Taoïstische gebedshuizen worden 'tempels' genoemd (Ch. *guan* of *gong*; er is geen Japanse standaardbenaming) en mannelijke en vrouwelijke geestelijken respectievelijk 'priesters' of 'monniken' en 'nonnen'. Dit zijn dezelfde benamingen als die waarvan boeddhistische instituten gebruikmaken, wat soms voor verwarring zorgt. Bovendien werden veel architecturale en artistieke elementen van boeddhistische tempels in China ontleend aan oudere taoïstische tempels. Wel verschillen de afmetingen en stijl van de iconen, net als de goden en figuren die vereerd worden. Bepaalde gebouwen, zoals de pagoden die je in de buurt van boeddhistische tempels treft, zijn typisch voor een van beide godsdiensten.

Het taoïsme wordt ook geassocieerd met Chinese astrologie, waarzeggerij en huisgoden. Deze associaties leefden eerder onder het gewone volk dan onder de opgeleide elite, wat misschien verklaart waarom het taoïsme Japan als enige belangrijke Chinese religie in versnipperde vorm bereikte. Hoewel de belangrijkste boeken, waaronder de *Daodejing* en de *Zhuangzi*, al sinds de zevende eeuw na Christus bekend waren, lijkt er weinig belangstelling te zijn geweest om taoïstische instituten te implementeren.

De taoïstische onsterfelijke, de koningin-moeder van het westen (links),
en een dienaar, afgebeeld als Chinese edelen uit de Tangdynastie.

Voor zover we weten zijn er in Japan geen taoïstische tempels, noch priesters die de religie formeel praktiseren. Veel magische elementen werden overgenomen door andere bestaande tradities, of vormden nieuwe tradities met elementen uit het shintoïsme en het boeddhisme. Zowel onderzoekers uit Japan als uit de Engelstalige wereld spreken bij voorkeur over het 'verdwijnende taoïsme'. Daarmee bedoelen ze dat een religie die zo belangrijk is in China – een land waar Japan zich maatschappelijk aan spiegelde – op institutioneel vlak totaal afwezig was in Japan. Als we dieper ingaan op de verschillende vormen van magie, sprookjes en plaatselijke folklore (in hoofdstuk drie en vijf), zullen we echter zien dat de Japanse mythen doordrongen zijn van taoïstische invloeden, al zijn ze minder voor de hand liggend dan elementen uit andere religies.

MYTHEN, GESCHIEDENIS EN TRADITIE

De Japanse mythen ontstonden dus binnen een cultuur die is gevormd door een complexe combinatie van inheemse en geïmporteerde religies die we hiervoor hebben besproken. Deze verhalen vertonen dan ook diepgaande sporen van ideologische en theologische invloeden, zelfs als ze oorspronkelijk niet religieus van aard waren. Hoewel door en door shintoïstisch van oorsprong worden kami bijvoorbeeld vaak ingebed in een boeddhistische moraal. Andersom handelen boeddhistische volksverhalen uit Japan vaak over reinheid, of bevatten ze boeddhistische godheden die zich gedragen als kami. Ook het concept kinderlijke gehoorzaamheid, ontleend aan oude confuciaanse teksten, komt vaak voor, net als de confuciaanse teksten zelf, die in Oost-Azië symbool kwamen te staan voor leergierigheid. De magische elementen en gebruiken die voorkomen in Japanse mythen zijn dan weer vaak taoïstisch geïnspireerd, of in ieder geval ontleend aan Chinese folklore. Zonder basisbegrip van deze concepten zal een lezer die niet is opgegroeid in de Japanse cultuur zich verbaasd afvragen wat er in deze mythen gebeurt, en vooral ook hoe en waarom.

Het moderne Japan heeft een sterke band met het verleden, niet alleen cultureel, maar ook op geografisch, politiek en artistiek vlak. De Japanse mythen vormen daarop geen uitzondering. Van kronieken uit de achtste eeuw bestaan bewerkte versies uit de dertiende, achttiende en twintigste eeuw die nieuwe aspecten en interpretaties aan de dag leggen. Urban legends die zich in Tokio afspelen zijn geïnspireerd op spookverhalen uit de Edoperiode die terugverwijzen naar middeleeuwse volksverhalen, die op hun beurt zijn terug te

voeren op legenden uit de Heianperiode. Elke periode brengt ver-
nieuwing, maar wordt tegelijkertijd gekenmerkt door inspanningen
om 'tradities' te behouden en bewerken.

In dit boek worden de Japanse mythen besproken in het licht
van hun veranderende historische en culturele context. De volgende hoofdstukken zijn een chronologische verkenning van de Japanse mythologie. In hoofdstukken twee en drie komen mythen uit de
achtste-eeuwse kronieken aan bod. Deze verhalen liggen aan de
basis van wat we de 'shintoïstische mythologie' kunnen noemen, en
zijn nog steeds wijd en zijd bekend. Hoofdstuk twee behandelt het
scheppingsverhaal, de voornaamste goden uit de oude kronieken en
een basisbegrip van de kosmos in het oude Japan. Hoofdstuk drie
gaat over de eerste keizers, van wie sommige een legendarische status kregen die vergelijkbaar is met die van Griekse of Noorse helden,
en onderzoekt hun belang voor de ontwikkeling van het keizerlijk
hof en de klassieke Japanse cultuur.

Hoofdstuk vier is gewijd aan de nieuwe Japanse mythologieën van
het klassieke tijdperk en de vroege middeleeuwen (ongeveer 800-
1300 n.Chr.), toen de oudere mythen vaak werden verrijkt met nieuwe goden, die de oorspronkelijke soms zelfs vervingen. In hoofdstuk
vijf passeren legendarische figuren de revue die het Japanse pantheon ontleende aan het boeddhisme, confucianisme en taoïsme.
In hoofdstuk zes volgen de late middeleeuwen en de vroegmoderne periode (1400-1850 n.Chr.). Dankzij de toenemende geletterdheid en de verspreiding van de boekdrukkunst werd veel folklore
van het gewone volk op schrift gesteld: geesten, monsters en allerhande mindere kami verrijken de mythologie en er ontstaan nieuwe
interpretaties van oude mythen. Ten slotte gaat hoofdstuk zeven in
op de kruisbestuiving tussen populaire cultuur en mythologie in de
moderne tijd. De Japanse mythen zijn een bron van inspiratie voor
moderne anime, manga's, videospelletjes, liveaction-films en andere moderne kunstvormen; dit hoofdstuk neemt deze ontwikkelingen
onder de loep.

De Japanse mythologie bestaat niet uit één coherent geheel van
verhalen, maar uit talloze verschillende verhalen, waarvan sommige
tegenstrijdig. Vele daarvan kennen, net als de goden, helden, keizers

en slechteriken die erin worden opgevoerd, een lange geschiedenis, maar zijn in de loop der tijd geëvolueerd en veranderen nog voortdurend. Dit boek maakt dat proces zichtbaar en verkent de schakels tussen verleden en heden, en de manieren waarop verhalen voortleven en groeien. Bepaalde elementen uit de Japanse samenleving, cultuur, geschiedenis en folklore mogen dan uniek zijn voor Japan, de ideeën die ze openbaren zijn universeel. Ik hoop daarom dat de lezers van dit boek niet alleen kennismaken met de rijke wereld van de Japanse mythen, maar ook inzicht verwerven in de manier waarop verhalen – mythen – voortleven en groeien in hun eigen samenleving.

2

HET TIJDPERK VAN DE GODEN

De meeste verhalen die we vandaag de dag 'Japanse mythen' noemen, voeren terug naar de zevende en achtste eeuw. Dit is de oudste periode van Japan waarover we geschreven bronnen hebben. Deze legenden over goden en helden worden nog steeds verteld en liggen aan de basis van veel andere Japanse folklore (zoals die van de heldhaftige kami die in hoofdstuk vier aan bod komen). Al beseffen we natuurlijk dat men de verhalen in deze eeuwenoude teksten tegenwoordig anders interpreteert dan in de periode waarin ze werden geschreven. Wat mensen in het verre verleden belangrijk vonden, verschilt vaak enorm van wat hedendaagse onderzoekers willen weten. Hoewel de details van deze mythen door de eeuwen heen zijn veranderd en uitgebreid, en gelijk op met de Japanse maatschappij mee evolueerden en nieuwe betekenissen kregen, hebben de kernverhalen uit deze antieke teksten de tand des tijds doorstaan.

De twee oudste overgeleverde boeken die in het Japans zijn geschreven, zijn historische kronieken die dateren uit het begin van de achtste eeuw. Deze twee werken, de *Kojiki* en de *Nihonshoki*, beginnen bij de schepping van de wereld en schetsen de geschiedenis tot de tijd waarin ze geschreven werden. Japanse lezers uit de achtste eeuw beschouwden beide teksten als 'geschiedenis', en de mythologische delen worden dan ook gepresenteerd als verifieerbare historische feiten, niet als allegorieën of volkslegenden. De latere delen van beide kronieken gaan in op de vroege geschiedenis van het keizerlijk hof en vertellen gedetailleerde verhalen die soms Chinese of Koreaanse geschriften bekrachtigen. Ze bevatten echter ook verhalen die duidelijk fictief zijn.

De mythen in de *Kojiki* en *Nihonshoki* geven ons het beste beeld van wat vroege Japanners geloofden. Jammer genoeg zijn deze teksten niet uitvoerig en ook niet altijd begrijpelijk. Beide teksten worden al eeuwenlang door historici bestudeerd, maar blijven desondanks ook voor hedendaagse geleerden een bron van ontzag, nieuwsgierigheid en zelfs teleurstelling, en vaak dat alles tegelijk. Kortom, de kronieken zijn een rommeltje, maar we moeten het ermee doen.

De *Kojiki* is het oudst bestaande literair werk in het Japans. Het werd samengesteld in 712 en de naam betekent 'kroniek van oude zaken'. Het begint bij de schepping en gaat door tot en met de regeerperiode van keizerin-regentes Suiko (r. 539-628), de drieëndertigste heerser van Japan. Dit relatief korte geschrift bestaat uit drie boeken. Het eerste of 'bovenste' boek introduceert de hemelse goden – de amatsukami 天津神 – die na hun ontstaan een broer en zus, Izanagi 伊邪那岐 en Izanami 伊邪那美, de opdracht geven om de fysieke wereld te scheppen. Izanagi en Izanami brengen onder andere de zonnegodin Amaterasu 天照 en haar vervreemde broer Susanowo 須佐之男 voort. Uit dit stel volgt een hele stamboom van vruchtbaarheidsgoden, die uiteindelijk leidt tot de geboorte van Ninigi 邇邇芸, de hemelse kleinzoon, die naar de nieuwe schepping afdaalt en van wie de nakomelingen de keizerlijke clan worden.

Het tweede of 'middelste' boek van de *Kojiki* gaat verder met de heerschappij van Jinmu 神武, de eerste keizer, die de achterkleinzoon van Ninigi is. Het verhaal volgt daarna de eerste vijftien heersers, allemaal helden die zich tussen het goddelijke en het menselijke in bevinden. In het derde of 'onderste' boek passeren de heersers zestien tot en met drieëndertig de revue. Veel keizers in het onderste boek leven minder lang en bekommeren zich meer om menselijke zaken dan hun voorgangers. Je zou kunnen zeggen dat het middelste boek over halfgoden en legendarische keizers gaat, en het onderste over menselijke heersers. Ze stammen af van de goden, maar zijn zelf niet langer bovennatuurlijke wezens.

De inleiding van de *Kojiki* vertelt hoe het boek tot stand is gekomen. De tekst was oorspronkelijk een reeks mondelinge geschiedenissen die naar verluidt in de jaren 680 uit het hoofd werden geleerd door een mysterieuze hoveling genaamd Hieda no Are 稗田阿礼,

wiens achtergrond en gender een vraagteken zijn. Een generatie later werd het op schrift gesteld door Ō no Yasumaro 太安万侶, een (mannelijke) ambtenaar.[1] De inleiding is anders geschreven dan de rest van de *Kojiki*, en is vermoedelijk een vervalsing uit de negende of tiende eeuw, maar dat er citaten uit de hoofdtekst voorkomen in andere werken uit de achtste eeuw wijst erop dat het geschrift toen al een bekende bron was en dus even oud zal zijn als de inleiding beweert. Toch nemen hedendaagse onderzoekers de meeste details in de inleiding met op zijn minst een korrel zout, als het geen heel vaatje is, en de oorsprong van de *Kojiki* blijft dan ook mysterieus.

De *Kojiki* heeft een sterke centrale verhaallijn, die ingaat op de oorsprong van Amaterasu en haar nakomelingen, hun afdaling naar de aarde, waar ze vrede stichten, en ten slotte hun heerschappij als keizerlijke familie van Japan. Er is echter ook een groot deel van de tekst gewijd aan stambomen. Vrijwel elke godheid die Amaterasu en haar nakomelingen helpt, tegen hen vecht of zich eenvoudigweg in dezelfde wereld bevindt, krijgt een stamboom. Deze stambomen eindigen allemaal bij een familie die in de jaren 700 deel uitmaakte van het keizerlijk hof, en in alle gevallen zijn hun voorouders op de een of andere manier verbonden met de zonnegodin en haar nakomelingen. De *Kojiki* is daarmee niet alleen een verhaal over de herkomst van de keizerlijke familie, maar vertelt ook waarom ze is ontstaan, en dat hun heerschappij over het hof (en over heel Japan) een natuurlijk gegeven is. Als je voorouders trouw hebben gezworen aan de keizerlijke familie, hoor je die toch zelf ook te steunen? Onderzoekers vermoeden dat de *Kojiki* oorspronkelijk niet bedoeld was als een verzameling mythen, maar als een officiële genealogie die moest bewijzen dat de adellijke families aan het hof de keizerlijke familie dienden omdat hun voorouders dat al deden sinds het tijdperk van de goden.

In de *Nihonshoki* worden gelijkaardige mythen verteld, maar op een heel andere manier. De *Nihonshoki* werd vervolledigd in 720; de titel betekent 'kronieken van Japan' en het doet die naam eer aan. De *Nihonshoki* bestaat uit dertig boeken en is veel langer en gedetailleerder dan de *Kojiki*. De eerste twee delen beslaan het 'tijdperk van de goden', de overige achtentwintig behandelen de heerschappij van de

eerste zesenveertig keizers, met als laatste keizerin Jitō (r. 686-696).
De *Nihonshoki* beschrijft de regeerperioden van de keizers volgens
precies hetzelfde format als een oude kroniek van de Chinese dynastie, waarin de analen van elke heerser per jaar, maand en dag worden
opgesomd. Dat verleent het werk een zeker historisch gewicht, zelfs
als er legendarische gebeurtenissen worden beschreven, en zorgt ervoor dat de *Nihonshoki* 'accurater' overkomt dan de *Kojiki*.

In de eerste twee boeken van de *Nihonshoki*, die het 'tijdperk van
de goden' beschrijven, wordt de informatie echter gepresenteerd in
een verhaal dat begint bij de oorsprong van het universum; net als in
de *Kojiki* dus, waarvan het opvallend genoeg ook afwijkt. Een verschil is dat in de boeken van de *Nihonshoki* die over de goden gaan
regelmatig alternatieve versies van de mythen worden besproken.
Deze toevoegingen in kleinere lettertjes beginnen allemaal met 'Eén
boek zegt...' en spreken de centrale verhaallijn regelmatig tegen. Vaak
is de *Kojiki* een van deze alternatieve vertellingen. Zo konden lezers
verbanden leggen tussen de centrale verhaallijn van de *Nihonshoki*
en andere mythen. Niemand weet zeker waarom de alternatieve mythen werden opgenomen, maar door ze aan de centrale verhaallijn
toe te voegen, kreeg de *Nihonshoki* wel een wetenschappelijker elan
dan de *Kojiki*.

De *Kojiki* en de *Nihonshoki*

- De twee oudste overgeleverde geschreven boeken in Japan (begin
  achtste eeuw n.Chr.).
- Belangrijkste bronnen van wat we weten over de oude Japanse mythologie.
- De *Kojiki* ('Kroniek van oude zaken') telt drie boeken en eindigt bij
  de drieëndertigste keizer (begin zevende eeuw). Dit genealogisch
  verhaal werd in het Oud-Japans geschreven en vertelt hoe de keizerlijke familie heerschappij over Japan verwierf.
- De *Nihonshoki* ('Kronieken van Japan') bestaat uit dertig boeken, is
  veel gedetailleerder en gaat door tot de heerschappij van de eenenveertigste keizer (eindigt in 696 n.Chr.). Het is geschreven in het
  klassiek Chinees, en werd vermoedelijk aan andere landen, zoals
  China, gepresenteerd als officiële geschiedenis.

> - Beide teksten behandelen gelijkaardige mythen, maar op verschillende manieren. De *Kojiki* heeft één verhaallijn, de *Nihonshoki* vergelijkt meerdere versies van dezelfde mythen.
> - Hedendaagse onderzoekers beschouwen beide teksten als propaganda; de mythen rechtvaardigen het gezag van het vroege Japanse hof.

De *Nihonshoki* heeft geen inleiding en wordt niet aan een auteur toegeschreven. Het is niet duidelijk wie het heeft samengesteld of waar de gebruikte bronnen vandaan komen. Anders dan in de *Kojiki* wordt de geschiedenis van de *Nihonshoki* uit de doeken gedaan in een vervolg, de *Shoku nihongi* (*Verdere kronieken van Japan*), geschreven in 797. De *Shoku nihongi* is nog langer dan de *Nihonshoki* en beschrijft de periode van 696 tot 791 tot in de allerkleinste details. De inhoud wordt gestaafd door ander bewijs, waaronder archeologische vondsten en andere teksten uit de achtste eeuw, zoals de archiefstukken van Shōsōin (hieronder besproken), en heeft de reputatie accurater te zijn. In de *Shoku nihongi* wordt beschreven hoe de *Nihonshoki* werd samengesteld en in 720 aan het hof werd gepresenteerd. Het bespreekt ook de inhoud van de voorgaande kronieken, die voor een groot deel overeenkomt met die van de overgeleverde tekst (hoewel het een laatste boek vermeldt, met genealogische tabellen, dat verloren is gegaan).

Aan de ouderdom en authenticiteit van de *Nihonshoki* wordt niet getwijfeld, wel aan de identiteit van de samenstellers. Ook het doel ervan is geen mysterie. De nadrukkelijk historische schrijfstijl en het feit dat het een vervolg kreeg, doen vermoeden dat de *Nihonshoki* voor het keizerlijk hof was bedoeld als officieel naslagwerk van zijn eigen geschiedenis. Stambomen zijn belangrijk in de *Nihonshoki*, maar ze zijn niet het hoofdthema van de tekst. Hoewel ook de mythen belangrijk zijn, vormen die slechts de opmaat naar de historische delen die volgen. Deze historische annalen zijn gedetailleerder dan de *Kojiki* en behandelen een veel langere periode. De latere delen van de *Nihonshoki*, die de zesde en zevende eeuw beschrijven, worden zelfs nu nog als relatief historisch accuraat beschouwd.[2]

Hedendaagse onderzoekers beschouwen de *Kojiki* en de *Nihon-*

shoki als politieke werken. Door deze kronieken op die manier te lezen, halen we misschien wat van het leesplezier weg, maar het helpt ons wel te begrijpen wat hun tekortkomingen zijn, waaronder het gebrek aan contact met de wereld buiten de Japanse archipel en de focus op de almachtige zonnegodin en haar nakomelingen. De oude Japanse mythen zijn niet in deze kronieken opgenomen om het bestaan van de wereld en de dingen erin te verklaren, maar om te benadrukken dat alles te herleiden is naar de keizers en hun goddelijk recht om te regeren – het zijn in feite gewoon propagandateksten. Een kritische lezer houdt dit in het achterhoofd bij het bestuderen van de verhalen uit de *Kojiki* en de *Nihonshoki,* en hun evolutie in de eeuwen daarna.

DE AMATSUKAMI EN DE SCHEPPING VAN HET UNIVERSUM

De Japanse scheppingsmythen zijn rommelig en complex, een beetje vergelijkbaar met een echte bevalling. Oorspronkelijk was de wereld vormloos, 'als olie die als een kwal op het wateroppervlak dreef'.[3] Op een gegeven moment ontstaat de eerste god. In de *Kojiki* heet deze eerste godheid, die uit het niets verschijnt, Ame-no-Minakanushi 天御中主, ('machtige meester van het hemelhart').[4] In het hoofdverhaal van de *Nihonshoki* heet deze god, die 'als een rietscheut' aan het vormloze universum ontsproot, Kuni-no-Tokotachi 国常立 ('god van het land dat eeuwig overeind blijft').[5] Deze godheid wordt meteen gevolgd door één tot vier andere goden, afhankelijk van de versie, die allemaal ontstaan zonder geslacht of vaste vorm.

Net als hun aantal variëren de namen, eigenschappen en doelen van deze eerste goden per versie. Ze worden tegenwoordig niet vaak meer vereerd en er is weinig over hen bekend. De enige god die veel in de latere oude mythen voorkomt, is Takamimusuhi 高御産巣日 ('verheven voortbrenger'). Net als de andere eerste goden vertegenwoordigt Takamimusuhi het mysterieuze en indrukwekkende ontstaan van de natuurlijke scheppingskrachten. Hoewel ze in de rest van de mythen naar de achtergrond verdwijnen, zijn deze eerste goden altijd aanwezig als de onzichtbare bron van de rest van het universum.

Op deze eerste generatie goden volgen zes generaties die elk uit een godenpaar bestaan. Hun namen en functies variëren naargelang de kroniek, maar ze worden doorgaans geassocieerd met zand, modder en scheppende krachten. Elk paar is een koppel van een man en een vrouw die het volgende paar voortbrengen. In alle gekende versies van de mythe bestaat het laatste paar uit Izanagi ('hij die wenkt') en zijn zus Izanami ('zij die wenkt'). De zes voorgaande generaties goden ontbieden Izanagi en Izanami en bevelen hun de eilanden van Japan te scheppen, en, in het verlengde daarvan, de hele fysieke wereld. De goden schenken het paar de 'hemelse bebalde speer', waaraan twee testikelvormige juwelen bungelen. Izanagi en Izanami steken de speer in de waterige vormeloosheid van de ongeschapen wereld. Als ze hem terugtrekken, valt er van de punt een gestolde druppel zout die het eerste eiland vormt: Onogoroshima ('zelfgevormd eiland').

Izanagi en Izanami dalen af naar Onogoroshima, waar ze een heilige pilaar oprichten en besluiten om officieel te trouwen. Ze cirkelen rond de pilaar en leggen hun huwelijksgeloften af, maar Izanami spreekt eerder dan haar broer/echtgenoot. Niet veel later baart ze hun eerste kind, dat misvormd is. Het heeft geen armen en benen en krijgt de naam Hiruko 蛭子, het 'bloedzuigerkind'. Izanagi en Izanami leggen Hiruko in een rieten mandje en laten hem meevoeren, de oceaan op, richting vergetelheid voor de rest van de oude mythen (al duikt hij in de middeleeuwen weer op als Ebisu, de verloren god van het geluk; zie hoofdstuk vier).

Izanagi en Izanami proberen opnieuw zwanger te raken, en deze keer brengen ze schuim en bellen voort als tweede kind. Gefrustreerd over hun onvermogen iets waardevol te scheppen, vragen de twee goden raad aan de amatsukami, de oudere goden in de hemel. Het paar krijgt te horen dat ze geen 'goede' kinderen kunnen baren omdat de vrouw, Izanami, als eerste heeft gesproken tijdens hun huwelijksceremonie. Het paar keert terug naar Onogoroshima, waar ze de ceremonie opnieuw uitvoeren. Deze keer spreekt Izanagi eerst, en de kinderen die ze hierna verwekken zijn gezond en waardevol: het zijn de eilanden van de Japanse archipel.

Izanami (links) en Izanagi (rechts) houden de 'hemelse bebalde speer' boven de vormeloze chaos van voor de schepping.

De volgorde waarin ze de eilanden scheppen is in de *Kojiki* anders dan in de centrale en alternatieve verhaallijn van de *Nihonshoki*, maar de belangrijkste punten zijn hetzelfde. Shikoku en Kyushu behoren tot de eerstgeborenen, net als Awaji, een eiland in de Japanse Binnenzee. Honshu zelf bestaat meestal uit twee 'eilanden'. Er komen ook een aantal kleine afgelegen eilanden in het rijtje voor, waaronder Iki, Oki en Tsushima in de Straat van Korea, en Sado in de Japanse Zee. Na de geboorte van de eilanden baart Izanami verschillende delen van de natuurlijke wereld, waaronder zeeën, rivieren, bergen, bossen en vlakten. Deze natuurgoden worden net als de voorgaande amatsukami geboren in paren van mannen en vrouwen. In tegenstelling tot hun ouders en de eilandgoden zijn deze godenparen van de natuurlijke wereld niet bekend. Hoewel vele nog steeds vereerd worden in kleinere heiligdommen kent men hun namen doorgaans niet. Ze vertegenwoordigen natuurlijke landschappen en maken los daarvan zelden hun opwachting in de mythologie en folklore.

Volgens de *Kojiki* is de laatste van de vele kinderen die Izanami baart de vuurgod Hi-no-Kagutsuchi 火之迦具土. Tijdens zijn geboorte verbrandt Hi-no-Kagutsuchi de genitaliën van Izanami, die braakt, urineert, zich ontlast en ten slotte sterft. Uit haar braaksel, urine en ontlasting ontstaan nieuwe godenparen, die respectievelijk geassocieerd worden met mijnbouw en metaal, stromend water en klei. Woedend om de dood van zijn zus/vrouw trekt Izanagi zijn zwaard en hakt zo gewelddadig op Hi-no-Kagutsuchi in dat zijn bloed over de rotsen spat en in vulkanen verandert.

Als zijn moordlust is bekoeld, gaat Izanagi op zoek naar Izanami. Uiteindelijk ontdekt hij dat ze naar Yomi 黄泉 is gegaan, de dodenwereld. Izanagi gaat naar Yomi, waar Izanami zich in een huis heeft teruggetrokken. Ze smeekt hem het huis niet te betreden, beschaamd als ze is voor haar doodse staat, maar Izanagi gaat toch naar binnen en treft haar daar aan als een rottend lichaam. Met afschuw vervuld, wijst Izanagi haar af en vlucht.

Van streek door het verraad van haar broer/echtgenoot gaat Izanami hem achterna met een leger van dondergoden en feeksen. Driemaal verwijdert Izanagi een accessoire – zijn hoofdtooi, zijn kam en ten slotte zijn zwaard – en gooit het over zijn schouder. Ze veranderen in obstakels die de legers van Izanami moeten ophouden. Wanneer Izanagi eindelijk aankomt bij de helling van Yomi, de toegang tot het land, en de onderwereld verlaat, verspert hij de ingang met een rotsblok. Als Izanami de andere kant bereikt, hebben de twee nog een gesprek – misschien is dit wel de allereerste scheiding in de Japanse geschiedenis. Izanami dreigt 'elke dag duizend stervelingen uit zijn grasgroene land te wurgen', en Izanagi werpt tegen dat hij in ruil 'elke dag vijftienhonderd geboortehutten zal bouwen'.[6]

Na zijn nipte ontsnapping uit Yomi reinigt Izanagi zich in een rivier. Terwijl hij elk deel van zijn lichaam wast, ontstaan er goden van tijd, getijden en rituele reiniging. Ten slotte reinigt hij zijn ogen en neus en zo schept hij de drie krachtigste natuurgoden. Uit Izanagi's linkeroog komt de zonnegodin Amaterasu, 'godin die in de hemel schijnt'. Uit Izanagi's rechteroog komt de maangod Tsukuyomi 月読, 'maanteller'. Uit Izanagi's neus komt ten slotte Susanowo, 'roekeloos razende briesende man', de god van gewelddadige natuurkrachten. Izanagi is blij met deze laatste drie goden en roept hen uit tot erfgenamen van de natuurlijke wereld die hij en Izanami hebben geschapen. Amaterasu krijgt heerschappij over de hoge hemelse vlakte (Ta-kamagahara 高天原), Tsukuyomi over de nacht en Susanowo over de oceaan.

Het verhaal van Izanami's dood en Izanagi's reis naar Yomi is te-genwoordig een van de bekendste oude Japanse mythen, maar al-leen in de *Kojiki* speelt het een belangrijke rol. In het hoofdverhaal van de *Nihonshoki* sterft Izanami niet; in plaats daarvan baart ze de drie hemelse goden (Amaterasu, Tsukuyomi en Susanowo), waarna ze zich met Izanagi terugtrekt. Behalve in de alternatieve verhaallij-nen, waarvan vele het verhaal uit de *Kojiki* bevatten, wordt het land Yomi niet genoemd in de *Nihonshoki*. Een mogelijke verklaring is dat dit werk sterker is beïnvloed door Chinese thema's. Als we Izana-gi en Izanami beschouwen als de personificatie van *yin* en *yang*, twee Chinese principes die samen het universum voortdrijven, moeten ze allebei in leven blijven opdat de wereld kan blijven functioneren. Het is ook mogelijk dat het verhaal over Yomi niet in de verhaallijn van de *Nihonshoki* voorkomt omdat het destijds minder belangrijk was dan de *Kojiki* het voorstelt. Hoe dan ook beschrijven alle versies, of Izanami nu sterft of niet, dat de scheppingsgoden de wereld uit-eindelijk overdragen aan hun drie kinderen, en Japan steeds dichter bij menselijke heerschappij komt.

Izanagi

Izanagi is een overgangsfiguur. Hij behoort tot de laatste generatie scheppingsgoden, maar is ook de vader van de rest van de wereld. Hij heeft weinig kenmerkende eigenschappen en staat niet bekend als de god 'van' iets specifieks. Als bekende persoonlijkheid is Iza-nagi sterk en rechtdoorzee, de masculiene godheid bij uitstek. Hij is echter ook kwetsbaar, vanwege verlangens en angsten waar de oude-re goden niet mee worstelen. Zijn nakomelingen vallen allemaal aan deze verlangens en angsten ten prooi.

Izanagi wordt meestal voorgesteld als een man van middelbare leeftijd met een baard en een felle uitstraling. Vaak heeft hij een speer in de hand. Vanaf de negentiende eeuw werd hij meestal afgebeeld in kledij uit de Kofunperiode en vroege Asukaperiode, waardoor hij een 'primitievere' indruk wekt dan andere goden. Als er naar Izanagi wordt verwezen in de hedendaagse Japanse populaire cultuur, is de naam van Izanami nooit veraf.

Izanagi wordt in veel Japanse heiligdommen vereerd, maar meestal niet als belangrijkste godheid. Uitzonderingen zijn het Izanagiheiligdom in Awaji en het Onogorojima-heiligdom in Minami Awaji, die allebei op het eiland Awaji liggen (huidige prefectuur Hyōgo). Volgens de legende was Awaji het eerste eiland dat Izanagi en Izanami schiepen. Ook het grote Taga-heiligdom in Taga in de prefectuur Shiga is aan Izanagi gewijd en ligt volgens de legende op de plek waar hij terugkeerde uit Yomi.

Izanagi en Izanami

- Izanagi ('hij die wenkt') en Izanami ('zij die wenkt') zijn een scheppend godenechtpaar, bestaande uit een broer en zus.
- Schiepen de eilanden van Japan en andere natuurkrachten als zeeën, rivieren, bergen, bossen en planten.
- In de *Kojiki* sterft Izanami tijdens de geboorte van de vuurgod Hi-no-Kagutsuchi. Izanagi volgt zijn vrouw naar het dodenrijk Yomi, maar walgt van haar dode lichaam en wijst haar af. Als Izanagi het dodenrijk is ontvlucht en zichzelf reinigt met water ontstaan er drie nieuwe goden, waaronder de zonnegodin Amaterasu.
- In het hoofdverhaal van de *Nihonshoki* worden deze drie hemelse goden gebaard door Izanami, die niet sterft. Daarna trekt ze zich vredig terug met Izanagi.

Nabij het Eda-heiligdom in Miyazaki in de prefectuur Miyazaki zou zich de poel bevinden waar Izanagi zich reinigde. Izanagi en Izanami worden ook vaak vereerd in heiligdommen die in de eerste plaats gewijd zijn aan Amaterasu, Susanowo en andere goden.

Izanami

Het verhaal van Izanami suggereert dat ze eindigt als godin van de dood, maar zo wordt ze zelden voorgesteld. Meestal wordt ze naast haar echtgenoot vereerd als godin van het lange leven, het huwelijk en het moederschap. In de hedendaagse en populaire cultuur vormt Izanami vaak een paar met Izanagi. Ze wordt soms ook voorgesteld als booswicht, met name in fantasy die is gebaseerd op Japanse mythologie.[7]

In de kunst wordt Izanami meestal afgebeeld als een vrouw van middelbare leeftijd, zij aan zij met Izanagi. Op enkele uitzonderingen na wordt ze vereerd in heiligdommen die ook gewijd zijn aan Izanagi. Er zijn ook heiligdommen waar ze een belangrijker plaats inneemt dan haar echtgenoot, zoals het Iya-heiligdom in Matsue in de prefectuur Shimane, en het Hibayama Kume-heiligdom in het nabijgelegen Yasugi. Het Iya-heiligdom zou zich aan de helling van Yomi bevinden, op de plek waar Izanagi en Izanami van elkaar scheidden. Het Hibayama Kume-heiligdom staat dan weer in het teken van Izanami's vrouwelijke vorm en het baren van kinderen.

De namen van Japan

Japan heeft verschillende namen in de *Kojiki* en de *Nihonshoki*. De archipel als geheel staat gewoonlijk voor de gehele sterfelijke wereld. Men kent het als Ashihara-no-Nakatsukuni ('uitgestrekt land van rietvlakten'), Yashima-no-Kuni ('land van acht eilanden') en soms als Akizushima ('libelleneilanden'). De herkomst van de eerste en derde naam is niet bekend, maar de tweede heeft te maken met de scheppingsmythe van de eilanden.

De volgorde waarin de 'acht eilanden' ontstaan verschilt per tekst, maar het gaat altijd om de eilanden Awaji, Shikoku, Kyushu, Honshu, Oki, Iki en Tsushima. Shikoku wordt altijd verdeeld in vier gebieden. De naam Shikoku betekent 'vier provincies' en verwijst naar de vier voormalige provincies die uiteindelijk de vier huidige prefecturen werden. Zelfs in de mythen werd het blijkbaar al sterk geassocieerd met het cijfer vier. Hoewel het eiland Shikoku geboren werd als één god, had het vier gezichten die elk afzonderlijk optraden als de god van een van de vier provincies van het eiland.

De andere eilanden personifiëren traditioneel niet meer dan één god, behalve Honshu, dat in sommige versies in tweeën is gedeeld. Sommige van deze goden worden later vereerd in heiligdommen op hun respectievelijke eilanden, of in de streek waarmee ze geassocieerd worden. Ze komen nog zelden voor in de mythen en zijn alleen belangrijk in hun plaatselijke gemeenschap. Neem bijvoorbeeld de godin Ōgetsuhime 大宜都比売, een van de vier 'gezichten' van Shikoku. Ze wordt geassocieerd met de provincie Awa (huidige prefectuur Tokushima). Als beschermgod van het huidige Tokushima, de hoofdstad van de prefectuur, wordt Ōgetsuhime vereerd in meerdere heiligdommen in de stad, waarvan het Ichinomiya-heiligdom het belangrijkst is.

AMATERASU, TSUKUYOMI EN SUSANOWO

Nadat de wereld in drie delen werd gesplitst, werd er geen heerschappij toegewezen over de Japanse eilanden. Het is om die reden dat ze na hun schepping door niemand worden opgeëist of geregeerd, en dat ze wemelen van de wilde goden en losbandige geesten. Amaterasu kreeg de hemel, Tsukuyomi de nacht en Susanowo de zee, maar Japan zelf werd genegeerd. Eerst werken Amaterasu en Tsukuyomi samen en delen ze de ruimte in de lucht. Op een dag vraagt Amaterasu Tsukuyomi af te dalen naar de eilanden. Hij bezoekt Ukemochi 保食, de godin van voedsel, en ziet dat ze op magische wijze voedsel produceert uit al haar lichaamsopeningen. Tsukuyomi gruwelt bij de gedachte dat hij iets gegeten of gedronken heeft dat uit een onrein deel van haar lichaam komt. Hij vermoordt Ukemochi op staande voet, waarop Amaterasu hem uit haar zicht verbant. Voortaan is de maan gedoemd 's nachts te schijnen terwijl de zon overdag schijnt; hun rijken zijn voorgoed gescheiden.

De ruzie tussen Amaterasu en Tsukuyomi lijkt het meest op een traditionele 'mythe', maar komt alleen voor in de *Nihonshoki*. Zowel de *Kojiki* als de *Nihonshoki* wijdt veel meer aandacht aan Susanowo, die ook botst met Amaterasu. Op een dag verlaat de jongste van de drie goden zijn post. In plaats van over de zee te heersen, stormt hij brullend en tierend over het land. Volgens de *Kojiki* vraagt zijn vader, Izanagi, wat hem in hemelsnaam bezielt, en antwoordt Susanowo dat hij heimwee heeft naar zijn moeder, de (aldus deze tekst) overleden Izanami. Izanagi wordt razend als hij dit hoort en verbant Susanowo naar zijn oorspronkelijke rijk, de zee.

Susanowo vlucht naar de hoge hemelse vlakte, waar hij Amaterasu opzoekt. In eerste instantie vertrouwt die haar broer voor geen haar, maar ze spreken af om bij wijze van test samen kinderen te hebben. Susanowo eist de drie meisjes die ze voortbrengen op, en de vijf jongens worden erfgenamen van Amaterasu. Omdat geen van de kinderen misvormd is, wint Susanowo het vertrouwen van Amaterasu, en ze geeft hem toegang tot haar gebied.

Maar ondanks zijn belofte zich te gedragen, richt Susanowo een ware ravage aan in de hoge hemelse vlakte. Hij vernielt Amaterasu's netjes geploegde rijstvelden en besmeurt haar weefruimte met uitwerpselen. Tot overmaat van ramp vilt hij een paard achterstevoren (van staart naar hoofd) en gooit het door het dak van Amaterasu's bezoedelde weefruimte. Daar schrikt Ame-no-Hatorime, de godin van de weefkunst, zo hard van dat ze zichzelf met haar schietspoel in de genitaliën raakt en sterft. Beschaamd om haar broer verbergt Amaterasu zich in de hemelse rotsspelonk, terwijl de andere goden van de hoge hemelse vlakte Susanowo overmeesteren en hem verbannen.

Na de vlucht van Amaterasu 'valt er een onmetelijke duisternis over de wereld'.[8] De andere amatsukami komen bijeen om te beraadslagen. Uiteindelijk besluiten ze Amaterasu uit haar schuilplaats te

Amaterasu komt tevoorschijn uit de hemelse rotsspelonk, waardoor de zon weer gaat schijnen; de spiegel hangt in de boom achter haar.

lokken met een list. Ze maken een prachtige bronzen spiegel en een streng oogverblindende juwelen en hangen die in een boom aan de ingang van de hemelse rotsspelonk. Vervolgens doet Ame-no-Uzume 天鈿女, de godin van dans en vreugde, in haar ondergoed een sensuele dans die alle aanwezige goden doet bulderen van het lachen.

Verrast dat er gelachen wordt terwijl zij zich verbergt, gluurt Amaterasu naar buiten. Meteen wordt haar stralende reflectie weerkaatst in de spiegel. Bekoord door de spiegel en de juwelen komt de zonnegodin uit de hemelse rotsspelonk. De andere goden grijpen hun kans en sluiten de ingang af met een heilig koord, zodat ze in de wereld moet blijven. Met Amaterasu keert ook het zonlicht weer. De spiegel en de streng juwelen, nu doordrongen van haar heilige kracht, werden twee van de drie keizerlijke regalia. Deze voorwerpen werden overgedragen aan de nakomelingen van de zonnegodin in de keizerlijke clan, en bestaan nog steeds. Ze komen nog uitgebreid aan bod in hoofdstuk drie.

Ondertussen duikt Susanowo onder op de eilanden van Japan. Hij strijkt neer in de huidige prefectuur Shimane, aan de kust van de Japanse Zee in het zuiden van Honshu. Hij ziet een paar eetstokjes voorbijdrijven in een rivier en loopt stroomopwaarts tot hij een oude man en een oude vrouw tegenkomt die huilend een jonge vrouw omarmen. Hij vraagt wat er scheelt en het oude echtpaar vertelt hem dat ze plaatselijke, aardse goden zijn, zogenaamde kunitsukami 国津神, de term voor nakomelingen van de goden van het landschap die Izanagi en Izanami samen hebben verwekt. Het oude echtpaar had ooit acht beeldschone dochters, maar de Yamatano-Orochi 八岐大蛇, een reuzenslang met acht koppen en acht staarten, had zeven jaar op rij een van hun dochters verslonden en kwam nu het achtste en laatste offer opeisen.

De laatste dochter van het echtpaar heet Kushinada-hime 櫛名田比売, de 'kamstrelende prinses'. Ze kan elk moment opgegeten worden door de Orochi. Susanowo valt als een blok voor Kushinada-hime en biedt aan haar te redden in ruil voor haar hand; als ze horen wie hij is, gaan haar ouders akkoord. Susanowo verandert Kushinada-hime in de haarkam waarnaar ze is vernoemd, en bewaart haar veilig in zijn eigen haarlokken. Vervolgens helpen haar ouders hem acht enorme platformen te bouwen en plaatsen ze op elk platform een gigantisch vat sake. De Orochi komt opdagen en drinkt met zijn acht koppen gulzig uit de vaten waarna hij meteen in slaap valt. Terwijl de Orochi slaapt, trekt Susanowo zijn zwaard en hakt de acht koppen en staarten af, waarna het beest sterft.

Als hij op een van de staarten van de Orochi inhakt, breekt Susanowo's zwaard. Hij wroet verwonderd in de staart van het monster en ontdekt een spectaculair, glimmend nieuw zwaard. Het zwaard Kusanagi 草薙, 'grassnijder', is het derde van de drie keizerlijke regalia. Susanowo beseft hoe machtig het wapen is en schenkt het aan Amaterasu bij wijze van verontschuldiging. Ze vergeeft hem, op voorwaarde dat hij in het rijk van de stervelingen blijft. Susanowo gaat akkoord en vestigt zich samen met Kushinada-hime in Izumo, eveneens in de huidige prefectuur Shimane. Op dat moment schijft Susanowo het eerste gedicht ter wereld:

Een achtvoudig hek
maak ik, een achtvoudig hek
voor mijn vrouw in Izumo
waar acht wolken rijzen -
ja, een achtvoudig hek![9]

Susanowo geeft zijn heerschappij over de zeeën op om meester van de Japanse eilanden te worden. Deze daad is een opmaat naar de officiële verovering van de aardse wereld door Amaterasu's kinderen, en verlegt voor het eerst de nadruk van de grootse scheppingskrachten naar de mindere krachten die Japan en de keizerlijke lijn gestalte zullen geven. Dat Susanowo hulp vraagt aan Amaterasu en dat zij belangrijker is dan de andere goden, bevestigt het goddelijk recht waarmee de keizerlijke clan regeert.

Uiteraard heeft het verhaal van Susanowo en Amaterasu meer om het lijf dan slechts de benoeming van de keizerlijke clan tot toekomstige leiders van Japan. Deze mythe vertegenwoordigt ook vroeg-Japanse opvattingen over natuurlijke krachten. Amaterasu is de zon, een vitale levenskracht, maar ze kan verdwijnen en er zijn rituelen nodig om haar terug te brengen. Susanowo daarentegen is de storm en de vloed, natuurgeweld dat ongecontroleerd huishoudt.

Amaterasu

Amaterasu, de 'godin die in de hemel schijnt', is de godin van de zon en de voorouder van de keizerlijke lijn. Ze heerst over de hoge hemelse vlakte. Als hoofd van de amatsukami is ze ook de oorsprong van het goddelijk recht dat de keizerlijke familie heeft om te regeren. In kunst van de voorbije eeuwen wordt Amaterasu afgebeeld als een onverbiddelijke maar mooie vrouw die schitterende gewaden draagt en licht uitstraalt. In de oude kronieken is haar voorkomen dubbelzinniger, en wordt haar uiterlijk zelden in detail beschreven. Zowel in de *Kojiki* als de *Nihonshoki* draagt Amaterasu tijdens haar confrontatie met Susanowo wapenrusting voor mannen, wat zelfs tot de hypothese heeft geleid dat Amaterasu oorspronkelijk een mannelijke god was.[10]

Ook Amaterasu's krachten zijn moeilijk te beschrijven. Ze is de zon, maar afgezien van het feit dat ze licht produceert in de hemel, beschikt ze niet over krachten die traditioneel met de zon geassocieerd worden, zoals warmte genereren of gewassen doen groeien. In het achtentwintigste boek van de *Nihonshoki* vraagt prins Ōama, de toekomstige keizer Tenmu (r. 672-686), haar om zijn troepen te steunen tijdens de Jinshin-oorlog van 672. Amaterasu reageert met een donkere wolk die de hemel met onweer vult, en voorspelt Ōama's toekomstige overwinning. Van de dertiende tot de zestiende eeuw wordt Amaterasu sterk geassocieerd met de boeddhistische godheid Kannon 観音, de bodhisattva van mededogen. In deze vorm staat ze bekend onder de Chinese leeswijze van haar naam: Tenshō Daijin.

Heiligdom van Ise

- Belangrijkste gebedshuis van Amaterasu, centrum van haar cultus in het huidige Ise in de prefectuur Mie.
- Herbergt de heilige spiegel van de drie keizerlijke regalia.
- Bestaat uit een binnenste heiligdom gewijd aan Amaterasu, een

buitenste heiligdom gewijd aan de godin van het voedsel, en een
aantal kleinere heiligdommen.
- Van de zevende tot achttiende eeuw werd de hogepriesteres van
  Ise (de 'maagd van Ise') gekozen uit de ongetrouwde vrouwen van
  de keizerlijke familie.

Amaterasu wordt in heiligdommen over heel Japan vereerd, maar
het centrum van haar cultus is het heiligdom van Ise in het huidige
Ise in de prefectuur Mie. Ise is een van de drie belangrijkste heiligdommen van Japan en herbergt volgens de legende de heilige spiegel, een van de drie keizerlijke regalia. Het heiligdom is een enorm
complex van concentrisch gelegen heilige ruimtes. De middelste
ruimte wordt het binnenste heiligdom (*naikū*) genoemd, en is gewijd aan Amaterasu. Van de zevende tot de achttiende eeuw werd
elke regeerperiode een ongetrouwde vrouw uit de keizerlijke familie
gekozen om te dienen als hogepriesteres van Ise. Deze traditie, die
bekendstond als de *saiō* 斎王 en soms vertaald werd als de 'maagd
van Ise', raakte uiteindelijk in onbruik, maar was lange tijd een belangrijke functie. Ise is nog steeds een populaire toeristische trekpleister. Traditiegetrouw wordt het binnenste heiligdom van Ise elke
zestig jaar herbouwd, meest recent in 2013.

Tsukuyomi

Tsukuyomi, de god van de maan, is het buitenbeentje van de drie
hemelse goden. Hij krijgt van zijn vader Izanagi de nacht toegewezen en komt daarna zelden in de mythen voor. In het hoofdverhaal
van de *Nihonshoki* is Tsukuyomi verantwoordelijk voor de dood van
Ukemochi, de godin van voedsel. In andere gevallen speelt Susanowo de kwaadaardige tegenhanger van Amaterasu.

Tsukuyomi wordt zelden afgebeeld in kunst van voor de moderne
periode, en er vallen geen onderscheidende kenmerken uit af te leiden. Zijn naam wijst op een verband met waarzeggerij, maar ook dat
komt niet duidelijk naar voren. Over zijn andere krachten is weinig
bekend. Hij wordt vereerd in kleinere heiligdommen die doorgaans
in de buurt liggen van heiligdommen waar Amaterasu wordt vereerd. Het grootste exemplaar hiervan draagt de toepasselijke naam

Tsukuyomi en ligt tussen het binnenste en het buitenste heiligdom van Ise in de prefectuur Mie.

Susanowo

Na Amaterasu is Susanowo waarschijnlijk de meest herkenbare godheid van het Japanse pantheon. Hij is een god van tegenstrijdigheden: het verwende kind dat zijn rijk in de steek laat en de slechterik die Amaterasu om de tuin leidt waardoor de wereld bijna haar zonlicht verloor, maar ook de held die de Yamata-no-Orochi verslaat. Geleerden weten niet eens zeker waarvan hij nu eigenlijk precies de god is. Hoewel hij eerst over de zee heerst, heeft hij daar later weinig mee te maken; de rol van god van de oceaan gaat uiteindelijk naar Watatsumi.

De naam Susanowo impliceert snelheid en kracht, en zijn daden bootsen verwoestingen na door wind, water en vuur – de natuurkrachten die het vroege Japan terroriseerden. Hij slaagt er dankzij menselijke vindingrijkheid echter ook in om andere, dodelijker natuurkrachten te overwinnen, zoals de Orochi, die met zijn enorme lijf, beboste rug en gloeiende, bloederige buik doet denken aan een vulkaan, een van de grootste bedreigingen van de Japanse archipel. Hedendaagse geleerden stellen over het algemeen dat Susanowo de god van gewelddadige natuurkrachten is, en dat hij die zowel kan aansporen als intomen.

Susanowo, hier afgebeeld in een pose uit het kabukitheater, verslaat de Yamata-no-Orochi en haalt het zwaard Kusanagi uit zijn staart.

Het is een aannemelijke theorie, maar het blijft een moderne interpretatie van een complex figuur. Uiteindelijk is Susanowo voor ons
al even ongrijpbaar als voor zijn zus, Amaterasu.[11]

Susanowo wordt vaak afgebeeld als een bebaarde man met woeste
blik. Hij draagt meestal een recht zwaard in de stijl van de Asuka- en
Naraperioden. Er zijn ook afbeeldingen van Susanowo als jonge krijger, eerder strijdvaardig dan knap, tot de tanden gewapend en klaar
om het tegen zijn tegenstanders op te nemen. Hij wordt sterk geassocieerd met zwaarden, hoewel niet noodzakelijk met zwaardvechtkunst.

Hoewel Susanowo bekendstaat om zijn al dan niet gerechtvaar-
digde woede en onstuimigheid, treedt hij verrassend genoeg ook op
als beschermer van de poëzie en zou hij het allereerste gedicht uit de
geschiedenis hebben geschreven om zijn overwinning op de Orochi
en zijn huwelijk met Kushinada-hime te vieren. Dit komt niet alleen
voor in beide kronieken, maar ook in tal van latere geschriften, zoals
de beroemde *Kokin wakashū* (*Bloemlezing van oude en moderne gedichten* 920) uit de tiende eeuw.

Susanowo wordt geassocieerd met Izumo in de huidige prefectuur
Shimane, maar zijn voornaamste heiligdommen bevinden zich elders. Een daarvan is het Yasaka-heiligdom in Kyoto, het heiligdom
van de beschermgod van de vermaarde wijk Gion, bekend van het
losbandige julifestival. Er is ook een Susanō-heiligdom in de stad
Fukuyama in de prefectuur Hiroshima, waarvan wordt beweerd dat
het dateert van de vijfde eeuw of eerder. In Izumo zelf zijn twee kleine maar niet onbelangrijke heiligdommen aan Susanowo gewijd:
de heiligdommen van Susa en Yaegaki, die behoren tot het grotere
complex van heiligdommen van Izumo. Het Yaegaki-heiligdom bevindt zich volgens de legende op de locatie van het paleis waar Susanowo woonde na zijn huwelijk met Kushinada-hime.

DE KUNITSUKAMI EN DE WERELDEN VAN DE SCHEPPING

Susanowo trouwt met Kushinada-hime en vestigt zich in Izumo.
Vanaf dan wordt hij gerekend tot de kunitsukami, de 'goden van het
land'. De kunitsukami zijn overwegend kinderen van de oorspronkelijke eilanden en goden van het landschap die Izanagi en Izanami

voortbrachten. Deze goden, die vaak gelinkt zijn aan een specifieke plek in de archipel, worden de voorouders van belangrijke plaatselijke familielijnen. De amatsukami zijn daarentegen de voorouders van het keizerlijk hof en van de clans die de keizerlijke lijn dienen; zij zijn ook de voorouders van de goden die in de hemel wonen.

Susanowo's nakomelingen uit zijn huwelijk met Kushinada-hime worden genoemd in de *Kojiki*, waarvan de verhaallijn stilstaat bij zijn nakomeling van de zesde generatie, Ōnamuji. Ōnamuji is de jongste van een hele rits broers; volgens de tekst tachtigduizend, het functionele equivalent van oneindig veel. Hij is goed en aardig en het lievelingskind van zijn moeder. Ōnamuji's broers proberen hem meermaals te vermoorden, maar zijn moeder wekt hem telkens weer tot leven, tot ze hem ten slotte wegstuurt om aan zijn familie te ontsnappen.

Na een voorval waarbij hij een konijn een vacht geeft, gaat Ōnamuji naar Izumo, waar hij verliefd wordt op Suseribime, de dochter van Susanowo en zijn oud-oud-oud-oudtante. Ōnamuji moet een aantal testen doorstaan alvorens Susanowo hem met Suseribime laat trouwen. Hij volbrengt ze met glans, dankzij zijn eigen scherpzinnigheid, de wijsheid van Suseribime en de loyaliteit van een aantal dierlijke metgezellen waaronder muizen en (uiteraard) konijnen. Nadat hij zich aan Susanowo heeft bewezen, krijgt hij een nieuwe naam: Ōkuninushi 大国主, 'grote meester van het land'.

Ōkuninushi neemt de heerschappij over Izumo – en dus over de Japanse archipel – over van Susanowo. Susanowo trekt zich terug om dichter bij zijn moeder te kunnen zijn, en wordt de heer van een ondergronds gebied dat bekendstaat als Ne-no-Katasu, 'de geharde wortel'. Ōkuninushi is nu leider van de kunitsukami. Hij is veel geschikter voor de rol van god van de aarde en landbouw dan zijn onstuimige en destructieve voorganger.

Ōkuninushi's eerste daad als heerser van de aarde is vrede brengen op het land, waarmee hij ten langen leste het scheppingsproces voltooit dat begon met Izanagi en Izanami. Hij wordt geholpen door een nieuwkomer van de overkant van de zee: Sukunabikona 少名毘古那, 'kleine-naam-ventje'. Sukunabikona is in eerste instantie een zwijgzame, mysterieuze god, maar de volgelingen van Ōkuninushi onthullen zijn identiteit en zijn mysterieuze scheppende krachten. Samen reizen Ōkuninushi en Sukunabikona door Japan en maken ze het klaar om bewoond en op grote schaal bewerkt te worden.

Ōkuninushi

In de oude mythen komt Ōkuninushi, de god die de schepping van de sterfelijke wereld moet voltooien, het dichtst in de buurt van een god van de aarde. Hij moet er ook voor zorgen dat de aarde klaar is voor wanneer de nakomelingen van Amaterasu de heerschappij overnemen. Ōkuninushi speelt meerdere rollen in de mythen, van jonge held en slachtoffer – een soort Japanse Osiris – tot dolende heer, en vervolgens behoedzaam meester van zijn rijk onder het toeziend oog van de veeleisende amatsukami. Desondanks is het in vergelijking met andere Japanse godheden niet duidelijk wat zijn krachten precies inhouden.

Ōkuninushi voltooit de schepping; hij maakt van het land een stabiele plek waar gewassen kunnen groeien. Ook brengt hij de kunit-

Ōkuninushi, hier afgebeeld als een wijze oude edelman, met het konijn dat hij redde.

51

sukami samen onder zijn heerschappij. Daardoor kalmeren de natuurkrachten. Ōkuninushi is echter geen landbouwgod. Hij is ook
geen god van bergen of vlakten, de natuurlijke landschapselementen
die de eilanden kenmerken. Misschien is hij een overblijfsel van een
plaatselijke god die oorspronkelijk even belangrijk was als Amaterasu, maar dan voor een ander oud koninkrijk, een dat aan het keizerlijk gezag moest worden onderworpen – zoals mogelijk ook het
geval was bij Susanowo en Tsukuyomi.

Ōkuninushi werd zelden afgebeeld vóór de moderne tijd. Tegenwoordig wordt hij vaak voorgesteld als een kalmere versie van
Susanowo, als een ernstige man in kleren uit de Kofun- of Asuka-
perioden, soms ongewapend. Standbeelden en schilderijen van
Ōkuninushi tonen hem met een stille trots in zijn postuur en blik,
die contrasteren met de typische felle uitstraling en gezichtsuitdruk-
king van Susanowo.

Ōkuninushi wordt vooral vereerd in het Izumo-heiligdom in
Izumo in de prefectuur Shimane. Dit is het tweede van de drie be-
langrijkste heiligdommen in Japan, en naar verluidt de locatie van
Susanowo's eerste nederzetting, die later het paleis van Ōkuninushi
zou worden in de tijd voor de komst van Ninigi, de kleinzoon van
Amaterasu en de stichter van de keizerlijke clan.

Vandaag de dag is het Izumo-heiligdom een groot complex van
houten bouwsels in een gelijkaardige stijl als het Ise-heiligdom,
maar dan rustieker. Dat was echter niet altijd het geval. In de kronieken spreekt men van Ōkuninushi's 'hoge huis', en in een illustratie uit
de Kamakuraperiode heeft het heiligdom een andere vorm en staat
het op grote pilaren. In 2000 deed men tijdens opgravingen op het
terrein van het Izumo-heiligdom een van Japans meest spectaculai-
re archeologische vondsten: er werden overblijfselen gevonden van
de enorme steunpilaren van het oude gebouw. Deze pilaren werden
gemaakt door drie boomstammen samen te binden. Elke pilaar had
een doorsnede van meer dan twee meter. Het 'hoge huis' dat deze
enorme pilaren ondersteunden, was minstens twintig meter hoog en
dus een van de hoogste premoderne structuren uit hout![12]

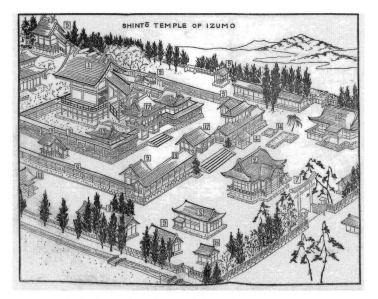

Het Izumo-heiligdom in de prefectuur Shimane, het belangrijkste gebedshuis van Ōkuninushi, lang nadat de grote pilaren waren gesneuveld. Onderzoekers waren zich niet bewust van zijn voormalige omvang.

Het heiligdom van Izumo

- Voornaamste gebedshuis van Ōkuninushi; ook gewijd aan Susanowo.
- Locatie van Susanowo's eerste nederzetting en van het paleis van Ōkuninushi.
- Volgens de overlevering gebouwd ter ere van Ōkuninushi door de legendarische elfde keizer, Suinin (trad. r. 29 v.Chr.-70 n.Chr.), wiens stomme zoon, prins Homutsuwake, op miraculeuze wijze zijn spraak terugkreeg.
- In 2000 ontdekten archeologen de overblijfselen van steunpilaren van een eerdere versie van het heiligdom; dit oorspronkelijke 'hoge huis' was twintig meter hoog. Het huidige heiligdom is een groot rustiek complex uit hout.

Net als de verhalen van Izanami's dood en Izanagi's reis naar Yomi, komt Ōkuninushi niet aan bod in het hoofdverhaal van de *Nihonshoki*; hij wordt alleen vermeld in de alternatieve vertellingen, en het lijkt erop uit dat hij weinig verering genoot aan het oude Japanse hof. Er is wel bewijs dat Ōkuninushi een belangrijke plaatselijke god was in het zuiden van Honshu, aangezien hij, en niet Susanowo, de belangrijkste god van het Izumo-heiligdom is. Het oude Izumo kende een heel andere traditie van grafbouw en ijzersmeedwerk dan de rest van de archipel: de technologie die hier in de eerste eeuwen na Christus werd gebruikt, lijkt meer op die van het oude Koreaanse koninkrijk Silla.[13] Misschien was Ōkuninushi, de grote meester van het land, oorspronkelijk de beschermgod van een koninkrijk dat lang geleden werd onderworpen door het keizerlijk hof, en gedwongen was hulde te brengen aan de nazaten van Amaterasu, zowel in de mythologie als in het echt.

DE GEOGRAFIE VAN DE JAPANSE MYTHEN

De kosmologie van de *Kojiki* en de *Nihonshoki* is warrig. Dat is deels te wijten aan het gebrek aan continuïteit tussen de teksten, maar het komt ook doordat in geen van beide teksten duidelijk beschreven wordt waar dingen zich precies bevinden. Het rijk van de stervelingen – Ashihara-no-Nakatsukuni – is duidelijk de Japanse archipel. De rest van de echte wereld lijkt echter niet rond de eilanden te bestaan. In plaats daarvan verwijzen de kronieken naar verschillende 'landen' (*kuni*), een woord dat in de oude tijd ook werd gebruikt voor 'provincie' en 'grondgebied'. Ofwel zijn deze 'landen' op bepaalde plekken verbonden met Ashihara-no-Nakatsukuni, ofwel bevinden ze zich in denkbeeldige ruimtes, zoals op de bodem van de oceaan.

Het belangrijkste van deze andere rijken is Takamagahara, de 'hoge hemelse vlakte'. Dit is het land van de amatsukami, meer specifiek van Amaterasu en haar hof. Het wordt soms geïdentificeerd als de lucht. Het is echter niet hetzelfde als Tsukuyomi's nachtelijke rijk (dat verrassend genoeg geen naam heeft). Over Takamagahara wordt alleen gezegd dat het 'boven' Ashihara-no-Nakatsukuni ligt. Meerdere personages, onder wie Izanagi en Izanami, en alle afgezanten die Amaterasu naar de kunitsukami stuurt gebruiken een con-

structie die de 'zwevende hemelse brug' (*ama-no-ukihashi*) heet om
het rijk van de stervelingen te betreden. Er wordt niet beschreven
hoe de brug werkt. Meer recent wordt de brug op talloze manieren
afgebeeld, van een doodgewone brug tot een magische lift.

Als Izanami sterft, gaat ze naar het rijk Yomi. Yomi is fysiek bereikbaar vanuit Ashihara-no-Nakatsukuni, maar er wordt niet gespecificeerd waar de toegang – de helling van Yomi – precies ligt.

Izanagi (links) en Izanami (rechts) staan op de zwevende hemelse brug.

De naam bevat de karakters voor 'zwavelbron', ontleend aan de Chinese term voor een vulkanisch, hels landschap. De uitspraak *yomi* is
niet Chinees, en komt als inheemse naam waarschijnlijk uit Japan.
Yomi wordt bevolkt door feeksen, vrouwen die te oud zijn om te
trouwen, en dondergoden die verwoesting zaaien. Afgezien van de
oude kronieken wordt er zelden naar verwezen, ook niet in middeleeuwse verhalen of vroegmoderne folklore.

Men gaat er meestal van uit dat Yomi dezelfde plek is als Susanowo's uiteindelijke vesting, Ne-no-Katasu, of de 'de geharde wortel'. Daar trekt Susanowo zich terug nadat hij zijn heerschappij over Ashihara-no-Nakatsukuni heeft overgedragen aan Ōkuninushi. Vreemd genoeg wordt hier verder niets meer over gezegd. De naam doet denken aan ondergrondse wortels, en in een eerder verhaal zegt Susanowo dat hij huilt omdat hij bij zijn moeder Izanami wil zijn, die zich in Yomi bevindt. Door die twee zaken hebben onderzoekers een verband gelegd tussen deze twee plekken, maar er zijn ook tegenargumenten. Het voornaamste probleem is dat Yomi zich niet onder de grond bevindt en Ne-no-Katasu mogelijk wel.

Het laatste rijk dat in de kronieken wordt vermeld, is het land van de zeegod Watatsumi 綿津見. Doorgaans neemt men aan dat dit rijk zich op de bodem van de oceaan bevindt, maar het heeft ook tuinen, rijstvelden, paleizen en andere kenmerken van het leven op het land. Mogelijk is dit het rijk dat oorspronkelijk werd toegewezen aan Susanowo, voor hij huilend troonsafstand deed. Net als het rijk van Tsukuyomi heeft het geen specifieke naam. Het wordt bewoond door kami die ook zeewezens zijn, mogelijk geïnspireerd door Chinese associaties van draken met water en de oceaan. In tegenstelling tot Yomi en Ne-no-Katasu, specifieke locaties die toegankelijk zijn vanuit de wereld van de stervelingen, ligt het zeerijk net als Takamagahara op een afzonderlijke plek die onbereikbaar is voor mensen. Wie erheen wil heeft de stilzwijgende toestemming nodig van de meester van het rijk, Watatsumi.

DE VEROVERING VAN HET LAND

Nadat Ōkuninushi de schepping voltooit, beslist Amaterasu controle over de eilanden te nemen en hemel en aarde te verenigen onder de amatsukami. Ze kiest de oudste van haar vijf zonen die ze met Susanowo kreeg, Ame-no-Oshihomimi 天忍穂耳, om Ōkuninushi te overtuigen zijn heerschappij over de aarde op te geven. Ame-no-Oshihomimi heeft echter geen zin om de dwarse aardgoden te sussen en weigert. In zijn plaats stuurt Amaterasu haar tweede zoon, Ame-no-Hohi 天穂日.

Ame-no-Hohi daalt gehoorzaam af naar de wereld van de stervelingen. Hij ontmoet Ōkuninushi en raakt zodanig in de ban van de kunitsukami dat hij het drie jaar lang vertikt om zelfs maar verslag uit te brengen bij Amaterasu. Gefrustreerd stuurt Amaterasu de god Ame-no-Wakahiko 天若日子 naar Ōkuninushi. Ook Ame-no-Wakahiko valt voor de charmes van de kunitsukami en hij trouwt met een van Ōkuninushi's dochters. Acht jaar later stuurt Amaterasu een fazant naar het rijk van Ōkuninushi om te achterhalen waarom ze ook van Ame-no-Wakahiko niets hoort. Ame-no-Wakahiko schiet de fazant neer, maar wordt geraakt door de terugkaatsende pijl en sterft.

De amatsukami steken de koppen bijeen om een plan te beramen. Ze beslissen minder diplomatiek te werk te gaan. Amaterasu ontbiedt Takemikazuchi, god van kracht en stormen, en de zoon van het zwaard waarmee Izanagi de vuurgod Hi-no-Kagutsuchi doodde. Takemikazuchi krijgt de taak het hof van Ōkuninushi stormenderhand te veroveren.

Takemikazuchi reist met een aantal metgezellen naar de aarde en onderhandelt met Ōkuninushi aan de kust van Izumo. Ōkuninushi overlegt met zijn raad van kunitsukami. Het belangrijkste raadslid is zijn zoon Kotoshironushi 事代主, een god van kennis. Kotoshironushi raadt zijn vader stellig af om het tegen de amatsukami op te nemen en na lang beraadslagen stemt Ōkuninushi toe. Hij aanvaardt Amaterasu's eisen en staat de heerschappij over de aarde af. In ruil voor het gezag over de archipel eist hij zeggenschap over de religieuze aangelegenheden van de kami, en een 'groots paleis' in Izumo – de oorsprong van het Izumo-heiligdom.

De amatsukami hebben officieel het gezag over de gehele schepping verworven voor Amaterasu. Nu moet de wereld van de stervelingen geregeerd worden. Daarvoor doet Amaterasu een beroep op haar kleinzoon, de oudste zoon van Ame-no-Oshihomimi. Deze kleinzoon heeft vele namen, maar de meeste bevatten het element Ninigi, en onder die naam staat hij tegenwoordig dan ook bekend.

Ninigi is net als zijn vader god van de rijstteelt. Hij is niet alleen een nazaat van Amaterasu langs vaders kant; zijn moeder is de dochter van Takamimusuhi, een van de goden die vóór Izanagi en Izanami kwamen. In Ninigi wordt met andere woorden Amaterasu's zeggenschap over de zon verenigd met de oudere scheppende krachten die aan de oorsprong van het universum liggen.

Konohana-no-Sakuyabime, de vrouw van Ninigi en een voorzaat van de toekomstige keizerlijke clan.

Ninigi kiest een aantal metgezellen uit het groepje goden dat Amaterasu uit de hemelse rotsspelonk hielp lokken, en daalt af naar de aarde. Voor hij de hoge hemelse vlakte verlaat, overhandigt Amaterasu hem de keizerlijke regalia: het zwaard Kusanagi, de spiegel met Amaterasu's beeltenis, en de streng juwelen die haar uit de hemelse rotsspelonk lokten. Als ze in de wereld van de stervelingen aankomen, sluit Takemikazuchi zich aan bij Ninigi's groep. Ze vestigen zich in Himuka ('naar de zon gericht'), het huidige Hyūga in de prefectuur Miyazaki. Ninigi trouwt met Konohana-no-Sakuyabime, een bloemengodin en de dochter van de berggoden die Izanami baarde. Hun huwelijk verbindt een van de grote geslachten van de kunitsukami met de lijn van Amaterasu, en verenigt de krachten van de natuur met die van de zon.

Takemikazuchi

Takemikazuchi is een dondergod, maar hij verschilt behoorlijk van de andere dondergoden in de oude kronieken, die optreden als dienaren van Izanami en/of verwoestende krachten. Takemikazuchi is een god van moed en rechtvaardige strijd. Hij is ook de boodschapper die uiteindelijk aan de kunitsukami overbrengt dat Amaterasu aanspraak maakt op Ashihara-no-Nakatsukuni. In tegenstelling tot de boodschappers die hem voorgingen, houdt Takemikazuchi stand, en later wordt hij een van de raadgevers van Ninigi. Hij lijkt eerder een oorlogsgod dan een dondergod. Omdat hij militair bevelvoerder was en oorspronkelijk ver van het keizerlijk hof van belang was, is het aannemelijk dat ook hij vroeger de centrale godheid van een kleiner koninkrijk of gebied was. Dat zou betekenen dat ook Takemikazuchi onder het gezag van Amaterasu werd gebracht als deel van de nieuwe keizerlijke orde.

Een optocht van *miko* of priesteressen bij het Kasuga-heiligdom in Nara.

Vanaf de late middeleeuwen wordt Takemikazuchi neergezet als god van de vechtkunsten, in het bijzonder van de schermkunst. Sindsdien wordt hij afgebeeld als zwaardvechter, doorgaans streng maar beheerst. Takemikazuchi's oorspronkelijke heiligdom was dat van Kashima in Kashima, in de prefectuur Ibaraki ten noorden van Tokio. Hij werd later overgeplaatst naar verschillende andere locaties in het zuiden van Honshu, waarvan het Kasuga-heiligdom in Nara de belangrijkste is.

Ninigi
Ninigi krijgt vele namen in de oude kronieken, maar de meeste eindigen met de drie lettergrepen waaronder hij vandaag bekendstaat. Als hemelse kleinzoon is hij Amaterasu's nazaat op aarde, en hij re-

geert in naam van de amatsukami over het rijk van de stervelingen.

Ninigi's langere namen bevatten vaak woorden voor 'rijstaar', en onderzoekers denken dan ook dat hij oorspronkelijk een landbouw-god was. Landbouw is doorgaans echter de bevoegdheid van plaat-selijke kami. Ninigi wordt vaker vereerd als god van heerschappij. Als mythische figuur is hij in sommige opzichten eerder mens dan god, en staat hij vooral bekend om zijn rol als voorouder van de kei-zerlijke clan.

Ninigi komt zelden voor in de kunst en zelfs in de moderne tijd zijn afbeeldingen van hem zeldzaam. Als hij al wordt afgebeeld is het als jongeman in traditionele Japanse kledij. Vreemd genoeg bevatten deze afbeeldingen weinig onderscheidende kenmerken.

Ninigi wordt slechts in een paar heiligdommen vereerd. De be-langrijkste is het Kirishima-heiligdom in Kirishima en het Nitta-heiligdom in Satsuma Sendai, beide gelegen in de prefectuur Kago-shima, en het Imizu-heiligdom 射水神社 in Takaoka in de prefec-tuur Toyama.

DE OORSPRONG VAN DE KEIZERLIJKE LIJN

Ninigi en Konohana-no-Sakuyabime hebben een aantal kinde-ren. Twee van hun zonen zijn Hoderi 火照 ('felle vlam') en Howori 火折 ('flakkerende vlam'). Hoderi wordt als eerste geboren; Kono-hana-no-Sakuyabime kondigt zelfs de ochtend na haar huwelijk met Ninigi al aan dat ze in verwachting is! Ninigi staat versteld over de snelheid. Bezorgd als hij is dat ze het kind van een eerdere minnaar draagt, dwingt hij Konohana-no-Sakuyabime een geboortehut te be-treden, die hij vervolgens in brand steekt. De vlammen sparen de godin, die de waarheid sprak, en ze ligt ongeschonden in de as met een jongetje in haar armen. Hoderi's naam verwijst naar zijn geboor-te in het vuur.

Hoderi wordt een beroemd jager. Hij gebruikt zijn kennis van de bergen, die hij van zijn moeder en grootvader langs moeders kant erfde, om wild op het spoor te komen. Howori, zijn jongere broer, wordt een even vermaard visser. Op een dag krijgen de twee ruzie als Hoderi wil bewijzen dat hij even goed kan vissen als zijn broer. Helaas blijkt dat niet het geval en tot overmaat van ramp raakt hij

Howori's speciale stenen vishaak kwijt in de oceaan. Hoderi probeert Howori een andere vishaak te geven, maar Howori beweert dat dat zou zijn alsof je een kind weggooit en vervangt door een ander, omdat alle dingen hun eigen kami hebben. Er zit voor Hoderi niets anders op dan in de zee te duiken en de vishaak van zijn broer terug te halen.

Hoderi duikt naar de bodem van de oceaan om te zoeken. In plaats van de vishaak vindt de jonge god daar een adembenemend paleis. Het is het onderkomen van Watatsumi, de god van de oceaan, die het rijk volgens de legende erft nadat Susanowo het achterlaat. Hoderi blijft een aantal jaar bij Watatsumi. Tijdens zijn onderzeese verblijf wordt hij verliefd op Watatsumi's dochter, Toyotama-hime 豊玉姫, een godin van schatten. Ze trouwen en besluiten naar de oppervlakte terug te keren.

Bij hun aankomst schenkt Toyotama-hime Hoderi een magisch juweel dat de getijden beheerst. Hij daagt Howori opnieuw uit en gebruikt het juweel om meer vis te vangen dan zijn broer. Howori erkent zijn nederlaag en geeft toe dat Hoderi beter geschikt is om te regeren. Hoderi erft Ninigi's heerschappij over de aardse schepping. Dankzij Hoderi's huwelijk komen ook de krachten van de zee toe aan de opkomende keizerlijke lijn; Amaterasu's nakomelingen hebben niet alleen het recht om over de Japanse eilanden en omliggende zeeën te regeren, maar verbinden zich door het huwelijk letterlijk met zowel het land als het water.

Toyotama-hime wordt zwanger en bereidt zich voor op de geboorte van hun eerste kind. Ze vertelt haar echtgenoot dat ze ondanks haar lieflijke voorkomen een wezen van de zee is, en dat ze het kind dus in haar eentje moet baren in een afgesloten hut. Ze smeekt hem niet naar haar te kijken als het zover is. Hoderi kan zijn nieuwsgierigheid niet bedwingen en sluipt naar binnen. Tot zijn grote schrik treft hij daar niet zijn geliefde vrouw aan, maar een enorm zeewezen dat aan het bevallen is! Wat hij precies zag, verschilt van tekst tot tekst, volgens de *Kojiki* een haai en volgens de *Nihonshoki* een draak.

Toyotama-hime noemt hun zoon Ugayafukiaezu 鵜葺草葺不合, een verwijzing naar de aalscholververen die het dak van haar magische geboortehut bedekten.

Toyotama-hime, dochter van de zeegod Watatsumi;
haar warrige haren en de draak op haar rug
zinspelen op haar ware aard.

Ze geeft het jongetje aan Hoderi,
maar zegt dat ze hem zijn oneer-
biedigheid niet kan vergeven. Dan
verlaat ze haar echtgenoot en ver-
dwijnt voor eeuwig in de oceaan.
In haar plaats stuurt ze haar zus
Tamayori-hime 玉依姫, godin van
voorwerpen met heilige krachten,
om voor Ugayafukiaezu te zorgen.

Het kind stamt af van de amatsukami, de kunitsukami en de zee. Toch kan
Ugayafukiaezu geen keizer worden, hoewel
Amaterasu's nazaten daartoe voorbestemd zijn. In geen enkele versie wordt precies uitgelegd waarom, maar mogelijk is de verbroken
belofte tussen zijn ouders de oorzaak. Als Ugayafukiaezu volwassen
is, trouwt hij met zijn tante Tamayori-hime, en de verzoening tussen het geslacht van de zee en de andere lijnen is eindelijk een feit.
Ze krijgen vier zonen, waarvan de jongste het bekendst is onder zijn
twee karakters tellende keizerlijke naam: Jinmu 神武, 'wapen van de
goden', de eerste legendarische keizer van Japan.

Watatsumi

Watatsumi, de god van de zee, komt verrassend weinig voor in de
oude kronieken. Aangezien Japan uit eilanden bestaat, waren de
kami van individuele wateren plaatselijk erg belangrijk. Als hoofd
van de allergrootste watervlakte reikt Watatsumi's invloed echter
verder.

Eigenlijk is Watatsumi een drievoudige godheid. Hij wordt geboren in de gedaante van de drie broers die Izanagi voortbrengt als
hij zich reinigt na zijn bezoek aan Yomi. Deze drie broers zijn: So-
kotsu-Watatsumi 底津綿津見, 'overstekende god van de zeebodem'

(of Sokotsutsunowo 底筒之男, 'man van de onderste oversteek); Nakatsu-Watatsumi 中津綿津, 'overstekende god van het midden van de zee' (of Nakatsutsunowo 中筒之男, 'man van de middelste oversteek'); en Uwatsu-Watatsumi 上津綿津見, 'overstekende god van het zeeoppervlak' (of Uwatsutsunowo 上津綿津見, 'man van de bovenste oversteek'). Deze drie goden verschijnen als één god in alle andere mythen met Watatsumi.

Watatsumi wordt vereerd in vele heiligdommen in Japan. Het bekendste is het Sumiyoshi-heiligdom in Osaka. Oorspronkelijk was dit een enorm complex van heiligdommen op het strand, net ten zuiden van de oude haven Naniwa. Het huidige heiligdom ligt vanwege landwinning enkele kilometers landinwaarts, maar is nog steeds een toeristische trekpleister en de hele stadswijk is ernaar vernoemd. Vreemd genoeg worden de drie godheden die Watatsumi samenbrengt afzonderlijk vereerd in het Sumiyoshi-heiligdom. Dat gebeurt in identieke kleinere heiligdommen naast een groter heiligdom voor keizerin Jingū 神宮皇后, die in het volgende hoofdstuk uitgebreider aan bod komt.

JINMU, DE EERSTE KEIZER

Jinmu is een overgangsfiguur tussen de werelden van goden en mensen. Hij ontleent zijn gezag aan Amaterasu, de heilige matriarch. In zijn bloedlijn komen ook alle andere geslachten van de schepping samen. Van zijn overgrootmoeder erfde Jinmu de kracht van de kunitsukami en hun heerschappij over het land. Zijn moeder en grootmoeder gaven hem gezag over de zee. In tegenstelling tot zijn vader is Jinmu niet het kind van een verbroken belofte. Hij vertegenwoordigt daarom de eenheid van krachten die nodig is om de archipel van duurzame vrede te verzekeren.

Hij is ook het eerste personage in de mythen dat evenveel mens als god is. De eerste keizer heeft geen directe connectie met de hoge hemelse vlakte, behalve door zijn bloedlijn. Hij houdt zich uitsluitend bezig met 'sterfelijke' aangelegenheden, zoals controle over het grondgebied en het verslaan van plaatselijke vijanden.

De naam Jinmu bestaat, naar Chinese stijl, uit twee karakters. Deze keizerlijke stijl was populair bij heersers in de achtste eeuw,

Jinmu, de eerste keizer, verslaat de tsuchigumo met zijn
grote handboog en een heilige
stok. Op zijn boog zit de 'achtpotige kraai' Yatagarasu, die
het licht van de zon uitstraalt.

en is ook nu nog het officiële format. In de kronieken wordt echter
naar de eerste keizer verwezen met zijn inheemse koninklijke naam:
Kamu-Yamato-Iwarebiko 神日本磐余彦, of 'dappere prins van
Iware in Yamato, gezegend door de goden'. In deze indrukwekken-
de naam komt het dorp voor waar hij uiteindelijk zijn paleis bouwt,
Iware, in het huidige Sakuari in de prefectuur Nara.

De prins is de jongste van de vier zonen van Ugayafukiaezu en Tamayori-hime. Hij groeit op in Himuka, aan de zuidoostelijke kust
van Kyushu. Hij heeft drie oudere broers: Itsuse, Inai en Mikeiri. Alleen Itsuse, de oudste, krijgt een belangrijke rol in de verhalen. Inai
en Mikeiri komen nauwelijks voor in de *Kojiki*, en in de *Nihonshoki*
verdwijnen ze uit de verhaallijn om opdrachten te volbrengen. Inai
reist naar de bodem van de zee als haaiengod, en Mikeiri gaat op
zoek naar Tokoyo 常世, het land van het eeuwige leven. Itsuse heeft
echter een hechte band met zijn jongere broer en blijft aan Jinmu's
zijde.

Ugayafukiaezu en Tamayori-hime sterven allebei wanneer hun

zonen in de veertig zijn. Kort daarna komt Jinmu tijdens het jagen een man met een staart tegen; het is Shiotsuchi 塩土, een kunitsukami, en hij zweert trouw aan de jonge prins. Shiotsuchi droomt dat Amaterasu en Takemikazuchi hem toespreken. Ze dragen hem op de kinderen van Ugayafukiaezu, in het bijzonder Jinmu, naar het noorden te sturen. Daar, diep in het binnenland van Honshu, zullen ze Yamato vinden, een vallei omzoomd door bergen en gezegend met rivieren. Amaterasu wil dat Yamato het middelpunt van het sterfelijke rijk wordt. De weg erheen wemelt van de opstandige kunitsukami. Aan Jinmu en Itsuse de taak om ze te onderwerpen.

Shiotsuchi, wiens naam wordt geassocieerd met de getijden, helpt Jinmu als scheepsbouwer. Amaterasu stuurt nog een god om de prins te helpen: Yatagarasu 八咫烏, de 'achtpotige kraai'.

Jinmu, de eerste keizer

- Ontleent zijn gezag aan zonnegodin Amaterasu, zijn overgrootmoeder.
- Evenveel mens als god; daarom houdt hij zich bezig met sterfelijke aangelegenheden.
- Verovert met zijn troepen Yamato (huidige prefectuur Nara). Onderwerpt verscheidene kunitsukami ('aardse goden') die niet gehoorzamen aan Amaterasu en de amatsukami ('hemelse goden').
- Trouwt met Himetatara-Isuzuhime, die de zuivere bloedlijn van een amatsukami heeft.
- Onderzoekers betwisten of Jinmu echt bestaan heeft. Zijn heiligdommen en begraafplaats zijn allemaal moderne constructies.

Yatagarasu leidt hen naar het noorden, waar hij de komst van de hemelse nakomelingen en hun ontluikend hof aankondigt.

Jinmu en Itsuse reizen via de kust en houden onderweg een aantal keer halt (de precieze lijst verschilt per kroniek). Bij elke tussenstop stuiten ze op weerstand van de tsuchigumo 土蜘蛛, de 'aardspinnen'. Dit zijn kunitsukami met lange armen en benen die zich verzetten tegen de heerschappij van de amatsukami op het land. Sommige tsuchigumo sluiten zich uiteindelijk aan bij het leger van

Jinmu en Itsuse. Andere vechten terug, maar worden allemaal verslagen.

Op een gegeven moment bereiken de twee prinsen en hun manschappen Naniwa, de haven die later de stad Osaka zou worden. Naniwa is het dichtst bij Yamato gelegen punt dat bereikbaar is vanaf het water. Als de prinsen proberen aan te meren, worden ze belaagd door Nagasunebiko 長髄彦, een van de tsuchigumo-heren van Yamato. Tijdens de veldslag wordt Itsuse geraakt door een krachtige 'fluitende pijl'. Jinmu trekt zijn troepen terug. Als ze het slagveld verlaten, beseft hij dat ze zich al die tijd naar het oosten hebben gekeerd, met de zon in het gezicht. Ze hadden in plaats daarvan met Amaterasu in de rug moeten vechten; die fout kostte hun de overwinning.

Itsuse bezwijkt aan zijn verwondingen en vervloekt zijn lot met zijn laatste adem. Jinmu blijft over als laatste erfgenaam van de zon. Hij verzamelt zijn troepen en vaart zuidwaarts, rond het schiereiland Kii, naar Kumano, de huidige stad Shingū in de prefectuur Wakayama. Volgens de *Nihonshoki* krijgt Jinmu een goed voorteken van de grote god van Kumano, een mysterieuze plaatselijke godheid. In de *Kojiki* is dat teken een voorbode van Amaterasu. Ongeacht de zender is het een goed voorteken, dus het leger van de amatsukami trekt landinwaarts. Ze reizen door de bergen van het schiereiland Kii, via de eeuwenoude pelgrimsroute Kumano Kodō (die momenteel op de werelderfgoedlijst van UNESCO staat).

Vanaf dit punt is de *Kojiki* verfrissend bondig over Jinmu's veroveringen. De prins reist door de bergen naar het stroomgebied van de Nara, waar hij het opneemt tegen de troepen van Nagasunebiko op de berg Kaguyama. Deze lage berg is met zijn 152 meter hoogte nauwelijks meer dan een heuvel, maar is niettemin een van de drie heilige bergen van Yamato. Jinmu verslaat Nagasunebiko op de flanken van de berg Kaguyama.

De *Nihonshoki* is veel uitvoeriger. De focus gaat achtereenvolgens naar elk van Nagasunebiko's ondergeschikten en hoe Jinmu en zijn troepen hen verslaan. Sommige van de thema's in deze verhalen komen later terug, zoals de aanwezigheid van twee tegenstanders waarvan de een goed blijkt en de ander slecht. Kort nadat Jinmu

Yamato betreedt, ontmoet hij twee broers, Eshiki en Otoshiki. Beiden willen hem trouw zweren in de grote zaal van Eshiki. Otoshiki vertelt Jinmu in het geheim dat Eshiki een val met rotsblokken in het plafond van de zaal heeft verstopt en van plan is de prins te vermorzelen tijdens de ceremonie. Jinmu stuurt troepen om op onderzoek uit te gaan. In het gevecht dat uitbreekt, zet Eshiki per ongeluk de vallen in werking en wordt hij zelf verpletterd. Otoshiki zweert Jinmu trouw en wordt een van zijn generaals.

Volgens een ander motief dat onder andere in de *Nihonshoki* voorkomt, wint Jinmu een gevecht door middel van travestie. Hij wil de berg Kaguyama verkennen, maar de weg wordt versperd door de troepen van Nagasunebiko. Op bevel van de prins verkleden Shiotsuchi en Otoshiki zich als een oude man en vrouw. Vermomd naderen ze de berg en beweren dat ze pelgrims zijn die tot de god van de berg willen bidden. De vijandelijke troepen drijven de spot met het armzalige voorkomen van het echtpaar en laten hen vervolgens door. Eenmaal voorbij de versperring stelen Shiotsuchi en Otoshiki heilige klei van de berg en keren daarmee terug naar Jinmu. Met de klei boetseert Jinmu een kom die hij gebruikt om de voorwaarden van zijn overwinning te voorspellen.

In beide versies eindigt hun komst op Yamato met een veldslag op de top van de berg Kaguyama. De manschappen van Nagasunebiko zijn verspreid over de vlakke, uitgestrekte piek, terwijl het leger van Jinmu vanaf de omliggende vlakte de hoogte in moet aanvallen. De prins leidt de aanval zelf en verslaat de tsuchigumo haast zonder manschappen te verliezen. In beide versies zingt hij na zijn zege een aantal liederen. In de meeste schept hij op over zijn zwaardkunsten of de snelheid waarmee hij Nagasunebiko versloeg. Men denkt dat deze rituele liederen, zogenaamde *kumeuta*, gezongen werden door een specifieke clan die de keizerlijke familie diende. Een voorbeeld is het volgende lied, dat Jinmu zong nadat hij Nagasunebiko doodde:

Felle en furieuze
mannen van de vechters,
in een veld trosgierst gedijt

een stinkende stengel bieslook.
Wroet naar de wortels,
speur naar de scheuten,
sla toe en maak het af![14]

De eerste keizer van Japan bestijgt de troon op de eerste dag van het nieuwe jaar nadat er vrede is gesticht op Yamato. Hij bouwt een paleis op de noordoostelijke flank van de berg Unebi, ook een van de drie heilige bergen van Yamato. Het Kashihara-heiligdom in Kashihara in de prefectuur Nara werd zogenaamd precies gebouwd op de locatie van Jinmu's paleis.

Jinmu's eerste daad als keizer is een geschikte vrouw zoeken. Hij mocht dan al getrouwd zijn in Himuka, nu heeft hij iemand nodig met een stamboom die een afstammeling van Amaterasu waardig is. Er komen hem geruchten ter ore over een beeldschone vrouw, de kleindochter van een plaatselijke heer, die onder mysterieuze omstandigheden werd verwekt. Enkele decennia geleden deed de dochter van deze heer haar behoefte in een rivier die van de berg Miwa stroomde, een andere heilige berg ten oosten van het Nara-bekken (maar niet een van de drie heilige bergen). De vrouw werd opgemerkt door de god van de berg, Monoshironushi 物白主. Monoshironushi was een nakomeling van Takamimusuhi, een van de oorspronkelijke scheppingsgoden, en behoorde dus tot de hoogste rangen van de amatsukami.

Monoshironushi werd verliefd op de beeldschone vrouw. Hij veranderde zichzelf in een rode pijl die door het water vloog en de genitaliën van de vrouw raakte. Geschrokken veerde ze recht, waarop hij in een knappe man veranderde en haar zijn liefde verklaarde. Het kind dat uit hun verbintenis wordt geboren, een meisje dat Himetatara-Isuzuhime 姬蹈鞴五十鈴姬 heet, is beeldschoon. Ze heeft ook de bloedlijn van een pure amatsukami en is dus een perfecte huwelijkskandidaat voor de nieuwe keizer. Jinmu stuurt boodschappers om de schoonheid en bloedlijn van Himetatara-Isuzuhime te verifiëren, en ze komen terug met bewijs. Hij maakt haar het hof en hun huwelijk is het begin van de keizerlijke bloedlijn die zo men zegt tot op de dag van vandaag voortbestaat in Japan.

Jinmu regeert zesenzeventig jaar lang, tot hij honderdzestig of honderdzeventig is (afhankelijk van de kroniek). Na zijn dood wordt hij opgebaard in het eerste keizerlijke mausoleum. Deze graftombe lag volgens de legende aan de voet van de berg Unebi, in de buurt van zijn paleis. Vreemd genoeg werd er geen oud grafmonument gevonden op de plek waar hij volgens beide kronieken begraven werd – hoewel er later, aan het einde van de negentiende eeuw, wel een gebouwd werd in het kader van het staatsshintoïsme, dat omstreeks de Tweede Wereldoorlog ten einde kwam.

Premoderne auteurs vonden het verbijsterend dat Jinmu geen graf had. Sommigen vroegen zich af of de eerste keizer van Japan wel overleden was, anderen of hij wel bestaan heeft (het standpunt van de meeste hedendaagse geleerden). Jinmu werd nooit in gelijke mate vereerd als zijn voorouders en andere kami. De aan hem gewijde heiligdommen zijn allemaal moderne bouwsels, net als zijn graftombe.

De eerste keizer is geen god zoals zijn voorouders en met zijn dood komt hun tijdperk definitief ten einde. Ongeacht de daden die toekomstige keizers ook verrichten, wat voor avonturen ze ook beleven en over wat voor krachten ze ook beschikken, ze behoren uitsluitend tot het rijk van de mensen. Op dat rijk zullen we nu onze aandacht richten.

3

DE KEIZERLIJKE MYTHE

Ook de mythen in dit hoofdstuk komen uit de oude Japanse kronieken, de *Kojiki* en de *Nihonshoki*, maar in deze latere verhalen staan geen goden maar mensen centraal. Ze beschrijven hoe de voorouders van de keizers de macht over Japan in handen kregen. Deze verhalen schetsen ook een geïdealiseerd beeld van het rijk, en onthullen hoe vroege Japanners tegen het koningschap aankeken. Deze ideeen stammen uit de achtste eeuw, toen de *Kojiki* en de *Nihonshoki* geschreven werden, maar ongeacht de ontwikkeling van de Japanse maatschappij en cultuur werd er in de eeuwen daarop steeds weer naar teruggegrepen. In sommige tijdperken werden deze concepten verguisd, in andere waren ze juist van grote invloed. Vandaag de dag beschouwt men ze als informatiebronnen over verloren tijden en ideologieën die niet meer stroken met de hedendaagse Japanse waarden. De mythologie van de eerste keizers draait bovenal om een keizerlijk ideaal. Een ideaalbeeld dat leeft tot op de dag van vandaag.

WAT IS EEN KEIZER?

Volgens artikel 1. van de Japanse Grondwet 'symboliseert de keizer de staat en de eenheid van het volk, en oefent hij zijn positie uit bij gratie van het volk, die de soevereine macht in handen heeft'.[1] Deze grondwet werd opgesteld door de Amerikanen tijdens de bezetting van Japan, en ging in 1946 van kracht. Ze is bepalend geweest voor de regering van het huidige Japan en de rol van zijn leiders sinds het catastrofale einde van de Tweede Wereldoorlog. Dat de functie van de keizer in het eerste artikel wordt uitgelegd, bewijst hoe belangrijk de keizerlijke figuur nog steeds is.

In het eerste artikel van de grondwet komen twee belangrijke ideeen naar voren: ten eerste, dat de keizer Japan en het Japanse volk symboliseert; ten tweede, dat hij zijn macht te danken heeft aan het volk, niet aan zichzelf. Het eerste idee, dat de keizer symbool staat voor Japan en het volk, is eeuwenoud. Het tweede, dat hij zijn macht aan het volk te danken heeft, is nieuw, en zonder meer een koerswijziging, maar niet zo radicaal als je zou denken. Tijdens de Tweede Wereld-oorlog werd de keizer afgeschilderd als een god onder de mensen, en de overheid, het onderwijssysteem en talloze aspecten van de Japanse cultuur onderschreven dat ideaal. Dit accent op de keizer als godde-lijke koning was echter voor een groot deel van de Japanse geschiede-nis nooit de norm geweest. Keizers kenden verschillende gedaanten in vele verschillende tijden, en werden meestal niet als goden vereerd. Gedurende lange perioden stonden ze niet eens aan het hoofd van de regering! De Amerikaanse bezetters hebben deze laatste historische interpretatie aangewend om de keizer weer in een symbolisch keurs-lijf te dwingen, dat van boegbeeld waaromheen het rijk zich verenigt.

Het Japans kent verschillende woorden die wij vertalen als 'keizer', maar die elk een specifieke betekenis hebben.

Kroning van keizer Hirohito (r. 1926-1989), geïllustreerd als een klassieke schriftrol. Bovenaan staan twee *takamikura* of baldakijnen voor de keizer en keizerin.

Tegenwoordig is de meest gangbare term *tennō*, wat letterlijk 'hemelse vorst' betekent. Oorspronkelijk was tennō de naam van een mythische leider van het oude China. In latere Chinese bronnen wordt verwezen naar een heerser des hemels, en soms naar de Poolster. De Poolster ligt van alle sterren het dichtst bij de baan van de aarde, en van het noordelijk halfrond gezien lijkt het alsof alle sterrenbeelden rond deze ster draaien. De Poolster staat in het Westen bekend als Polaris en maakt deel uit van het sterrenbeeld Kleine Beer. Vroege Chinese astrologen bemerkten dat de hemel rond de noordelijke Poolster leek te draaien, en trokken daaruit de conclusie dat het de troon des hemels was.[2] Uit dit idee ontstond de overtuiging dat de heerser des hemels als een Poolster was of, sterker nog, ermee samenviel – en hetzelfde gold voor de heerser van de aarde, of tenminste van het belangrijkste deel (China, in hun geval).

Zowel in de *Kojiki* als in de *Nihonshoki* worden alle keizers, beginnend bij Jinmu, 'keizer' genoemd, maar titels die zich laten vertalen als 'keizer' werden pas aan het einde van de zevende eeuw in gebruik genomen. De eerste heerser die zichzelf 'keizer' noemde was Tenmu 天武 (631-686, r. 672-686), de veertigste heerser volgens de traditionele telling. Tenmu kwam aan de macht na de Jinshin-oorlog van 672, een kort maar heftig conflict waarin Tenmu zijn neef de kroonprins van de troon stootte. Volgens de *Nihonshoki* deed Tenmu een waarzeggingsritueel met houten borden waaruit bleek dat hij voorbestemd was om de volgende heerser te worden. Zonnegodin en heilige matriarch Amaterasu zette de uitkomst hoogstpersoonlijk kracht bij door de hemel boven de provincie Yamato met onweerswolken te vullen.[3] Vervolgens riep Tenmu zichzelf uit tot bovenaards heerser die zijn kracht ontleende aan de hemelse goden – de tennō. Zijn voorgangers stonden allemaal bekend onder de term *ōkimi*, wat 'grote heer' betekent en ook als 'vorst' of 'koning' vertaald kan worden.

De tennō

- Voornaamste Japanse aanduiding voor de keizer. Betekent letterlijk 'hemelse vorst'. Afgeleid van de naam van een mythische heerser uit het oude China (Ch. *tianhuang*).
- Verwijst in sommige gevallen naar de Poolster, wat de centrale positie van de keizer in het Japanse rijk aanduidt.
- Is de schakel tussen mensen en kami.
- Beheert de Japanse kalender (zie pagina 76).
- Heeft maar één dynastie gekend, dus de keizerlijke familie heeft geen achternaam.

Keizer Hirohito (r. 1926-1989) na zijn troonsbestijging, omringd door leden van het leger en het hof.

In dit boek wordt het woord 'keizer' gehandhaafd omdat het gebruikt wordt in de kronieken, maar de meeste gezaghebbende boeken over de Japanse geschiedenis maken er nauwelijks gebruik van voor de heersers die Tenmu voorgingen.

De titel tennō wijst op de centrale positie van de keizer in het Japanse rijk. Net als de Poolster heeft de keizer geen actieve positie. De Poolster doet niets; hij bestaat, en bij gratie van zijn bestaan kan al het andere om hem heen draaien. In wezen geldt hetzelfde voor de tennō: hij bevindt zich in het middelpunt van de regering en alles draait om hem, maar zelf hoeft hij alleen maar te bestaan. Er zijn wel degelijk historische voorbeelden van keizers die actie ondernemen. In de moderne tijd zijn de praktische verantwoordelijkheden van de keizer (zoals het ontvangen van buitenlandse leiders en het beheren van historische plaatsen die een connectie hebben met de keizerlijke familie) bovendien prominenter en controversiëler geworden, zoals het geval is in veel moderne Europese democratieën, waarin leden van de koninklijke familie een ceremoniële rol bekleden en een dotatie van de staat ontvangen. Toch is de tennō in wezen een fundamenteel statische figuur, een beeld waarop anderen zich kunnen oriënteren.

In de Heianperiode werd de term *mikado* gangbaar. 'Mikado' is oorspronkelijk een Japans woord met de letterlijke betekenis 'de eerbare poort'. Het verwijst naar de poorten van het binnenpaleis waar de keizer en zijn harem zich aan het publieke oog onttrokken. Hoewel keizers in de zevende en achtste eeuw vaak grote openbare evenementen dirigeerden, leidden ze vanaf de negende eeuw steeds vaker een afgezonderd bestaan in het paleis.

Traditioneel erfde een mannelijke telg uit de keizerlijke familie de troon. Het eerstgeboorterecht (of de primogenituur), waarbij het oudste (mannelijke) kind automatisch de troon erfde, was niet van toepassing aan het Japanse hof. Elke keizerlijke prins kon als erfgenaam worden gekozen, zolang zijn moeder maar van hoge rang was. Keizers hadden doorgaans een harem met meerdere vrouwen, maar er was gewoonlijk slechts één echte keizerin, die altijd uit de hoogste adellijke kringen kwam. Alleen haar kinderen of die van de hoogstgeplaatste concubines kwamen in aanmerking voor de troon. Aan het begin van de twintigste eeuw kwam er verandering in deze tradities; tegenwoordig trouwt de keizer slechts eenmaal en met een partner van zijn keuze (in theorie, want in de praktijk heeft de publieke opinie wel degelijk invloed op het aantal potentiële echtgenotes).

Hoewel vrouwen de troon niet kunnen erven, heeft Japan maar liefst zeven keizerinnen gehad. Vijf van hen bestegen de troon tijdens de Naraperiode. Bij gebrek aan geschikte mannelijke opvolgers in de keizerlijke familie, werden deze keizerlijke prinsessen gekroond. De andere twee vrouwen zijn onder vergelijkbare om-

standigheden op de troon beland, maar pas veel later, respectievelijk aan het begin van de zeventiende eeuw en in het midden van de
achttiende eeuw. Omdat het Japans geen woordgeslacht heeft, werden deze vrouwen ook *tennō* genoemd. In andere talen bestaat veel
discussie over de vraag hoe naar deze vrouwelijke heersers verwezen
moet worden, aangezien 'keizerin' doorgaans gebruikt wordt voor
het hoofd van de keizerlijke harem. In dit boek wordt de term 'keizerin-regentes' gebruikt, al zou 'vrouwelijke keizer' juister zijn.

Vrouwelijke keizers

- Japan heeft zeven vrouwelijke keizers gehad.
- Tijdens de Naraperiode bestegen vijf vrouwen de troon, onder wie
  de enige vrouw die een vrouw opvolgde.
- Vrouwelijke keizers worden ook *tennō* genoemd. In het Westen
  spreken we doorgaans van een 'keizerin-regentes'.

WAT DOET EEN KEIZER?

Uit de gewichtige namen waarmee de keizer beschreven werd, kan
worden afgeleid dat zijn twee voornaamste kenmerken waren dat hij
het centrum van het rijk was en dat hij vaak een teruggetrokken bestaan leidde in het paleis. Beide eigenschappen zijn passief. De Japanse keizer was doorgaans geen actieve leider, in tegenstelling tot
zijn Romeinse tegenhanger. Hij was de spil van het rijk; om zaken als
het leger hoefde hij zich niet te bekommeren. Toch kwam er meer bij
het keizerschap kijken dan louter bestaan. De keizer stamde niet alleen af van de goden, hij was ook hun voornaamste vertegenwoordiger op aarde. Er werd dan ook verwacht dat hij ceremonies uitvoerde
die het welzijn van het rijk bevorderden. Veel van deze ceremonies
waren, tenminste oorspronkelijk, verbonden aan kami en aan wat
later zou uitgroeien tot het shintoïsme. Ze werden echter aangevuld
met ceremonies uit andere stromingen, zoals het boeddhisme, het
confucianisme en andere tradities van het vasteland.

De keizer was technisch gezien ook verantwoordelijk voor het beheren van de kalender. Als metafysisch middelpunt van het koninkrijk was het zijn taak om de planning van evenementen te organise-
ren. Allereerst koos de keizer een naam voor het nieuwe tijdperk, dat

weer bij het jaar één begon. Deze traditie is nog steeds in gebruik: naast de westerse jaarkalender is de moderne Japanse kalender ingedeeld volgens tijdperken. De huidige keizer, Naruhito, besteeg de troon in mei 2019. 2019 werd dus het eerste jaar van het nieuwe tijdperk, Reiwa, ofwel 'vrede bekomen'. 2020 is Reiwa 2, en zo verder. De jaartelling verandert op de dag van de troonsbestijging, wat betekent dat de maanden januari tot april van 2019 nog meetellen als de eerste vier maanden van Heisei 31, het vorige tijdperk (de regeerperiode van de gepensioneerde keizer Akihito).

Tot het jaar 1868 werd in de Japanse kalender louter met de jaren van tijdperken gewerkt. Voor moderne keizers is het bij wet verboden de naam van het tijdperk na hun troonsbestijging nogmaals te veranderen, maar als er in het premoderne tijdperk ongunstige zaken voorvielen, zoals een oorlog of epidemie, gebeurde het regelmatig dat de keizer de kalender ceremonieel opnieuw bij één begon om het volk gerust te stellen. Het meest extreme voorbeeld daarvan was een zonnejaar dat de namen van drie verschillende tijdperken droeg: het jaar 749 begon als Tenpyō 21, veranderde in Tenpyō Kanpō 1 en kreeg een paar maanden later de naam Tenpyō Shōhō 1! De Raad van State besliste of een tijdperk een nieuwe naam kreeg en uit welke twee tot vier karakters de naam zou bestaan. Tegenwoordig bepaalt een college van geleerden en politici de naam, en in het geval van Reiwa (het huidige tijdperk van Naruhito) luidde de aankondiging tot een wezenlijk publiek debat.

> **De keizer en de Japanse kalender**
> - De keizer is verantwoordelijk voor de organisatie van de Japanse kalender.
> - Als hij de troon bestijgt kiest hij een naam voor het nieuwe tijdperk, dat weer bij het jaar één begint.
> - Oorspronkelijk konden naamsveranderingen zich onbeperkt voordoen, bijvoorbeeld na betekenisvolle gebeurtenissen (zowel positief als negatief), om de geschiedenis met een schone lei voort te zetten.
> - Tegenwoordig is dit maar eenmaal per keizer toegestaan.
> - Vandaag de dag worden de namen van tijdperken gekozen door

geleerden en politici, en slechts bekrachtigd door de keizer (die geen politieke macht meer heeft).

De tennō was niet noodzakelijk een machtige heerser. Hooggeplaatste hovelingen en later de shoguns ontfermden zich over staatsaangelegenheden. De Japanse keizer was een passieve bron van autoriteit die een teruggetrokken leven leidde in het paleis zodat hij (en incidenteel zij) verbinding kon maken met kami en andere krachten die belangrijk waren voor het rijk. De keizer was de spil waaromheen het rijk draaide, en de voornaamste schakel tussen mensen en kami. Deze eigenschappen komen duidelijk naar voren in mythen over de vroege keizers.

DE LEGENDARISCHE KEIZERS

De eerste van de drie delen van de *Kojiki* eindigt bij de geboorte van Jinmu. Het tweede deel van deze oude kroniek begint met een beschrijving van Jinmu's kindertijd, zijn verovering van Yamato en zijn kroning tot eerste keizer (zie hoofdstuk twee). In dit deel worden gebeurtenissen beschreven die plaatsvinden vóór de heerschappij van de vijftiende keizer, Ōjin 応神 (regeerperiode volgens de traditionele telling 270-310 v.Chr.). Het derde deel van de *Kojiki* vertelt over de periode tussen Ōjins zoon, Nintoku 仁徳 (trad. r. 313-399) en de regeerperiode van Suiko 推古 (554-628, r. 593-628), de drieëndertigste heerser en eerste keizerin-regentes. Suiko en de vijf heersers die haar voorafgingen, zijn de eerste personen in de tekst van wie het bestaan kan worden aangetoond. De *Kojiki* beslaat met andere woorden het allereerste begin van wat wij 'geschiedenis' zouden noemen.

De *Nihonshoki* zit anders in elkaar. Het bestaat uit dertig boekdelen, waarvan er veel aan één enkele keizer zijn gewijd. Niettemin worden deze keizers in dezelfde volgorde beschreven als in de *Kojiki*. Het derde boek van de *Nihonshoki* is de kroniek van Jinmu, en in boeken vier tot en met tien komen de daaropvolgende veertien heersers aan bod, wat ongeveer overeenkomt met het tweede deel van de *Kojiki*. Boeken elf tot en met tweeëntwintig van de *Nihonshoki* komen overeen met het derde deel van de *Kojiki*. De laatste acht boeken van de *Nihonshoki* behandelen de rest van de zevende eeuw, die eindigt met de heerschappij van keizerin-regentes Jitō 持統 (645-703, r. 686-696), de eenenveertigste monarch volgens de traditionele volgorde. De *Nihonshoki* is het enige werk in Japan dat de geschiedenis van de zevende eeuw beschrijft. Deze annalen zijn ook het meest gedetailleerd en acht men over het algemeen historisch accuraat. De rest van deze kroniek wordt echter net als de hele *Kojiki* als zuiver mythologisch beschouwd.

Geleerden gaan er tegenwoordig van uit dat geen enkele van de eerste vijftien keizers die in de *Kojiki* en de *Nihonshoki* beschreven worden, inclusief Jinmu, werkelijk bestaan heeft. Ze worden bestempeld als de 'legendarische keizers'. Noch in Japan, noch in de veel oudere archieven van China werd ook maar een greintje archeologisch bewijs gevonden voor het bestaan van personen die voor deze eerste vijftien heersers kunnen doorgaan.

Een reeks negentiende-eeuwse houtsneden getiteld 'Een spiegel van de vereerde goden en hooggeachte keizers der natie', met afbeeldingen van zowel mythische als historische beroemdheden.

Japan heeft echter perioden gekend, met name tussen de Meiji-restauratie van 1868 en de Tweede Wereldoorlog in 1945, waarin de oude kronieken letterlijk werden genomen.[4] In deze periode werd het bestaan van de legendarische keizers in schoolboeken gepresenteerd als een historisch feit, en werden hun buitengewoon lange levens vastgelegd in de westerse kalender. Deze onderwijsgebruiken maakten deel uit van de propaganda voor het staatsshintoïsme en het keizerlijk systeem dat de overheid destijds uitdroeg.

De acht 'ontbrekende' keizers

Jinmu sterft na vijfenzeventig jaar op de troon en wordt opgevolgd door de tweede zoon die hij kreeg met Himetatara-Isuzuhime, een keizer die bekendstaat als Suizei 綏靖 (trad. r. 581-549 v.Chr.). Suizei is de eerste van acht heersers over wie zelfs de kronieken nauwelijks informatie bevatten. Deze acht heersers – Suizei, Annei 安寧, Itoku 懿徳, Kōshō 孝昭, Kōan 孝安, Kōrei 孝霊, Kōgen 孝元 en Kaika 開花 staan in de academische wereld collectief bekend als de 'ontbrekende keizers'. In de *Kojiki* en de *Nihonshoki* blijft de informatie over hun leven beperkt tot hun naam, de locatie van hun paleis en begraafplaats, de begin- en einddatum van hun leven en heerschappij, en de namen van hun vrouwen en nakomelingen. Elke leider is de oudste of tweede zoon van de vorige. Bij elkaar opgeteld waren ze samen zevenhonderd jaar aan de macht. Het is onwaarschijnlijk dat er in die tijd niets noemenswaardigs is gebeurd.

In het licht van deze gebrekkige informatie hebben onderzoekers zich afgevraagd waarom de 'ontbrekende keizers' überhaupt in de lijst met legendarische keizers zijn opgenomen. Eén theorie stelt dat zij ervoor moesten zorgen dat Jinmu verder terug in het verleden regeerde. Door deze acht heersers met lange regeerperioden toe te voegen, verschuift de datum van Jinmu's troonsbestijging van slechts een paar honderd jaar voor het ontstaan van de oude kronieken naar meer dan een millennium eerder. Mogelijk werd deze kunstmatige verlenging tijdens de Naraperiode ingevoerd om te bewijzen dat de geschiedenis van het hof minstens zo ver terugging als die van het keizerlijk hof in China. Deze ingreep maakte het voor concurrenten die aanspraak wilden maken op de troon, onder wie rivaliserende clans met hun eigen voorouderlijke mythen, moeilijker om de gebeurtenissen te betwisten die in de eerste delen van de oude kronieken beschreven worden.

Het rijk opbouwen: Sujin en Suinin

De tiende keizer die in de kronieken voorkomt, staat bekend onder de twee karakters tellende naam Sujin 崇神 (trad. r. 97-30 v.Chr.). Na Jinmu is Sujin de eerste keizer van wie de regeerperiode uitgebreider beschreven wordt dan de locatie van zijn paleis en begraafplaats en de namen van zijn vrouwen en nakomelingen. Volgens de kronieken was Sujin de tweede zoon van de voorgaande heerser, Kaika. In het vijfde jaar van zijn bewind brak er een verwoestende epidemie uit in de thuisprovincies (de huidige regio Kansai). Gebeden tot Amaterasu en de andere grote goden brachten geen soelaas. Sujin besloot buiten de muren van het paleis een heiligdom voor Amaterasu op te richten en zond een van zijn halfzussen ernaartoe om als hogepriesteres te dienen, maar ze werd ziek. Hij koos een van zijn andere halfzussen, maar ook die werd ziek en verloor tot overmaat van ramp haar haar.[5]

Kort hierna werd Sujins tante bezeten; ze sprak met de stem van een machtige kami. De kami noemde zichzelf Ōmononushi 大物主, letterlijk 'grote meester der dingen', en beweerde dat hij de god van de berg Miwa was. De berg Miwa is een van de bergen die het smalle bekken van Yamato omringt en uitzicht biedt op de veronderstelde locaties van de paleizen van Jinmu en zijn nazaten. Ōmononushi eiste dat Sujin hem even toegewijd zou vereren als Amaterasu. De kami gebood de heerser een man te vinden die Ōtataneko 大田田根子 heette en hem aan te stellen als hogepriester. In ruil zou Ōmononushi hen verlossen van de epidemie.

Sujin was verbijsterd dat zo'n belangrijke kami onopgemerkt was gebleven en niet werd vereerd. Meteen liet hij de berg Miwa heiligen en aan de voet ervan werd een heiligdom opgericht. Ondertussen liet de vorst het hele land doorzoeken naar een man met de naam Ōtataneko. Die werd uiteindelijk gevonden in Kawachi (het oosten van de huidige prefectuur Osaka), en naar de berg Miwa gebracht, waar hij Ōmononushi mocht dienen als hogepriester.

Keizer Sujin

- Tiende keizer in de kronieken en na Jinmu de eerste heerser van wie de heerschappij gedetailleerd wordt beschreven.
- In het vijfde jaar van zijn heerschappij brak er een epidemie uit. Zijn tante werd bezeten door de kami Ōmononushi ('grote meester der dingen'), die Sujin beval hem te vereren.
- Liet de berg Miwa heiligen ter ere van Ōmononushi opdat de kami hen van de epidemie zou verlossen; liet volgens de overlevering het Ōmiwa-heiligdom bouwen aan de voet van de berg.
- Leefde volgens de kronieken honderdachttien jaar.
- Koos zijn jongere zoon Ikume (die regeerde als keizer Suinin) als erfgenaam.

Zodra Ōtataneko de gepaste rituelen uitvoerde, nam de epidemie af. In de *Kojiki* wordt uitgelegd dat Ōtataneko de zoon was van een jonge vrouw die verleid werd door Ōmononushi. Hij was dus de aangewezen persoon om deze god, die eigenlijk zijn vader was, te dienen.[6]

Tot op de dag van vandaag ligt aan de voet van de berg Miwa het Ōmiwa-heiligdom ('heiligdom van de grote god'). In tegenstelling tot de meeste shinto-heiligdommen heeft dat van Ōmiwa geen centrale ruimte. De hele berg doet dienst als de hal en is ook het *shintai*, het lichaam van de god. Over de berg lopen talloze wandelpaden. Vele daarvan volgen eeuwenoude wegen die naar de top leiden. Ze werden gebruikt door mannen die de kami van de berg Miwa wilden aanroepen. Vrouwen kregen oorspronkelijk geen toegang tot de berg uit angst Ōmononushi boos te maken, maar daar is de afgelopen decennia verandering in gekomen.

Sujin is niet alleen de eerste heerser na Jinmu die in de kronieken in detail wordt beschreven, hij is ook de eerste keizer die Jinmu's inspanningen voortzet om de heerschappij over Japan te centraliseren. Zodra de crisis van Miwa was verholpen, stuurde hij legers naar de vier windstreken van het rijk. Deze vier gebieden dienden 'gepacificeerd' te worden, met andere woorden onderworpen aan Amaterasu's nakomelingen. Hoewel er zeshonderd jaar was verstreken sinds de dood van Jinmu, was een groot deel van de archipel nog steeds wild en onbeteugeld in de ogen van het hof. Moderne geleerden vermoeden dat deze 'rebelse' legers lang vergeten kleinere stammen en koninkrijken zijn die waarschijnlijk pas omstreeks de derde en vierde eeuw voor Christus werden onderworpen door het hof van Yamato. In andere kronieken worden de opstandige gebieden echter afgeschilderd als broeihaarden van het kwaad die rebelleren tegen de rechtmatige, door kami uitverkoren leiders.

Toen hij zestig jaar op de troon zat, wilde Sujin de schatten bezichtigen die bewaard werden in het Izumo-heiligdom. Hij beval keizerlijke boodschappers om de wekenlange reis naar Izumo te ondernemen en de schatten naar het hof te brengen. De schatbewaarder en heer van Izumo, een man genaamd Izumo Furune 出雲振根, bevond zich voor zaken in het noorden van Kyushu, dus overhandigde zijn broer, Izumo Irine, de schatten aan de keizerlijke gezanten. Bij zijn terugkomst was Furune razend. Hij nodigde Irine uit om te baden in een poel en terwijl Irine aan het zwemmen was verwisselde hij stiekem zijn zwaard met een houten exemplaar. Daarna daagde Furune zijn broer uit voor een duel; het neppe zwaard van Irine brak en Furune doodde hem. Toen dit nieuws het hof bereikte, was Sujin zo ontzet dat hij er meteen twee generaals op uit stuurde om Furune terecht te stellen.

Volgens beide kronieken overleed Sujin toen hij honderdachttien jaar oud was. Voor zijn dood moest hij een opvolger aanduiden. Daartoe ontbood hij zijn vrouw en twee zonen en liet beide mannen hun dromen vertellen. De oudste zoon, prins Toyoki 豊城, had gedroomd dat hij naar de top van de berg Miwa was geklommen. Daar had hij acht keer met een speer in de aarde gestoten en acht keer met een zwaard in de lucht gezwaaid. De jongste zoon, prins Ikume 活目, had ook gedroomd dat hij de berg Miwa beklom. Ikume trof echter iets anders aan op de top, een met heilig koord afgebakende plek waarin mussen gierst aten. Ikume rende door het omheinde stuk om de mussen weg te jagen en redde de gierst. Toen Sujin de dromen van zijn beide zonen had gehoord, besefte hij dat Ikume was voorbestemd om het volk welvarend te maken, en riep hij zijn jongste zoon uit tot erfgenaam.

Ikume werd gekroond tot keizer Suinin 垂仁 (trad. r. 29 v.Chr.-

70 n.Chr.). Suinin wordt in de kronieken minder uitgebreid besproken dan zijn vader, al verrichtte ook hij een aantal belangrijke daden. Zo stichtte hij het Ise-heiligdom, tot op de dag van vandaag het belangrijkste heiligdom van Amaterasu. Ise ligt in de huidige prefectuur Mie aan de kust van de Grote Oceaan, ten zuiden van Nagoya. Hemelsbreed ligt het slechts enkele tientallen kilometers van Nara, maar de weg wordt versperd door het ruige gebergte van Iga. Nog steeds moeten reizigers onderweg naar Ise rond het schiereiland Kii varen, of de riviervalleien en bergpassen oversteken naar het noorden. Dit afgelegen oord werd gekozen door de dochter van Suinin, prinses Yamatohime 倭姫 ('prinses van Yamato'), toen haar vader haar vroeg een plek voor Amaterasu te vinden waar de godin vereerd wilde worden. Yamatohime zocht twintig jaar alvorens de kust van Ise te kiezen. Vervolgens werd ze aangewezen als eerste Saiō of hogepriesteres van Ise (vaak vertaald als 'de maagd van Ise').

Het binnenste Ise-heiligdom zoals het er ca. 1910-1919 uitzag. De bouwstijl zou overeenkomen met die van oude Japanse pakhuizen uit de Kofunperiode of eerder.

De Saiō was een ongehuwde jonge vrouw uit de keizerlijke familie die traditiegetrouw naar Ise werd gestuurd om Amaterasu te vertegenwoordigen. De Saiō leefde in Ise tot er een opvolger werd gekozen, meestal gebeurde dat met de komst van een nieuwe keizer. Die overgang ging gepaard met een aantal gedetailleerde ceremonies en reinigingsrituelen, en na afloop diende de Saiō zich gedurende de hele termijn te onthouden van onreine activiteiten, zoals seks. Dit instituut hield stand tot in de late middeleeuwen. In de Heianperiode, toen het belang van deze functie zijn hoogtepunt kende, werd de Saiō doorgaans voorgesteld als een romantische figuur. Haar rituele onaantastbaarheid inspireerde tragische liefdesverhalen. Hoewel het verhaal van Yamatohime voorkomt in zowel de *Kojiki* als de *Nihonshoki*, werd op basis van archeologisch bewijs en een citaat uit de *Man'yōshū* vastgesteld dat de eerste hogepriesteres van Ise veel later werd aangewezen, tijdens het bewind van keizer Tenmu aan het einde van de zevende eeuw.[7]

Suinin trouwde met een vrouw die Sahohime heette 沙穂姫 ('dame van fraaie veren'), en ook zijn nicht was. Sahohime had een innige band met haar oudere broer, Sahohiko 沙穂彦. Sahohiko was van streek toen hij vernam dat zijn zus met de koning was getrouwd, en eiste dat ze zou vertellen van wie ze meer hield, haar broer of haar echtgenoot. Sahohime aarzelde, dus herinnerde Sahohiko haar eraan dat de liefde van de koning zou tanen als ze ouder werd, terwijl hij, haar broer, eeuwig van haar zou houden. Zeker van de toewijding van zijn zus overtuigde Sahohiko haar om Suinin te vermoorden in zijn slaap. Sahohime wachtte tot de heerser in haar schoot in slaap was gevallen en haalde een dolk tevoorschijn, maar ze kon zich er vervolgens niet toe zetten hem in zijn nek te steken. Ze probeerde het drie keer, tevergeefs. Na de derde poging werd Suinin wakker en vroeg waarom zijn vrouw in hemelsnaam een dolk vasthield. Sahohime barstte in tranen uit, vertelde Suinin van het plan en vluchtte weg uit het paleis.

Sahohime en Sahohiko trokken zich terug op hun familiedomein aan het noordelijke uiteinde van het Nara-bekken. Toen Suinin hen belegerde, onthulde Sahohime dat ze zijn zoon droeg. Suinin legde de belegering stil tot na de bevalling van Sahohime. De vervreemde keizerin zei dat ze bereid was hun zoon aan de keizer af te staan. Suinin plaatste mannen aan de poort met het bevel om zowel moeder als zoon te grijpen als de keizerin door de poort liep om het kind op te geven. Toen Sahohime lucht kreeg van dit plan schoor ze zich kaal, maakte een pruik van haar haren en deed kleren aan die gerot waren in sake. Toen de mannen haar probeerden te grijpen, viel alles wat ze aanraakten uiteen en zo kon Sahohime ontsnappen. Ze liet de pasgeboren prins achter en vluchtte terug naar haar broer. Weer vroeg Sahohiko aan zijn zus van wie ze het meest hield en deze keer antwoordde ze zonder aarzelen dat ze meer van haar broer hield. Suinin drong met zijn troepen binnen in hun landgoed en Sahohiko en Sahohime kwamen allebei om in het gevecht.

De zoon van Suinin en Sahohime heette prins Homutsuwake 誉津別. Volgens de *Kojiki* ontwikkelde hij nooit het vermogen om te spreken, zelfs niet toen hij zoveel gegroeid was dat zijn baard 'acht handen lang was'.[8] Op een dag zag Homutsuwake een prachtige zwaan in de lucht en probeerde hij iets te zeggen. Suinin was verbijsterd en beval een jager de vogel te vangen. De jager ving het dier in het land van Koshi (later de provincies Echizen, Etchū en Echigo; de huidige prefecturen Fukui, Toyama en Niigata). De zwaan werd naar het paleis gebracht en aan prins Homutsuwake getoond. Opnieuw probeerde de prins, tevergeefs, te spreken. Die nacht had de teleurgestelde Suinin een eigenaardige droom, waarin een stem hem vertelde dat de grote geest van Izumo een heiligdom wilde. De keizer ontwaakte en realiseerde zich dat hij om de aandoening van zijn zoon te verhelpen nog een heiligdom moest bouwen, voor Ōkuninushi, die ooit had geheerst over het land van Izumo.

Suinin stuurde Homutsuwake naar Izumo, vergezeld door andere prinsen. Onderweg beleefden ze verschillende avonturen, maar nog steeds kon Homutsuwake niet spreken. Uiteindelijk kwamen ze aan in Izumo, waar ze hulde brachten aan Ōkuninushi en een groot heiligdom bouwden dat bekend kwam te staan als het Izumo-heiligdom (in de huidige prefectuur Shimane). Toen ze aanstalten maakten om te vertrekken, keek prins Homutsuwake om en riep plots uit dat het heiligdom er prachtig uitzag en hij vroeg of het werkelijk was opgericht ter ere van Ōkuninushi. Het gezelschap van prinsen en

Voorstelling van het Izumo-heiligdom uit 1875, die als bijlage werd toegevoegd bij een aanvraag voor toestemming om herstelwerkzaamheden uit te voeren.

hun mannen was uitzinnig van vreugde toen het zijn stem hoorde. Toen het nieuws de keizer bereikte, stuurde Suinin meer mannen naar het heiligdom om het verder uit te breiden.

Suinins heerschappij kende nog een aantal hoogtepunten. Hij verdeelde het rijk voor het eerst in provincies en gaf elke provincie, alsook de volkeren die er woonden, een naam. Aan het begin van zijn heerschappij vond een worsteltoernooi plaats – al dan niet aan de voet van de verre berg Fuji – dat de oorsprong vormde van het sumoworstelen. Ten slotte verspreidde Suinin de landbouw verder over zuidelijk Honshu. Hij werd honderdachtendertig jaar en werd opgevolgd door zijn zoon, prins Ōtarashihiko-Oshirowake, die werd gekroond als keizer Keikō 景行 (trad. r. 71-130 n.Chr.).

Deze bloederige verhalen moesten illustreren dat het zinloos is je tegen het hof te verzetten. De keizers werden beschermd door machtige kami en pogingen tot verzet liepen vrijwel zeker op niets uit. Zelfs de keizerin (Sahohime) stond machteloos tegenover de keizer. Hoewel moderne geleerden ervan uitgaan dat keizer Sujin en keizer Suinin fictieve personages zijn, worden hun daden in de *Kojiki* en de

Nihonshoki neergezet als historische gebeurtenissen. Zoals wel vaker het geval is bij geschiedenis, zijn ook deze verhalen niet neutraal: ze moesten aantonen dat de macht van de keizerlijke clan allesomvattend was, en dat daar niet aan te ontkomen viel. Toch reikte het belang van de keizers verder dan het goddelijk recht om te regeren. Uit de ontstaansverhalen van de heiligdommen van Miwa, Izumo en Ise blijkt dat de keizer niet alleen onderdrukte, maar ook bouwde. Dit patroon krijgt een spectaculair vervolg in de regeerperiode van de volgende heerser.

Geweld en zege: Keikō en Yamato Takeru

Net als zijn vader Suinin werd Keikō keizer in plaats van zijn oudere broer. Toen het tijd werd om een opvolger te kiezen, vroeg Suinin de twee prinsen waar ze het meest naar verlangden. De oudste broer wilde een boog en pijlen, de jongste (de toekomstige keizer Keikō) wilde het rijk. De ambitie van zijn tweede zoon stemde Keizer Suinin tevreden en hij benoemde hem tot erfgenaam. Keikō voegde de daad bij het woord en breidde het rijk uit, in de voetsporen van zijn vader en grootvader. In de *Nihonshoki* staat beschreven dat Keikō naar het zuiden van Honshu en Kyushu reist en de vijanden verslaat die hij op zijn grondgebied aantreft. Het is ongebruikelijk dat Keikō's reizen hem zo ver van het paleis brengen, zowel voor een keizer in de mythologie als volgens de officiële geschiedschrijving.

Het meest memorabele aan Keikō's regeerperiode zijn echter de belevenissen van een van zijn zonen. Prins O'usu 小碓 of 'kleine vijzel', later bekend onder de naam Yamato Takeru 倭猛, 'moedige man van Yamato', was de jongste van twee zonen van Keikō's eerste keizerin. O'usu's oudere broer heette prins Ō'usu 大碓 of 'grote vijzel'. Op een dag merkte Keikō dat Ō'usu al enige tijd niet aan het hof was verschenen, dus stuurde hij O'usu eropuit om te kijken waar zijn oudere broer uithing. O'usu stond bekend om zijn vurig temperament en vechtlust, en toen hij erachter kwam dat Ō'usu de verzoeken van het hof negeerde, ontstak de jonge prins in woede. Hij vermoordde zijn oudere broer, rukte de armen en benen van het lichaam en wierp ze voor de voeten van zijn vader.

Keikō was geschokt door het gewelddadige gedrag van zijn zoon

en stiekem ook een beetje bang. Gelukkig wilde prins O'usu zijn
vader dienen. Keikō wilde hem die kans geven en hem tegelijkertijd uit de buurt van andere familieleden houden, dus stuurde hij de
prins ver weg om vijanden van het hof te verslaan. Men had aan het
hof vernomen dat in het verre zuiden van het rijk, in de meest zuidelijke punt van Kyushu, een standvastig en trots volk genaamd de Kumaso oproer maakte onder leiding van ene Kumaso Takeru 熊襲猛,
de 'moedige man van de Kumaso'. Ook in het westen, in de gebieden
rond Izumo (rond het Izumo-heiligdom), was naar verluidt een re-
bellenleider opgestaan: Izumo Takeru 出雲猛, of 'moedige man van
Izumo'. Keikō besloot prins O'usu naar het zuiden te sturen om Kumaso Takeru te verslaan, en vervolgens naar het westen om Izumo
Takeru te verslaan. Om de bevordering van zijn zoon tot generaal
kracht bij te zetten, gaf Keikō hem de naam Yamato Takeru ('moedige man van Yamato').

Eerst ging Yamato Takeru naar zijn tante in Ise, die daar toen als
hogepriesteres diende. Voor hij zijn reis vervolgde gaf ze hem een
stel vrouwenkleren mee. Vervolgens stak hij de Japanse Binnenzee
over naar het zuiden van Kyushu. Toen hij het gebied van de Kumaso
bereikte, deed hij de vrouwenkleren aan die zijn tante hem had gegeven; als vrouw was hij al even oogverblindend mooi als als man.
Kumaso Takeru viel als een blok voor de charmes van deze nieu-
weling. Zich niet bewust van de ware identiteit van Yamato Takeru, eiste Kumaso Takeru 'haar' op als zijn toekomstige vrouw. Met
gepaste zedigheid aanvaardde Yamato Takeru zijn aanzoek, maar
onder zijn bruidskleren verborg hij een zwaard. Na het trouwfeest,
toen hij en Kumaso Takeru alleen waren en op het punt stonden om
het huwelijk te consumeren, deed Yamato Takeru zijn vrouwenkleren uit, onthulde zijn ware identiteit en doodde Kumaso Takeru in
het bruidsbed. Om zijn overwinning te bezegelen zong hij een gedicht, waarop de Kumaso hem herkenden en zich onderwierpen aan
de keizer. Na de nederlaag van de Kumaso reisde Takeru naar Izumo
waar hij tot zijn verbazing hartelijk werd ontvangen door Izumo Takeru. Hoewel enigszins van zijn stuk gebracht door Izumo Takeru's
gastvrijheid, wankelde Yamato Takeru niet in zijn voornemen. De
volgende dag verwisselde hij stiekem Izumo Takeru's zwaard met

een houten zwaard en daagde hem uit voor een oefenwedstrijd. Het
zwaard van Izumo Takeru brak en Yamato Takeru reeg hem aan zijn
eigen zwaard. Deze list lijkt sterk op het trucje waarmee Izumo Furune, een van keizer Sujins vijanden, twee generaties eerder op dezelfde plek zijn broer doodde; deze twee mythen zijn dan ook mogelijk echo's van hetzelfde verhaal.

Yamato Takeru keerde terug naar het hof en keizer Keikō felici-
teerde hem met de succesvolle onderwerping van het westen en het
zuiden. Nog steeds boezemde de kracht van zijn zoon hem angst in
en Keikō besloot hem op een laatste missie te sturen.

Yamato Takeru (staand) onderwerpt de Emishi van het noorden
van Japan.

In het verre noordoosten lagen de landen van de Emishi, die het keizerlijk gezag uitdaagden. Meteen na de terugkeer van Yamato Takeru stuurde Keikō hem weg om ook deze volkeren te onderwerpen.
Aangedaan door de bruuskheid van zijn vader zocht Yamato Takeru
opnieuw zijn tante op in Ise. Yamatohime troostte haar neef en gaf
hem een heilige schat: het zwaard Kusanagi, de 'grassnijder'. Dit
was het zwaard dat Susanowo vond in de staart van de Yamato-no-

Orochi, en een van de drie keizerlijke regalia (zie hoofdstuk twee). Volgens de versie in de *Kojiki* gaf Yamatohime haar neef ook een zak met een vuursteen.

De vrouw van Yamato Takeru, Oto-Tachibanahime 弟橘姫, wilde hem vergezellen naar het land van de Emishi. Dit detail wordt enkel in de *Kojiki* vermeld, niet in de *Nihonshoki*. Onderweg naar het noorden komen Yamato Takeru en zijn gevolg langs de provincie Suruga (de huidige prefectuur Shizuoka), waar ze verwelkomd worden door de gouverneur, die stiekem heult met de Emishi. Hij stuurt Yamato Takeru naar een veld om te jagen en laat zijn manschappen het veld in brand steken. Yamato beseft dat hij bedrogen is, trekt het zwaard Kusanagi en demonstreert dat het zijn naam waardig is door met één enkele haal al het gras in het veld af te snijden. Vervolgens haalt hij de vuursteen tevoorschijn die hij van zijn tante kreeg. Met de steen maakt hij in het afgesneden gras een vuur dat het grotere vuur doet omslaan en een weg vrijmaakt, zodat hij kan ontsnappen.[9]

In beide kronieken gaat het verhaal verder met de aankomst van Yamato Takeru in de provincie Sagami (huidige prefectuur Kanagawa). Samen met zijn entourage huurt hij boten om via de Baai van Tokio naar de ingang te varen, maar in het midden van de oversteek wordt de hemel plotseling donker en breekt er storm uit op zee.

Yamato Takeru

- Geboren als prins O'usu, 'kleine vijzel'; kreeg de naam Yamato Takeru, 'moedige man van Yamato'.
- Doodde zijn broer omdat hij keizerlijke bevelen negeerde.
- Werd door zijn vader, keizer Keikō, op veroveringstochten door het hele rijk gestuurd om vijanden te doden en onderwerpen.
- Zowel de held van vele veroveringstochten als een gewelddadig individu dat aanzienlijk lijden veroorzaakt.
- Draagt het zwaard Kusanagi, de 'grassnijder', een van de drie keizerlijke regalia.

Yamato Takeru's manschappen sidderden van angst, maar plots sprak Oto-Tachibanahime. Ze zei dat de storm werd veroorzaakt door Watatsumi, de god van de zee, en dat hij Yamato Takeru veilig zou doorlaten in ruil voor haar. Huilend hielpen Yamato Takeru en zijn mannen de dappere Oto-Tachibanahime de zee in te springen. Zodra ze onder het wateroppervlak verdween, klaarde de lucht op.

Yamato Takeru en zijn mannen reisden verder naar het noordoosten en kwamen aan in de provincie Kai (huidige prefectuur Ibaraki). Van daaruit begonnen ze hun gewelddadige onderwerping van de Emishi. Ze slachtten de hoofdmannen af en dwongen de dorpen tot overgave. Yamato Takeru had zijn opdracht volbracht, maar rouwde om het verlies van zijn vrouw. Toen hij voorbij de berg Tsukuba kwam (in de huidige stad Tsukuba, prefectuur Ibaraki), ontmoette hij een oude man die ook onder verdriet gebukt ging. Samen componeerden ze een beroemd gedicht.

Yamato Takeru en zijn manschappen keerden weer huiswaarts, naar het zuidwesten. Zijn verdriet en woede maakten Yamato Takeru roekeloos en toen ze voorbij de berg Ibuki kwamen (op de grens van de huidige prefecturen Shiga en Gifu), beklom hij de berg te paard om op everzwijnen te jagen. Hij kwam een groot zwijn tegen en schoot raak, maar het ontsnapte. Hij wist echter niet dat het zwijn de nu woedende kami van de berg Ibuki was. Toen Yamato Takeru en zijn gevolg hun terugreis hervatten, werd Yamato Takeru plotseling bevangen door een vreemde ziekte. Hij werd slap en lusteloos en in enkele dagen tijd gingen zijn krachten aanzienlijk achteruit. Zijn mannen probeerden hem op te beuren, maar steeds als ze stilvielen droeg Yamato Takeru een gedicht voor, het ene nog verdrietiger dan het andere. Na het vierde gedicht sidderde hij en stierf. Toen zijn mannen de laatste hand legden aan zijn graftombe, rees er een witte vogel uit op die zuidwaarts vloog. Volgens de *Nihonshoki* hield de vogel halt in Yamato en nog eens in Kawachi, alvorens in de lucht op te stijgen en te verdwijnen. De mannen volgden de vogel om te zien waar hij neerstreek. Op beide plekken werd een heiligdom gebouwd.[10] Ze kwamen bekend te staan als de heiligdommen van Shiratori ('witte vogels'). Toen het nieuws keizer Keikō bereikte, rouwde hij diep om de dood van zijn zoon.

De legende van Yamato Takeru is een van bekendste Japanse mythen. Ook nu nog kennen Japanse schoolkinderen zijn verhaal en er verschenen boeken, films, manga's en anime die het verhaal of elementen ervan incorporeren. Het complex van heiligdommen van Shiratori bestaat nog steeds (al geniet het weinig belangstelling) en er wordt gebeden voor geluk en voorspoed in de liefde. De mythe van Yamato Takeru mag dan wel bekend zijn, maar de inhoud wordt vaak verkeerd geïnterpreteerd, zelfs door geleerden. Een mogelijke verklaring hiervoor is het feit dat het verhaal meerdere interpretaties geniet, waarvan sommige veel minder positief zijn over het vroege Japanse hof dan andere.

Yamato Takeru is een heldhaftig figuur, een loyale zoon die namens zijn keizerlijke vader de vijanden van het hof onderwerpt. Hij vertegenwoordigt zowel de held van vele veroveringstochten als het confucianistisch ideaal van het respectvolle kind. Tegelijkertijd is hij gewelddadig en onridderlijk, en de loyaliteit voor zijn vader en de veroveringen in zijn naam eisen veel slachtoffers en zaaien wanhoop en verwoesting. De vernietigende omvang van Yamato Takeru's veroveringen en de listige manieren waarop hij zijn doelen bereikt, worden uitgebreid beschreven in de kronieken. Anderzijds offert hij alles op – zijn tijd, zijn leven en zijn geliefde – om de wensen van de keizer te vervullen. Misschien is de belangrijkste eigenschap van Yamato Takeru wel zijn puurheid. Hij volbrengt de verlangens van de keizer met pure toewijding en verslaat de vijanden van het rijk met pure kracht. Hij mag dan niet heroïsch zijn in de moderne zin van het woord, hij is ook geen schurk.

Geloof en verovering: keizerin Jingū
Zoals de meeste legendarische keizers wordt Keikō onwaarschijnlijk oud: niet minder dan honderddrieënveertig jaar. Hij wordt opgevolgd door een zoon die regeert als keizer Seimu 成務 (trad. r. 131-190 n.Chr.). Seimu's kroniek vermeldt enkel zijn paleis, graftombe, vrouwen en kinderen. Wellicht is ook hij een 'ontbrekende keizer' die aan het historische verhaal werd toegevoegd om de heerschappij van legendarische heersers vroeger te situeren. Seimu wordt opgevolgd door zijn neef, de zoon van Yamato Takeru, die regeert onder de naam Chūai 仲哀 (trad. r. 192-200). Chūai trouwt met Okinaga-Tarashihime, beter bekend onder haar latere titel, keizerin Jingū 神宮. Jingū heeft nooit in eigen naam geregeerd (ze was geen 'vrou-

welijke keizer'); de titel keizerin is in haar geval een vertaling van het woord *kōgō*, letterlijk 'achter de vorst', dat van toepassing was op de vrouw met de hoogste positie binnen de keizerlijke harem.

Keizerin Jingū (links) en een vazal.

In zowel de *Kojiki* als de *Nihonshoki* staat dat de zwangere Jingū in het achttiende jaar van Chūai's heerschappij een voorspelling ontvangt van Watatsumi, de god van de zee. Watatsumi beveelt Chūai met de Japanse legers de oceaan over te steken naar het westen en Korea binnen te vallen. Chūai drijft de spot met het bevel en haalt zich de woede van de god op de hals, die verkondigt dat de heerser 'niet langer zal heersen over alles onder de hemel'.[11] Niet veel later valt Chūai dood neer over zijn citer (een snaarinstrument dat op de schoot wordt bespeeld). Jingū neemt de heerschappij over en beslist meteen gevolg te geven aan het bevel van de god. Hoewel ze zwanger is van Chūai, loodst ze haar troepen de oceaan over en slaagt ze er door pure wilskracht in de geboorte van haar zoon uit te stellen tot de verovering van Korea is voltooid.

Jingū's troepen gaan aan land in de regio Kaya, een confederatie van kleine stadstaten in de huidige Zuid-Koreaanse provincie Zuid-Kyongsang.[12] Van daaruit onderwerpen ze de vorsten van Paekche en Silla, de twee meest zuidelijk gelegen Koreaanse koninkrijken. Volgens beide kronieken aanvaardt Jingū de overgave en eerbewijzen van beide koningen en krijgen ze de vrijheid om in naam van Japan verder te regeren als vazal. Een van die eerbewijzen is een zevenpuntig zwaard dat de koning van Paekche aan Jingū schenkt. Na drie jaar keert de keizerin terug naar huis met haar troepen. Tijdens de laatste oversteek bindt ze stenen aan haar rokken om de baby tegen te houden tot ze zich weer op Japanse bodem bevindt. Zodra ze aanmeren in Kyushu bevalt Jingū van een zoon, prins Homutawake 誉田別. Homutawake zal later de troon bestijgen als keizer Ōjin 応神 (trad. r. 270-310 n.Chr.).

Het verhaal van keizerin Jingū is mogelijk het meest controversiele van alle oude Japanse mythen. Er is geen historisch of archeologisch bewijs voor het feit dat legertroepen van de Japanse eilanden het Koreaanse schiereiland zouden hebben veroverd, of daar vóór de zestiende eeuw op wat voor manier ook iets te zeggen hadden. Anderzijds bestaan er vrijwel geen gedetailleerde Koreaanse bronnen van voor de middeleeuwen – de oudste overgeleverde geschiedkundige bron (inclusief mythologische geschiedenis) uit deze periode is de *Samguk sagi* ('Kronieken van de drie koninkrijken'). Ook de Chinese geschiedschrijving zegt niets over de Japanse aanwezigheid op het schiereiland, maar Chinese bronnen getuigen hoe dan ook van een heel ander beeld van Japan, dat niet overeenkomt met de verhalen uit de oude Japanse kronieken. Bij gebrek aan sluitend bewijs, geloofden veel Japanners uit de vroegmoderne en moderne tijd sterk in het bestaan van Jingū als heldhaftige Japanse veroveraar. Ze werd dan ook gebruikt als rechtvaardiging voor latere invasies in Korea en de gruweldaden die tegen Koreanen werden begaan.

Door haar grote faam in Japan werd Jingū vaak geassocieerd met Watatsumi en samen met hem vereerd in het Sumiyoshi-heiligdom, een belangrijke shintoïstische rituele plek in het huidige Osaka. Toen de Meiji-overheid in de jaren 1870 het staatsshintoïsme invoerde, werd Jingū net als vele andere legendarische keizerlijke personages in geschiedenisboeken voorgesteld als een historisch figuur. Ze werd ook aangewend als een van de redenen voor de Japan-

se annexatie van Korea in 1910. Tijdens de vijfendertig jaar durende, vaak onmenselijke, Japanse militaire bezetting in aanloop naar
de Tweede Wereldoorlog werd Jingū ingezet als propagandafiguur.
De totalitaire overheid portretteerde haar als een heldhaftige vrouw
wier inspanningen van bijna tweeduizend jaar geleden nu eindelijk
vruchten afwierpen in de vorm van de Japanse kolonisatie. Haar legende is voor veel Koreanen een bittere herinnering. De vele pogingen om de historische context rond Jingū te bevestigen of weerleg-
gen zijn tot op heden besmeurd met de geschiedenis van oorlog en
kolonisatie die de moderne Japanse en Koreaanse naties verdeelt.

DE SEMILEGENDARISCHE KEIZERS

Jingū's zoon Ōjin is de laatste keizer die moderne onderzoekers 'legendarisch' noemen. Met Ōjins zoon, de heerser die bekendstaat als
Nintoku, breekt het tijdperk van de 'semilegendarische' keizers aan.
Deze term betekent niet dat de verhalen over deze keizers als be-
trouwbare geschiedenis worden beschouwd. Aan de hand van archeologische vondsten en bewijzen uit de Chinese kronieken kan
echter wel het bestaan van een aantal kleine koninkrijken in de Japanse archipel in de vierde eeuw na Christus worden aangetoond.
In sommige gevallen zijn er zelfs sporen van namen die verdacht
veel lijken op die uit de *Kojiki* en de *Nihonshoki*. De eerste keizer die
waarschijnlijk echt bestaan heeft, is Kinmei 欽明 (509-571, r. 539-
571), de negentwintigste heerser in de traditionele volgorde van keizers. Men vermoedt dat de levens van de dertien heersers voor hem,
beginnend bij Nintoku, niet volkomen feitelijk zijn, maar mogelijk
wel gebaseerd op bestaande individuen en gebeurtenissen. Zij ge-
nieten dus een andere status dan de eerste vijftien heersers, die wel
als volledig legendarisch worden beschouwd. De term 'semilegenda-
risch' beschrijft de troebele status van figuren die volgens de legenden al dan niet bestaan hebben.

Ōjin is de laatste heerser die aan bod komt in het middelste deel
van de *Kojiki*. Het derde en laatste deel begint met de geschiedenis van Nintoku. Omdat de *Nihonshoki* uit meer delen bestaat, is
de overgang van legendarische naar semilegendarische keizers daar
minder duidelijk. In beide kronieken valt echter op dat de beschrij-

vingen vanaf Nintoku minder bovennatuurlijke elementen bevatten. De keizers leven en regeren minder lang en nemen geloofwaardiger proporties aan. De kami staan nog steeds in verbinding met de keizerlijke clan, maar zijn alsmaar minder actief aanwezig. Andere clans, en andere landen en volkeren – zoals de Koreaanse koninkrijken – krijgen een prominentere rol in het verhaal.

De Kofunperiode (ca. 200-538) valt samen met het tijdsbestek waarin deze 'semilegendarische' keizers aan de macht waren, en wat archeologische vondsten uit deze periode ons leren, wordt bevestigd door de verhalen. Hoewel graftomben en grafheuvels altijd al belangrijk waren in de kronieken, krijgen ze nu nog meer aandacht en worden ze gedetailleerder beschreven, net als de landbouw en de regering, waarvan sommige omschrijvingen bevestigd worden door archeologisch onderzoek.

Voor alle duidelijkheid, mythologie maakt niet plotseling plaats voor echte geschiedenis. De overgang is subtiel en de mensen die de *Kojiki* en de *Nihonshoki* hebben geschreven, zullen haar waarschijnlijk niet als zodanig hebben opgevat. De verhalen van de legendarische en semilegendarische heersers maakten in hun ogen immers allemaal deel uit van dezelfde officiële wereldgeschiedenis die zij in naam van het hof van de Naraperiode samenstelden. Wel weerspiegelen de verhalen van de semilegendarische keizers ontegenzeggelijk meer authentieke elementen uit het Japan van de vijfde en zesde eeuw dan die van hun voorgangers.

De opkomst van cultuur: Ōjin en Nintoku

Tijdens de regeerperiode van Ōjin, de laatste van de legendarische keizers, duiken in Japan de eerste tekenen van continentale cultuur op: geschriften, kunst en vakmanschap zoals die in China en Korea voorkwamen. Ōjin is minder belangrijk in de kronieken dan zijn moeder Jingū en zijn zoon Nintoku 仁徳, maar zijn periode op de troon luidt wel het begin in van een aantal ingrijpende ontwikkelingen.

Schijnbaar voorbijgaand aan het feit dat Jingū 'eerbewijzen' had afgedwongen van de Koreaanse koninkrijken Silla en Paekche, ontvangt Ōjin bezoekers van het schiereiland. Een van deze bezoekers is Wani 和邇 (Kr. Wang-in), een geleerd man. Wani brengt Chinese klassiekers mee, waaronder *Gesprekken van Confucius* en *Het gedicht van de duizend tekens* (Ch. *Qianziwen*, Jp. *Senjimon*). Deze boeken werden in de premoderne tijd in heel Oost-Azië gebruikt om jonge kinderen Chinees te leren lezen en schrijven. Wani wordt de persoonlijke leermeester van de kroonprins (niet de zoon die later zal regeren als Nintoku, maar zijn oudere broer).[13] Dergelijke immigranten brachten ook nieuwe vormen van waarzeggerij en andere technologieën mee van het vasteland. Ōjin ontving ze met open armen en liet hen nieuwe vaardigheden onderwijzen aan het hof.

Het gedicht van de duizend tekens werd pas in de vijfde eeuw in China geschreven en kan dus eigenlijk niet in Ōjins kroniek voorkomen. Desondanks is het verhaal mogelijk een waarheidsgetrouwe beschrijving van een ontluikend cultureel bewustzijn. Lezen, schrijven en andere technologieën verspreidden zich omstreeks de Kofunperiode of het begin van de Asukaperiode (538-710) van China naar Japan dankzij immigranten van het vasteland. Door details van hun komst op te nemen in de vroege mythen en verbanden te leggen met een van de eerste keizers, kennen de samenstellers van de kronieken een bijzondere betekenis toe aan deze herinneringen. De personages die Ōjin technologieën brengen, zijn allemaal buitenlanders, maar ze reizen naar Japan omdat ze eer willen bewijzen aan de plaatselijke heersers, niet omdat ze het heft in handen willen nemen. Bekeken vanuit het perspectief van de oude Chinese koninkrijken, nog maar gezwegen over de vroeg Koreaanse, was de archipel een onderontwikkeld oord. Desondanks slagen de kronieken erin deze positie neer te zetten als krachtig door te benadrukken dat de buitenlandse geschenken de vroege Japanse keizers toekwamen, en dat ze uit vrije wil en met eerbied werden gegeven.

Ōjin had elf vrouwen en een heleboel kinderen. Zijn twee favorieten voor de troon waren prins Ōyamamori 大山守, een zoon van zijn tweede vrouw, en Ōsazaki 大鷦鷯, een zoon van zijn belangrijkste vrouw. Het waren allebei sterke en oprechte mannen en ze waren even toegewijd aan hun vader. Ōyamamori was ouder, maar Ōsazaki had een hogere rang. Ōjin vroeg hun onderling te beslissen over de opvolging. In plaats van te bekvechten, trok Ōyamamori zich terug zodat zijn halfbroer kon regeren. Maar toen deed Ōsazaki hetzelfde, omdat het volgens hem respectloos zou zijn de aanspraak van zijn oudere broer te negeren. Zo ging het heen en weer, ieder van hen weigerde driemaal de troon. Ōjin was onder de indruk van hun morele houding. Ten slotte stierf Ōyamamori, mogelijk om de zaak te beslechten (volgens de *Kojiki* was hij ziek, maar in de *Nihonshoki* wordt geen reden vermeld). Ōsazaki besteeg de troon en regeerde als keizer Nintoku, de eerste van de dertien semilegendarische keizers in de kronieken.

Kort na zijn troonsbestijging verplaatste Nintoku het paleis voor het eerst naar een locatie buiten de provincie Yamato (de huidige prefectuur Nara). Na de dood van de keizer werd het paleis steevast afgebroken en verplaatst om te voorkomen dat de nieuwe heerser werd blootgesteld aan de rituele verontreiniging veroorzaakt door de dood van de vorige. Nintoku verplaatste zijn paleis naar Naniwa, een haven in de huidige binnenstad van Osaka. Hij bouwde zijn paleis pal boven de haven en liet, aldus de *Nihonshoki*, een kanaal aanleggen om handel mogelijk te maken. In het derde jaar van zijn heerschappij beklom Nintoku een berg zodat hij over zijn rijk kon uitkijken. Hij zag dat er uit een schrikbarend klein aantal schoorstenen rook opsteeg, wat betekende dat er maar weinig haarden brandden, en schrok van de vele daken en velden die in slechte staat verkeerden. Meteen stelde hij het volk gedurende vijf jaar vrij van belastingen. In het zevende jaar van zijn heerschappij beklom hij opnieuw dezelfde berg en zag toen tot zijn vreugde dat er grote rookpluimen opstegen boven de weelderige groene velden en goed onderhouden daken. Zijn generositeit maakte hem geliefd en leverde hem zijn uit twee karakters bestaande Chinese naam 'Nintoku' op, wat 'rechtvaardig en deugdzaam' betekent.

Het bekendste verhaal over Nintoku heeft echter te maken met overspel. Zijn eerste vrouw heette Iwanohime 磐之姫 en kwam uit de machtige familie Kazuraki. Nintoku maakte haar het hof en ze werden smoorverliefd op elkaar. Toen reisde de keizer naar het land Kibi (in de huidige prefecturen Okayama en Hiroshima) en werd verliefd op zijn nicht, prinses Yata 八田. Geruchten over hun affaire bereikten Iwanohime in Naniwa. Ontzet vluchtte de keizerin de

Keizer Nintoku kijkt uit over het land, gekleed in gewaden die doen
denken aan de Heianperiode.

bergen in. Daar componeerde ze vier gedichten over verlangen die
vandaag de dag behoren tot de bekendste gedichten in de *Man'yōshū*,
een bloemlezing uit de achtste eeuw. Haar gedichten zijn complex.
Ze drukken zowel haar verlangen naar de keizer uit als haar weerzin
om zich bij de situatie neer te leggen. Het volgende voorbeeld is het
tweede van de vier gedichten:

Beter dan dit –
dit voortdurende verlangen naar liefde –
was het geweest
om me neer te vleien op de rotsen
en te sterven, mijn hoofd tussen de stenen.[14]

De gedichten van Iwanohime lijken helemaal niet op de andere oude
liederen die werden overgeleverd in de *Kojiki*, de *Nihonshoki* of de
eerste boeken van de *Man'yōshū*. Sommige onderzoekers vermoeden dat het gaat om gedichten uit de zevende of het begin van de

achtste eeuw die aan Iwanohime werden toegeschreven om ze met een tragisch liefdesverhaal te verbinden. In dit verhaal hebben ze in elk geval het beoogde effect: Nintoku keert terug naar Naniwa, ontdekt dat zijn eerste vrouw hem heeft verlaten en gaat achter haar aan. Hij belooft te veranderen, en Iwanohime gaat met hem mee terug naar het paleis. Hoewel Nintoku zijn verhouding met prinses Yata en drie andere concubines voortzet, is Iwanohime de enige keizerin en de moeder van zijn potentiële erfgenamen.

De legende van Nintoku en Iwanohime plaatst het schrijven van poëzie centraal in de verhaallijn. Poëzie beschouwde men vanaf de achtste eeuw als een basisvaardigheid voor Japanse edelen en ook nu nog blijft het populair om gedichten te schrijven. Japan kent een rijke literaire traditie en in sommige van de vroegste poëtische werken komen personages en gebeurtenissen uit de oude mythen voor. Vele van de grote liefdesverhalen uit de Japanse literatuur gaan over mensen die gedichten uitwisselen over verleiding, rouw, liefde en verlangen. In dat opzicht zijn de gedichten van Iwanohime een mythologisch voorbeeld van een van de manieren waarop men poëzie 'hoorde' te gebruiken.

Verschillende belangrijke monumenten uit de Kofunperiode worden met Nintoku geassocieerd, maar er zijn geen sluitende bewijzen om het verband tussen deze heerser – per slot van rekening een semilegendarische keizer – en deze locaties aan te tonen. Ze zijn ofwel historisch aan zijn heerschappij gelinkt, of ze geven reden te geloven dat er in dat tijdperk een dergelijke heerser heeft bestaan. De meest wonderbaarlijke van deze aanwijzingen is misschien wel de Daisenryō Kofun, voor zover bekend de grootste grafheuvel in Japan. De heuvel ligt in de huidige stad Sakai, in de prefectuur Osaka, een aantal kilometer ten zuiden van het oude Naniwa. Deze locatie komt min of meer overeen met de plek waar het graf van Nintoku zich volgens de *Kojiki* en de *Nihonshoki* moet bevinden. Daarom hebben onderzoekers in de negentiende eeuw de link gelegd met de legendarische tombe. Eerlijk gezegd hebben we geen idee wie deze tombe heeft gebouwd, al was ze waarschijnlijk bestemd voor een belangrijke plaatselijke heerser. De basis is acht keer groter dan de Piramide van Cheops in Egypte en men schat dat rond de tweeduizend arbeidskrachten meer dan zestien jaar nodig hebben gehad om de tombe te bouwen. De graftomben van oude keizers worden beschermd door een officieel statuut, maar sinds oktober 2020 loopt er een aanvraag toch opgravingen te mogen verrichten. Vooralsnog geeft deze tombe haar geheimen niet prijs.

Van mythe naar geschiedenis
Nintoku en Iwanohime hebben vier zonen. De oudste zoon volgt zijn vader op als keizer Richū 履中 (trad. r. 400-405). Richū is de tweede heerser (na de noodlottige Chūai) die relatief kort aan de macht was, en de eerste met een realistische levensduur. Na de dood van Nintoku begint de zoon van een van zijn vrouwen van lagere rang een opstand die ertoe leidt dat Naniwa wordt platgebrand. Richū vlucht naar Yamato, de historische bakermat van de keizerlijke clan, en als hij de berg Ikoma oversteekt (aan de grens van de huidige prefecturen Osaka en Nara) ziet hij in de verte het paleis in brand staan. Voor hij zijn reis vervolgt, componeert Richū een gedicht over verdriet:

Hanifu-helling
als ik halthoud kijk ik om
zinderende lucht
brandende huizenblokken
rondom het huis van mijn vrouw.[15]

Uiteindelijk lukt het Richū om de opstand de kop in te drukken, maar niet veel later sterft hij. Hij wordt opgevolgd door twee van zijn broers, het eerste voorbeeld van heersers van dezelfde generatie in beide kronieken. De eerste is Hanzei 反正 (trad. r. 406-410), een indrukwekkend figuur van drie meter groot met, aldus de *Kojiki*, enorme tanden, alle van gelijke grootte. Hanzei bestijgt de troon ondanks de aanspraak van Richū's twee zonen, die stilletjes uit het verhaal verdwijnen. Maar Hanzei's bewind is van korte duur; vijf jaar later sterft ook hij en volgt een derde broer hem op als Ingyō 允恭 (trad. r. 410-453). Zijn periode op de troon is aanzienlijk langer, maar wel realistisch. Ingyō is geliefd en zijn bewind is vreedzaam; na zijn dood komen er boodschappers met rouwbetuigingen uit het koninkrijk Silla op het Koreaanse schiereiland.

De rommelige werkelijkheid van de geschiedenis lijkt langzaam-aan de overhand te krijgen in de mythische verhalen. De vertellin-gen na Ingyō bevatten weinig bovennatuurlijke elementen. Vóór Kinmei, de eerste keizer van wie het bestaan kan worden aange-toond, volgen nog negen heersers, maar hun beschrijvingen worden wel steeds menselijker. Ze bouwen paleizen en leiden ceremonies om kami gunstig te stemmen. Ze onderdrukken opstanden en voe-ren openbare werken uit. De kronieken naderen stilletjes het tijd-perk van hun eigen totstandkoming en ontdoen zich geleidelijk van hun overdreven epische attributen. Sommige keizers, zoals Yūrya-ku 雄略 (trad. r. 456-479), de eenentwintigste heerser, komen nog steeds in aanraking met het bovennatuurlijke, meestal in situaties die romantisch van aard zijn of te maken hebben met een persoon-lijk duel. Van alle semilegendarische keizers is het het meest aan-nemelijk dat Yūryaku echt heeft bestaan. In de Chinese kronieken komt een gelijkaardige Japanse heerser uit dezelfde periode voor, en aan een tombe in de huidige prefectuur Saitama, ten noorden van Tokio, werd een beroemd zwaard gevonden met inscripties waarin een opperheer met een zeer vergelijkbare naam voorkomt. Er is ech-ter geen bewijs voor de andere details van Yūryaku's heerschappij die in de kronieken worden beschreven.

Na het bewind van Kinmei in de zesde eeuw geven de samenstel-lers van de *Kojiki* het min of meer op. De beschrijving van de vol-gende vier heersers gaat niet verder dan een paar basisgegevens over hun heerschappij en eindigt bij Suiko, de eerste keizerin-regent (of vrouwelijke keizer). De *Nihonshoki* gaat wel verder en is de enige overgeleverde tekst die verslag uitbrengt van de periode tussen het einde van de zesde en de zevende eeuw. De laatste delen zijn van groot belang voor geschiedkundigen en bevatten een gedetailleer-de beschrijving van de Asukaperiode. Er worden gebeurtenissen beschreven die slechts een generatie of twee voor het ontstaan van de tekst plaatsvonden en deze delen lijken dan ook grotendeels ac-curaat. De invloed van de keizerlijke familie is nog steeds voelbaar, maar deze delen van de kroniek bevatten bewijs dat bekrachtigd wordt door andere bronnen. Aangezien het vervolg van de *Nihon-shoki* niet meer mythisch van aard is, eindigt onze reis door de kronieken hier.

MYTHISCH JAPAN IN DE CHINESE KRONIEKEN

Er is nog een andere belangrijke bron van 'mythen' over het oude Japan: de Chinese kronieken. Het schrift werd in China uitgevonden omstreeks het tweede millennium voor Christus. Bij aanvang van de Handynastie aan het einde van de tweede eeuw voor Christus bestond er al een rijke traditie van geschreven teksten. De eerste tekst waarin Japan genoemd wordt is de *Sanguo shi* (*Kroniek van de drie rijken*) uit de derde eeuw na Christus. Dit boek is een compilatie van verhalen over de koninkrijken Wu, Wei en Shu Han, die ontstonden na het uiteenvallen van de Handynastie in 220 na Christus. De annalen over het koninkrijk Wei beschrijven ook gebeurtenissen op de noordelijke steppen, het Koreaanse schiereiland en de Japanse archipel.

Het deel van de *Sanguo shi* dat 'Kronieken van Wei' heet, bevat het hoofdstuk 'Over het volk van Wa' (Ch. *Woren zhuan*). Wa 倭 (uitgesproken als *wo* in modern Mandarijn, en voorgesteld met het karakter voor 'klein dwergvolk') is de naam waaronder de Japanse archipel bekendstond in het oude China. Volgens dit verslag is Wa een groep bergachtige eilanden in de oostelijke zee, bevolkt door een gedrongen en onbeschaafd volk. Het land was oorspronkelijk verdeeld in meer dan honderd afzonderlijke landjes, maar na jarenlange gevechten slaagde een man (de kroniek vermeldt geen naam) erin ze allemaal te overwinnen. Toen hij stierf brak er opnieuw oorlog uit in Wa, tot het volk zeventig tot tachtig jaar later een vrouw erkende als nieuwe leider. Ze verkozen de machtige tovenares Himiko 卑弥呼 (mogelijk ook 'Pimiko'; Ch. *Beimihu*). Himiko betoverde de inwoners van Wa met haar magie en trok zich vervolgens terug in haar paleis om zich bezig te houden met haar spreuken.

De *Sanguo shi* vermeldt dat Himiko nooit trouwde hoewel ze van 'huwbare' leeftijd was.[16] Ze liet haar jongere broer publieke taken uitvoeren en vertoonde zich zelden. Haar andere dienaren, meer dan duizend, waren allemaal vrouwen. Haar broer was de enige man in het hele paleis. Himiko's broer en zijn gewapende wacht bestierden de hoofdstad, een groot dorp omheind door een houten palissade. Himiko's land stond bekend als Yamatai. Tweemaal stuurde Himiko afgezanten van Yamatai naar de heerser van Wei, en ze kwamen terug met brokaat en gouden zegels.

Geletterde Japanners uit de Nara- en Heianperioden lijken nauwelijks waarde te hechten aan de beschrijvingen uit de *Sanguo shi*. Het werk heeft niet dezelfde mythologische status als de legenden uit de Japanse kronieken. De Chinese beschrijvingen van het oude Japan wonnen echter aan bekendheid in het vroegmoderne en moderne tijdperk. Veel hedendaagse Japanners kennen Himiko minstens van naam en ze komt regelmatig voor in de populaire cultuur. Haast jaarlijks verschijnen er een aantal nieuwe boeken of televisiedocumentaires die bespreken of Yamatai echt bestaan heeft, en zo ja, waar het zich in Japan bevond en wie Himiko was. Dit uitzonderlijke verhaal roept veel vragen op, zoals of het verhaal van Himiko historisch betrouwbaarder is dan de mythen in de *Kojiki* of de *Nihonshoki*, en of ze afstamt van de legendarische keizers en hun families. Keizerin Jingū, de enige vergelijkbare figuur in de Japanse kronieken, wordt heel anders geportretteerd. Jingū heeft wel contact met kami, maar ze is in de eerste plaats een krijger en leider, geen solitaire heks. Het personage dat nog het meest in de buurt komt van hoe de *Sanguo shi* Himiko omschrijft, is Yamatohime, de tante van Takeru en de eerste hogepriesteres van Ise, die geen hoofdrol speelt in de Japanse overlevering.

Himiko blijft een mysterie. Het belangrijkste aan haar verhaal is misschien wel dat het vervlochten is geraakt met inheemse mythen. Himiko is geen oud mythologisch figuur, maar een modern personage. Als urban legend, maar ook als superheldin in anime en als ster van een historische thriller, heeft ze in de verbeelding van hedendaagse Japanners een plek verworven naast de legendarische keizers en voorouderlijke kami. Haar verhaal is veel meer dan een historische voetnoot. Naarmate de mythen van Japan samen met de Japanse samenleving zijn geëvolueerd, is Himiko geleidelijk aan bekender geworden dan sommige van de legendarische figuren die in dit hoofdstuk aan bod kwamen. We zullen zien dat het patroon van deze evolutie terugkeert. De Japanse mythologie is geen statisch gegeven, maar een dynamisch geheel dat altijd, ook nu nog, in beweging is. In het volgende hoofdstuk zullen we zien dat ook historische geschriften, folklore en soms zelfs bestaande mensen verwikkeld raken met de Japanse mythen en er op den duur deel van gaan uitmaken.

4

LEVENDE *KAMI* EN GODDELIJKE MENSEN

In de twee vorige hoofdstukken hebben we kennisgemaakt met mythen uit de Japanse kronieken uit de achtste eeuw. In dit hoofdstuk wordt duidelijk hoe de Japanse mythologie door de tijd evolueerde. Er zijn drie belangrijke manieren te onderscheiden waarop dat in de Japanse mythen gebeurde: door toevoeging van nieuwe elementen, door de wisselwerking tussen religieuze overtuigingen, en onder invloed van maatschappelijke en technologische ontwikkelingen. Hoewel de mythen die tot nu toe aan bod zijn gekomen over het algemeen als 'shintoïstisch' worden beschouwd, bevatten ze al verwijzingen naar het boeddhisme, confucianisme, taoïsme en andere filosofieën. Later zijn steeds meer elementen uit deze andere religies, en veel van hun goden, doorgedrongen tot de Japanse mythologie. Sinds het ontstaan van de oude kronieken, 1300 jaar geleden, is de Japanse maatschappij aanzienlijk veranderd en die ontwikkeling zet zich verder door. Maatschappelijke veranderingen bepalen de manier waarop we verhalen vertellen en wat ze voor ons betekenen. Mythen vormen daarop geen uitzondering.

De voorbeelden in dit hoofdstuk werpen licht op de eerste evolutie in de Japanse mythologie: de toevoeging van nieuwe mythen en bovennatuurlijke figuren, met name tijdens de Heianperiode (784-1185), die ook wel het 'klassieke tijdperk' van de Japanse geschiedenis wordt genoemd. Het meest opmerkelijke voorbeeld van zo'n toevoeging is misschien wel dat mensen in kami veranderen. Het kan gaan om een letterlijke transformatie, waarbij mensen verheven worden tot goden en op een gegeven moment worden vereerd. De transformatie kan ook geleidelijk plaatsvinden, als na de dood van beroemdheden wordt erkend dat hun geest goede of kwade daden van belang heeft verricht. Na verloop van tijd worden zulke geesten dan door zo veel mensen vereerd dat ze de status van machtige goden verwerven. Dit proces is zo oud als de kronieken en was al aan de gang toen het hof van de Naraperiode (710-784) de officiële versie van de geschiedenis van de keizerlijke clan op schrift stelde, maar daar bleef het niet bij.

Deïficatie, het vergoddelijken van mensen, is geen eenvoudig proces. Het begint meestal met het bewustzijn dat de geest van een (doorgaans overleden) persoon nog steeds macht heeft. Die macht kan kwaadaardig zijn en zich bijvoorbeeld manifesteren als natuurramp, maar kan ook een positieve impact hebben op de levenden. Naarmate de geest bekender wordt, groeit het aantal mensen dat ervoor bidt, zowel om er gunsten van te vragen als om zich ertegen te beschermen. Uiteindelijk raken bepaalde aspecten van het leven met de geest verbonden, afhankelijk van wie de overledene bij leven was, de legenden over deze persoon en de dingen die de geest na het overlijden zogenaamd heeft verwezenlijkt. Dit netwerk van associaties en verering vormt de basis voor het geloof in de geest als de god van een plek, concept of doel. De vijf volgende voorbeelden zijn bekende kami die oorspronkelijk mens waren of geassocieerd werden met bepaalde personen. Ze zijn allemaal terug te voeren tot historische figuren. Of er waarheid schuilt in de mythen over deze individuen is een andere vraag, waarop we het antwoord schuldig moeten blijven. Het staat echter vast dat deze mensen na hun dood de status van kami verwierven dankzij deze mythen. Ze komen niet als goden voor in de kronieken uit de zevende eeuw, en de meesten werden tijdens hun leven niet als kami beschouwd. Toch zijn het vandaag de dag allemaal bekende kami die verbonden zijn met een bepaald aspect binnen de Japanse cultuur.

PRINS SHŌTOKU: VERTEGENWOORDIGER VAN HET BOEDDHISME

Prins Shōtoku 聖徳太子 (574-622) is een van de eerste mensen die in de Japanse mythologie werd vergoddelijkt. Hij leefde en stierf bijna een eeuw voordat de eerste kronieken werden geschreven, en stond bekend als een aanhanger van het boeddhisme, dat toen nog een opkomende religie was in Japan. Toen er midden achtste eeuw mythen circuleerden waarin zijn jeugd en krachten werden uitvergroot, werd de prins verheven van vroege aanhanger van het boeddhistische geloof tot spiritueel hoeder van het boeddhisme in Japan. In de Heianperiode werd prins Shōtoku vereerd als verkondiger van het boeddhistische woord, en zelfs nu nog worden zijn magische krachten en religieuze impact gevierd en staat hij te boek als de eerste Japanse beschermer van het boeddhistische geloof.

De naam Shōtoku betekent 'hemelse deugd'. Volgens de *Nihonshoki* kreeg de prins deze titel pas veel later in zijn leven.[1] Hij werd geboren als prins Umayado 厩戸 (let. 'staldeur'), als zoon van de heerser die zou regeren als keizer Yōmei 用明 (540-587, r. 585-587); de prins werd ook wel Kamitsumiya 上宮 genoemd. Zijn vader Yōmei was de tweede van de vier kinderen van Kinmei (de eerste heerser van wie het bestaan kon worden aangetoond; zie hoofdstuk drie) die de troon besteeg. Kort nadat hij zijn oudere broer Bidatsu 敏達 (538-586, r. 572-585) opvolgde, overleed Yōmei aan een ziekte. Aangezien beide broers meerdere mannelijke kinderen hadden, kwam prins Umayado niet als eerste in aanmerking voor de troon.

Umayado stond bekend om zijn intelligentie, maar de *Nihonshoki* vertelt

Prins Shōtoku (midden), afgebeeld als volwassene met zijn twee jonge zonen.

weinig over zijn kindertijd. Tijdens zijn tienerjaren ontstond er aan het hof een vete tussen de Mononobe 物部, een oude clan van ritualisten die de verering van inheemse kami aanhingen, en de Soga 蘇我, een clan van immigranten van het vasteland die sterk boeddhistisch georiënteerd waren. Het geschil escaleerde tot een militair conflict. Volgens de *Nihonshoki* vroeg Umayado zich als prille tiener af of de Soga konden zegevieren met louter militaire kracht. Op eigen houtje oogstte hij takken van een Chinese sumakboom (*Rhus chinensis*, Jp. *nurude*) en maakte iconen van de vier hemelse koningen, de beschermgoden van het boeddhisme.[2] De prins stak de iconen in zijn haar en hun magie beschermde de troepen van de Soga, die met gemak wonnen.

De Soga en hun bevordering van het boeddhisme beheersten het hof van de jaren 580 tot 640, en prins Umayado werd een van hun voornaamste bondgenoten. Na de dood van zijn vader ging de troon naar een andere zoon van Kinmei, die regeerde als Sushun 崇峻 (r. 587-592) en in 592 stierf zonder opvolgers na te laten. Aangezien de zonen van zowel Bidatsu als Yōmei nog te jong waren, besteeg de weduwe van Bidatsu, die ook zijn halfzus was en dus van koninklijke komaf, de troon als Suiko (554-628, r. 593-628), de eerste historisch verifieerbare vrouwelijke heerser van Japan. Prins Umayado, ondertussen meerderjarig, werd uitgeroepen tot kroonprins van Suiko. Hij diende zijn tante niet alleen als opvolger, maar ook als regent. De *Nihonshoki* vermeldt dat de prins beslissingen nam, vonnissen uitsprak en het toonbeeld van rechtvaardigheid was. Hij verzamelde boeddhistische monniken en nonnen en stichtte een netwerk van door het hof ondersteunde tempels, waarvan er twee nog steeds bekend zijn: de Shitennōji-tempel in Osaka en de Hōryūji-tempel in Ikaruga, nabij Nara. Hij vaardigde ook zeventien edicten uit die later werden omgedoopt tot de 'grondwet in zeventien artikelen'. Het was nog geen grondwet in de moderne zin van het woord, maar wel werden voor het eerst de fundamentele wetten van het Japanse hof op schrift gesteld.

Elk van deze verwezenlijkingen zou al ruim voldoende geweest zijn om de prins een plekje in de geschiedenis te garanderen, maar de combinatie van deze drie prestaties heeft ervoor gezorgd dat hij tot op de dag van vandaag bekendstaat als toonbeeld van religieus geïnspireerde deugdzaamheid; hij ontving de naam Shōtoku, en wordt nu zo herinnerd. De prins stierf in 622, zeven jaar voor zijn tante, en zat zelf nooit op de troon. Niet veel later werden zijn kinderen vermoord bij een staatsgreep en verdween zijn stamboom uit Japan. Politiek gezien heeft hij maar heel weinig invloed gehad op toekomstige ontwikkelingen.

De *Nihonshoki* is de enige bron over het leven van de prins die werd geschreven voor hij een religieus icoon werd. Hij stierf achtennegentig jaar voor het ontstaan van de kroniek, en uit zijn eigen tijd is geen bewijs van zijn bestaan overgeleverd. De beschrijvingen in de *Nihonshoki* zijn duidelijk aangedikt. De opvallendste is de tekst van de 'grondwet in zeventien artikelen', waarin anachronismen voorkomen die pas in de Naraperiode door de overheid werden gebruikt.[3] Maar ondanks het uitzonderlijke talent en de toewijding van de prins wijst nog niets in de *Nihonshoki* erop dat hij bovenmenselijk is. Pas aan het einde van de achtste eeuw, een generatie na de voltooiing van de *Nihonshoki*, ontstond in boeddhistische tempels een cultus rond prins Shōtoku als een soort halfgod. Hoewel hij nooit als priester heeft gediend, belichaamde hij religieuze kernwaarden, en omdat hij nooit zelf op de troon heeft gezeten, werd hij niet herinnerd om zijn fouten, noch had hij nakomelingen die zijn nagedachtenis konden bezoedelen. Zo ontstond zijn reputatie als een van de belangrijkste voorstanders van het boeddhisme in het vroege Japan. Tegen het begin van de negende eeuw hadden legenden over Shōtoku's genialiteit, puurheid en gezegende krachten het echte verhaal van de historische Umayado in luister overtroffen.

Volgens de *Jōgū Shōtoku taishiden hoketsuki*, een verslag van het leven van de prins uit de elfde eeuw, was hij zelfs al vóór zijn geboorte gezegend.[4] Voor zijn tweede levensjaar had hij de volledige boeddhistische canon gelezen en kon hij soetra's foutloos opzeggen. Zijn omgeving stond versteld van zijn intelligentie en zijn volmaakt begrip van de boeddhistische theologie. Naar verluidt werd hij in zijn dromen bezocht door een gouden lichtwezen dat hem inwijdde in de geheimen van magie en doctrine. Zulke verschijningen inspireerden Shōtoku om namens Japan boeddhistische monumenten op te

richten. Hij liet de Shitennōji-tempel bouwen ter ere van de vier hemelse koningen, uit dank voor hun magische hulp tijdens het conflict tussen de Soga en Mononobe. Door zijn belofte waar te maken
en deze tempel in hun naam op te richten, verwierf de prins nog
meer aanzien.

Prins Shōtoku

- Zijn naam betekent 'hemelse deugd'. Werd geboren als prins Umayado, de zoon van keizer Yōmei (r. 585-587).
- Diende als regent voor zijn tante, die regeerde als keizerin-regent
  Suiko (r. 593-628); liet volgens de overlevering als eerste de wetten
  van het Japanse hof op schrift stellen. Historische details over zijn
  leven worden overschaduwd door latere mythen.
- Werd in de aanloop naar de negende eeuw vergoddelijkt binnen
  het Japanse boeddhisme; zijn cultus bereikte een hoogtepunt tussen de twaalfde en veertiende eeuw.
- Las naar verluidt de integrale boeddhistische canon voor zijn tweede levensjaar en wordt op iconen dan ook vaak afgebeeld als een
  kind van twee.
- Bovennatuurlijke verschijningen inspireerden hem om boeddhistische monumenten op te richten, waarvan een aantal de tand des
  tijds hebben doorstaan.

De *Jōgū Shōtoku taishiden hoketsuki* was de eerste van een aantal
teksten over de prins die opdoken tijdens de Heianperiode. Ze dragen allemaal bij aan de legende van Shōtoku. Volgens sommige van
deze verhalen werd het belang van het boeddhisme aan de prins ge-
openbaard in dromen, en kon hij de ware identiteit van vreemden
doorzien. Een beroemd verhaal gaat even ver terug als de vertelling
in de *Nihonshoki*. Toen prins Shōtoku met zijn gevolg een ritje te
paard maakte, kwam hij een arme bedelaar tegen aan de kant van
de weg. Zijn metgezellen negeerden de man, maar Shōtoku steeg af
en begroette hem als een gelijke. Hij wilde de man meenemen, maar
de bedelaar was zo uitgehongerd dat hij amper kon bewegen. Tot
ieders grote verwondering bedekte de prins de man met zijn eigen
mantel en maande hem aan te rusten. Bij thuiskomst zond Shōtoku

meteen boodschappers om de bedelaar te zoeken, maar ze ontdekten dat hij al overleden was. De prins liet een afgesloten tombe
bouwen rond het lichaam van de man. Enkele dagen later riep hij
zijn mannen bijeen en vertelde hun dat de bedelaar een onsterfelijke wijsgeer was. Hij stuurde een boodschapper naar de tombe. De
boodschapper vertelde dat de tombe schijnbaar van binnenuit was
geopend en nu leeg was. Alleen prins Shōtoku kon een andere wijsgeer herkennen.[5]

De cultus van prins Shōtoku kende een hoogtepunt in de Heian-
en Kamakuraperioden (1185-1333). Gebeden tot Shōtoku's geest zouden de smekeling beschermen tegen ziekten of onheil. Hoewel hij
niet de meest vereerde boeddhistische godheid was, zijn er een aantal beroemde iconen van hem.[6] In de elfde eeuw was het gebruikelijk om de prins af te beelden als een kind van twee of jonger, met
zijn haar in twee lusvormige staartjes. Deze beelden waren meestal
niet de belangrijkste voorwerpen van verering in tempels, dat waren
doorgaans de boeddha's of bodhisattva's. Net als de beelden van bekende wijsgeren en grondleggers van sekten, werden beeltenissen
van Shōtoku in alkoven of kleinere gebedspaviljoenen geplaatst.

Tegenwoordig wordt prins Shōtoku op nog
maar weinig plekken in Japan vereerd, maar hij
is wel bekend als historisch figuur. Veel elementen uit zijn religieuze cultus, zoals de details van
zijn leven als sterveling, raakten vermengd met
verhalen uit teksten als de *Nihonshoki*, of zelfs
met recentere archeologische ontdekkingen
over de tijd waarin hij leefde. Zijn beeltenis staat
op verscheidene bankbiljetten die in de twintigste eeuw werden ingevoerd. Hij speelt ook een
rol in een aantal populaire manga's, waaronder
de bekende *Hi izuru tokoro no tenshi* ('Prins van
het land van de rijzende zon', 1980-1984), waarin

Prins Shōtoku, geportret-
teerd als een kind van twee.

hij wordt voorgesteld als een magisch maar moreel ambigu en seksueel afwijkend persoon die alles en iedereen om hem heen manipuleert.

EN NO GYŌJA: TOVENAAR VAN HET WOUD

De *Shoku nihongi* ('Verdere kronieken van Japan', 797) is een in naam van de keizer opgesteld vervolg op de *Nihonshoki* dat de jaren 696 tot 791 beschrijft. In het verslag van het jaar 699 staat vermeld dat een man genaamd En no Ozunu 役小角 (ook Otsunu of Otsuno; 634-ca. 700 of 707) werd verbannen omdat hij zwarte magie had beoefend. Het verslag bevat ook een korte passage over En no Ozunu. Hij stond bekend als een meestertovenaar en had meerdere volgelingen. Een van die volgelingen beschuldigde hem ervan geesten te gebruiken om water te putten en brandhout te hakken, en hij zou leerlingen met spreuken tot gehoorzaamheid dwingen.[7] Met 'zwarte magie' (een vertaling van de term *jujutsu*, letterlijk 'vervloekingstechniek' – niet te verwarren met de vechtkunst jiujitsu) werden niet alleen doden opgeroepen, maar ook natuurlijke kami en andere geesten, die klusjes opknapten of moorden pleegden voor de oproeper.

En no Ozunu werd verbannen naar de provincie Kii (huidige prefectuur Wakayama), een streek met steile, bosrijke bergen ten zuiden van het Nara-bekken. Deze streek was heilig voor veel kami, met name voor degenen die vereerd werden in de drie Kumano-heiligdommen. Dit zijn drie afzonderlijke heiligdommen die ongeveer twintig kilometer van elkaar zijn verwijderd, maar als één heiligdom worden beschouwd. De Kumano-heiligdommen zijn eeuwenoude bedevaartsoorden en op de bergroute ernaartoe trekken bergasceten zich al eeuwenlang terug om hun leer te beoefenen. Ze worden *yamabushi* ('zij die knielen in de bergen') of *shugenja* ('zij die de diepe leer beoefenen') genoemd.[8]

Getuigenissen over de yamabushi en hun afzondering in het Kii-gebergte gaan terug tot de zevende en achtste eeuw. Vanaf de negende eeuw schrijft men dat hun beoefening afkomstig is van een legendarische grondlegger genaamd En no Gyōja 役行者, of 'En de beoefenaar'. Gevraagd naar de identiteit van deze mysterieuze grondlegger van het *shugendō*, onthulden de yamabushi dat hij niemand minder was dan En no Ozunu. In vroegere legenden werd hij nog afgebeeld als een moreel ambigu figuur die mogelijk een of meer berggoden aan zich had gebonden en na zijn ballingschap door de lucht naar China vloog.[9] Tegen het einde van de Heianperiode was zijn reputatie echter weer gunstig. De verbannen tovenaar werd vereerd als de grondlegger van een cultus die eigenschappen van boeddhistische kluizenaars, taoïstische alchemisten en kami-vererende gebedsgenezers combineerde.

Men geloofde dat En no Gyōja tijdens zijn teruggetrokken bestaan diep in het Kii-gebergte de sterfelijkheid had overstegen. Yamabushi en anderen die het shugendō beoefenden, geloofden dat hij een kami was geworden die met één voet in de wereld van boeddhistische goden stond en met de andere in de wereld van natuurgeesten.

En no Gyōja opent de berg Fuji met zijn toverkrachten.

Naar verluidt verscheen hij vaak voor smekelingen als oude man in kleding die typisch was voor bergasceten: lange gewaden, een houten bidsnoer en soms een strohoed of regenjas. Soms verscheen hij als jongetje van een jaar of vijf, meestal gekleed in een broekje. In beide gedaanten zat hij vaak op de rug van een grote, zwarte os.

En no Gyōja wordt vooral vereerd als verspreider van goede magie, esoterische kennis of beide. Hij is niet noodzakelijk een berg-kami, al wordt hij meestal diep in de bergen gesignaleerd. Hij is ook geen boeddhistische godheid, maar wel nauw verbonden met eso-terische figuren uit het tantrisch boeddhisme, een boeddhistische stroming die ideeën combineert uit verschillende sekten waarin de verborgen aard van de werkelijkheid centraal staat. De belangrijkste gebedsplek voor aanhangers van het shugendō is de berg Yoshino, aan het uiterst zuidelijke einde van het Nara-bekken, waar de route naar de Kumano-heiligdommen begint. De Kinpusenji-tempel aan de berg Yoshino, hoog op de noordelijke flank van de bergpiek, is sinds de Heianperiode de belangrijkste tempel voor het shugendō. De berg Yoshino was een beroemde archeologische locatie waar Ja-panse heersers uit de zevende eeuw astrologische rituelen uitvoer-den. Later vermoedde men dat Maitreya (Jp. Miroku), de 'toekom-stige boeddha', er had verbleven. Op den duur leidde de associatie tussen deze locatie en En no Gyōja ertoe dat er bergkami werden vereerd, onder wie hijzelf.[10]

Het geloof in En no Gyōja en de talloze andere goden van het shu-gendō (ongeacht hun religie of oorsprong) verleent yamabushi ont-zagwekkende krachten. Ze kunnen kwade geesten bedwingen, ziek-ten genezen, natuurkrachten beheersen, en door middel van fysieke en mentale training een uitzonderlijk lang en gezond leven leiden. Een aantal van deze talenten vormden de reden waarom de oor-spronkelijke En no Ozunu werd verbannen. Yamabushi zijn wilde figuren die buiten de samenleving staan, maar ze zijn niet kwaadaar-dig en in de literatuur worden ze vaak bij wijze van laatste redmid-del geconsulteerd door edelen die worden geplaagd door vloeken of andere aandoeningen. Ook En no Gyōja verschijnt in latere Japanse literatuur als een mysterieus maar goedaardig figuur. Vanaf de mid-deleeuwen doen verhalen de ronde waarin hij cryptisch advies geeft, of hij helpt een van zijn yamabushi iemand te redden; zijn dagen als vijand van het oude hof zijn verleden tijd.

Net als prins Shōtoku wordt En no Gyōja vandaag de dag nog maar weinig vereerd. Het shugendō heeft nog steeds aanhangers en toen de oude Kumano-routes door UNESCO werden uitgeroepen tot werelderfgoedsite leidde dat zelfs tot een heropleving. Toch blijft er wereldwijd maar een klein aantal echte yamabushi over. Yoshino en de Kumano-heiligdommen zijn nu toeristische trekpleisters en de figuur van de middeleeuwse yamabushi is populair in fictie, manga en anime. In vergelijking met de geschiedenis van prins Shōtoku is die van En no Gyōja veel minder bekend in het hedendaagse Japan. Tegenwoordig kennen veel mensen hem als god, maar bijna niemand weet dat hij op een historisch figuur is gebaseerd of waarom hij precies wordt vereerd.

PRINS SAWARA: WRAAKZUCHTIGE GEEST

Eind 781 besteeg keizer Kanmu 桓武 (736-806, r. 781-806) de troon in Nara. Kanmu, de laatste heerser van de Naraperiode, zou de geschiedenis ingaan als een van de bekendste keizers van Japan. Kort na zijn kroning besloot de keizer de hoofdstad van Nara naar een andere locatie te verplaatsen. Zijn precieze beweegredenen zijn niet bekend, maar een belangrijke reden was vermoedelijk het feit dat Kanmu meer afstand wilde van de oude adellijke families en de grote boeddhistische tempels, die buitensporig veel invloed hadden op het hof. Kanmu koos ervoor de nieuwe hoofdstad te vestigen in Nagaoka, ergens halverwege tussen de moderne steden Osaka en Kyoto. Nagaoka lag langs de rivier Yodo, een van de voornaamste handelsroutes tussen de Binnenzee en de andere thuisprovincies. Er werden meteen plannen gemaakt en in 784 was de verplaatsing van de hoofdstad een feit, waarmee de Naraperiode ten einde kwam.[11]

Keizer Kanmu (r. 781-806), geportretteerd in standaard Chinese klederdracht.

Een van de meest uitgesproken tegenstanders van het plan om de hoofdstad te verplaatsen was Kanmu's halfbroer, prins Sawara 早良親王 (750?-785), een invloedrijk figuur aan het hof. Omdat Sawara zo gekant was tegen de verhuizing was het makkelijk tegenslagen in zijn schoenen te schuiven. In 784, luttele maanden voor de officiële verplaatsing, werd een van de hoofden van het comité dat instond voor de constructie van de nieuwe hoofdstad vermoord. Van de *Nihon kōki* ('Latere kronieken van Japan', 840), de officiële kroniek die volgt op de *Shoku nihongi* en het begin van de negende eeuw beslaat, zijn helaas alleen fragmenten bewaard. Daarin zitten echter genoeg bewijsstukken om te kunnen reconstrueren wat er daarna gebeurde.

Prins Sawara bleek niet achter de moord te zitten, maar werd vals beschuldigd door Kanmu, die hem begin 785 liet executeren voor verraad. De verplaatsing naar Nagaoka verliep zoals gepland. Twee jaar later trad de rivier Yodo tijdens een extreem regenachtige lente uit haar oevers en overstroomde een groot deel van de stad. Dit gebeurde een jaar later opnieuw, met nog meer schade tot gevolg. Ondertussen weet men dat de stad zich op een natuurlijke uiterwaard bevond, ingekapseld tussen de rivier en een lage berg, maar destijds dacht men dat deze rampen het werk waren van boze kami. Waarzeggers probeerden te achterhalen welke god de rampen veroorzaakte en wat hij wilde. Ze stelden vast dat de kami de geest van prins Sawara was. Wrok om Kanmu's verraad weerhield de prins ervan tot rust te komen, en hij saboteerde het grote project van de keizer – klaarblijkelijk met succes.

In 788 werd Kanmu's kroonprins, de toekomstige keizer Heizei 平城 (773-824, r. 806-809), ernstig ziek. Op dat moment besloot Kanmu het nodige te doen om de geest van zijn halfbroer gunstig te stemmen. Allereerst liet hij publiekelijk prins Sawara's onschuld verklaren. Door middel van een tweede keizerlijk edict riep hij Sawara met terugwerkende kracht uit tot kroonprins, en hij gaf hem postuum de titel keizer Sudō. In feite herschreef Kanmu de geschiedenis aan de hand van deze edicten, zodat de geest van Sawara de hoogste onderscheidingen zou krijgen en hij niet langer te boek zou staan als verrader. De geest was tevreden en de kroonprins genas, maar

Nagaoka-kyō werd nog steeds door onheil getroffen, en dus maakte Kanmu plannen om de hoofdstad nogmaals te verplaatsen, deze keer naar Heiankyō, de huidige stad Kyoto.

Het verhaal van prins Sawara bevat een duidelijke waarschuwing: verwanten die je valselijk van een misdaad beschuldigt, zullen zich na hun dood wreken. Het hof van de Heianperiode nam deze les ter harte en herschreef de loop van de Japanse geschiedenis. Prins Sawara was geen uniek geval. Kanmu wilde de keizerlijke clan 'reduceren' tot zijn eigen nakomelingen, en van de verre verwanten die hij om het leven liet brengen, keerden er verschillende terug als boze geesten. De rampen die Kanmu en zijn zonen in de volgende decennia troffen, werden toegeschreven aan de executies van Kanmu's verwanten in de jaren 780 en 790. Na de negende eeuw keerde het probleem van wraakzuchtige geesten vaak terug in fictie en geschiedschrijving.

In tegenstelling tot de andere voorbeelden in dit hoofdstuk werd prins Sawara nooit als god vereerd. Hij komt in geen enkel hedendaags overzicht van keizers voor en is vandaag de dag in feite niet meer dan een boeiende historische voetnoot. Toch blijft zijn legende relevant, en wel om twee redenen. Allereerst omdat de vloek van Sawara vaak wordt genoemd als oorzaak voor het ontstaan van Kyoto. Ten tweede om zijn rol als een van de eerste en bekendste voorbeelden van mensen die na hun dood boze kami worden. Er wordt vaak naar prins Sawara verwezen in de populaire cultuur, onder meer in een aantal moderne historische fantasy-films. Al heeft hij sinds de dagen waarin hij de edelen van de Heianperiode de stuipen op het lijf joeg enigszins aan ontzag moeten inboeten, de wraakzuchtige, miskende prins kan hedendaagse kijkers en lezers nog steeds heerlijk doen sidderen.

SUGAWARA NO MICHIZANE: HEMELS GENIE

Sugawara no Michizane 菅原道真 (845-903) kwam uit een gerenommeerde familie van adellijke geleerden. Hoewel ze niet tot de top van de adel behoorden, stond de Sugawara-clan wel bekend als een familie van leergierige en bekwame bestuurders. Zelfs naar de hoge standaarden van de clan was Michizane een wonderkind.

Hij studeerde in 870 cum laude af aan de staatsacademie en maakte daarna als jonge hoveling indruk in enkele bureaucratische banen.[12] Hij werd ook geprezen om zijn schrijfkunsten en blonk vooral uit in klassieke Chinese poëzie (Jp. *kanshi*). Michizane werd de verantwoordelijke voor diplomatieke onderhandelingen met Koreaanse en Chinese gezanten. Hovelingen van hogere rang deden graag een beroep op zijn literaire vaardigheden voor composities in hun naam. Zijn faam groeide even snel als de jaloezie van zijn collega's.

Tafereel uit een biografie van Sugiwara no Michizane (links), waarin de toekomstige godheid een keizerlijke prinses onderwijst aan het hof.

Toen keizer Uda 宇陀 (866-931, r. 887-897) de troon besteeg, schreef Michizane een aantal uitgesproken essays waarin hij een lans brak voor bepaalde leden van het hof. Deze stukken leverden hem veel bijval op en hij verwierf steeds betere posities. In de jaren 890 kreeg hij de Japanse diplomatieke betrekkingen in handen en was hij verantwoordelijk voor het verbreken van de band met de wankele

Chinese Tangdynastie.[13] Zowel Michizanes Chinese als Japanse teksten waren populair aan het hof en verscheidene van zijn anthologieen zijn bewaard gebleven, waaronder de *Shinsen man'yōshū* (*Nieuwe verzameling van onmetelijke tijden* voor 913), de *Kokin wakashū* (*Verzameling van oude en moderne poëzie* 920) en de *Shūi wakashū* (*Verzamelde flarden* 1005). Michizane stond bekend als een politicus die geen blad voor de mond nam en de adel aanspoorde een deugdzaam leven te leiden volgens de leer van Confucius.

Toen Uda in 897 troonsafstand deed, droogde Michizanes geluk op. Uda's zoon, keizer Daigo 醍醐 (885-930, r. 897-930), had een goede band met Fujiwara no Tokihira 藤原時平 (871-909), uit de machtige Fujiwara-clan. Tokihira beschuldigde Michizane er valselijk van samen te zweren tegen de nieuwe keizer. Hoewel het niet tot een terechtstelling kwam, werd Michizane in rang verlaagd en verbannen. Hij sleet de rest van zijn leven in Dazaifu (in de huidige prefectuur Fukuoka), een nederzetting in het noorden van Kyushu, honderden kilometers van de hoofdstad.

Na de dood van Michizane werd het hof van Daigo getroffen door de ene na de andere ramp. Leden van de familie Fujiwara die tegen Michizane hadden getuigd, stierven plotseling onder mysterieuze omstandigheden. Ook Daigo's zonen stierven een voor een. In de zomer van 930 werd de hoofdstad getroffen door droogte. Men was nog maar net om regen aan het bidden of er verscheen uit het niks een storm, heviger dan waar de smekelingen op hadden gehoopt, en de grootste ontvangstzaal van het keizerlijk paleis werd door bliksem getroffen en brandde tot de grond toe af.[14] Net als bij prins Sawara werd er waarzeggerij gebruikt om de oorzaak van deze reeks rampen te achterhalen. De wraakzuchtige geest van Michizane kwam als boosdoener uit de bus. Die nam wraak voor het politiek dwarsbomen van zijn carrière, reputatie en leven. Zodra men ontdekte dat de geest deze rampen veroorzaakte, liet Daigo Michizane postuum herbenoemen in zijn rangen en functies en werd zijn ballingschap uit officiële verslagen geschrapt. In Kyoto werd ter ere van hem het Kitano Tenmangū-heiligdom opgericht. Zodra hij tot kami werd uitgeroepen, hielden de aanvallen van Michizane op en keerde de vrede in de hoofdstad terug.

Sugawara no Michizane (Tenjin)

- Komt uit een familie van adellijke geleerden. Bekend om zijn literaire vaardigheden.
- In de jaren 890 kreeg hij de Japanse diplomatieke betrekkingen in handen.
- Verbrak de band met de Tangdynastie. Stelde verscheidene bloemlezingen van proza en poëzie samen die populair waren aan het hof van keizer Uda.
- Stierf in ballingschap nadat hij valselijk werd beschuldigd van samenzwering tegen de nieuwe keizer.
- Na zijn dood werd het hof van keizer Daigo (Uda's zoon) door talloze rampen getroffen. De geest van Michizane bleek de boosdoener.
- Zijn rang en titels werden postuum hersteld en er werd ter ere van hem een heiligdom opgericht. Zo werden verdere aanvallen van Michizanes geest voorkomen.
- Wordt tegenwoordig aangeroepen (als 'Tenjin') voor arbeidsbescherming en academisch succes.

In de zeventig jaar na zijn dood werd de geest van Sugawara no Michizane steeds meer vereerd, vooral door edelen die arbeidsbescherming of academisch succes wilden. De Kitano Tenmangū werd een groot heiligdom, en er werd nog een tweede Tenmangū opgericht in Dazaifu, waar Michizane in ballingschap stierf. Tegenwoordig staat de geest van Michizane bekend als Tenman Tenjin 天満天神, of 'hemelse god die de hemel vult', en in 973 werd hij officieel uitgeroepen tot de kami van studie en geleerdheid. Niet alleen overtroefde deze bureaucraat prins Sawara met zijn beruchte aanvallen op het hof, hij groeide ook nog eens in minder dan een eeuw uit tot een belangrijke god.

Tegenwoordig kent men de god Sugawara no Michizane eenvoudigweg onder de naam Tenjin. Tenjin wordt vereerd in heiligdommen over heel Japan die bekendstaan als Tenmangū ('hemelvullend paleis'), vernoemd naar de twee oorspronkelijke heiligdommen in Kyoto en Dazaifu. Hij is populair bij de jeugd, vooral bij scholieren en studenten die hulp vragen bij hun examens. Hoewel men in heel

Japan weet wie Sugawara no Michizane was en waarom hij werd ver-goddelijkt als Tenjin, beschouwen de meeste mensen de historische figuur en de kami niet als dezelfde entiteit. Tenjin wordt zelden afge-beeld in heiligdommen. In zeldzame gevallen wordt hij afgebeeld als een man in de klederdracht van een hoveling uit het midden van de Heianperiode. In tegenspraak met westerse (of zelfs Chinese) opvat-tingen van de wijsgeer als een wijze oude man, wordt Tenjin eerder geassocieerd met jeugdige brille en de zegeningen van de middelba-re leeftijd dan met de wijsheid die voortkomt uit jarenlange studie. Hoewel Tenjin veel wordt vereerd, is hij opvallend afwezig in de po-pulaire cultuur. Misschien is zijn cultus niet spannend genoeg voor een hedendaagse Japanse film of manga.

MINAMOTO NO YOSHIIE: GOD VAN HET SLAGVELD

De intrede van het Kamakura-shogunaat in 1192 luidde het einde van de Heianperiode in, maar haar ondergang stond al langer in de sterren geschreven. In de elfde eeuw had de Fujiwara-clan de meest intieme kringen van de koning zo goed als volledig geïnfiltreerd. Zo kon het gebeuren dat steeds jongere keizers werden aangestuurd door Fujiwara-regenten die de touwtjes in handen hadden. Steeds vaker traden keizers af zodra ze volwassen werden en dan deden ze voor de rest van hun leven afstand van de meeste verantwoordelijk-heden die bij hun functie hoorden. Dit gebruik leidde begin twaalf-de eeuw tot de invoer van het Insei-systeem, oftewel het 'systeem van afgetreden keizers'. Deze regeringsvorm hield in dat een kind tot kei-zer werd gekroond met aan zijn zijde een of meer Fujiwara-regenten (vaak familieleden langs moeders kant); ondertussen waren er tege-lijkertijd nog een of meer afgetreden keizers, veelal zelf nog relatief jonge volwassenen. Deze afgetreden keizers legden vaak boeddhis-tische geloften af en regeerden vanuit een nabijgelegen klooster ver-der als lekenmonnik. De Japanse adel had zijn lust voor oorlog lang geleden verloren, waardoor militaire ingrepen beperkt bleven tot de trage verovering van het noorden van Honshu, ver van de hoofdstad. In de voorgaande honderdvijftig jaar was de voormalige functie van de krijgsadel ingevuld door professionele soldaten die hun posi-tie erfden en vooral actief waren in verre provincies. Twee van de machtigste clans van deze krijgsadel waren de Taira (ook wel Heike genoemd) en de Minamoto (ook wel Genji genoemd). Beide clans waren net als de minder bekende clans betrokken bij de verovering van het noorden. De opmars begon in de zevende eeuw en werd pas voltooid rond het jaar 1100. Twee beslissende conflicten waren de Zenkunen-oorlog (1051-1063) en de Gosannen-oorlog (1086-1089). In deze conflicten stonden de clans tegenover de Emishi, dezelfde groepen die Yamato Takeru in legenden van voorgaande eeuwen had moeten onderwerpen.

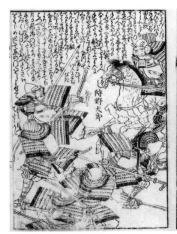

De Heiji-opstand (1150), waar de nakomelingen van
Minamoto no Yoshiie aan deelnamen.

De Emishi
- Tegenstanders in de conflicten tijdens de verovering van het noorden van Honshu.
- De term 'Emishi' ging verwijzen naar al wie uit het noorden van Honshu kwam en de autoriteit van de keizer verwierp.
- De meeste bronnen over de Emishi komen van het Japanse keizerlijke hof.
- Over de etniciteiten en talen van de Emishi is niets bekend, maar veel Emishi waren wellicht etnisch 'Japans'.

De term 'Emishi' ging verwijzen naar al wie uit het noorden van Honshu kwam en de autoriteit van het keizerlijk hof verwierp. Over de etniciteiten en talen van deze volkeren is niets bekend, hoewel er in deze streek ook veel Japanners uit de rest van de archipel woonden. Aangezien ze zelf weinig geschreven bronnen nalieten, komt het meeste van wat we over de Emishi en de verovering van het noorden weten uit bronnen geschreven aan of voor het Japanse keizerlijke hof in Kyoto.

De leider die zowel in de oorlog van Zenkunen als van Gosannen aan het hoofd van de Minamoto stond, was een man genaamd Minamoto no Yoshiie 源義家 (1039-1106). Yoshiie stond bekend als een geboren krijger, zowel behendig met het zwaard als met pijl en boog en even dodelijk te paard als te voet. Met een relatief kleine strijdmacht van elitekrijgers brak Yoshiie tweemaal een beleg in een later stadium van het conflict. Toen het conflict achter de rug was, reisde hij naar Kyoto om aan het hof zijn oorlogsbuit te overhandigen, waaronder de hoofden van machtige Emishi-stamhoofden. Zijn reputatie als krijgsman leverde hem de naam Hachimantarō 八幡太郎 ('zoon van Hachiman') op.[15]

Hachiman 八幡 is de god van de krijgers en van de oorlogsvoering zelf. Hachiman komt niet voor in de *Kojiki* en de *Nihonshoki*. Bronnen uit de Naraperiode vermelden hem als een godheid die wordt vereerd in de provincies, met name door keuterboeren en krijgers.[16] Omdat we weinig weten over wat mensen buiten het hof geloofden in de periode voor de middeleeuwen, is het goed mogelijk dat Hachiman veel diepere, inheemse wortels heeft. Hoe het ook zij, de krijgers die in de elfde eeuw onder en naast Minamoto no Yoshiie dienden, vereerden deze god en geloofden dat hun leider zijn krachten aan hem ontleende. Twee decennia nadat hij zijn sterrenstatus had verworven, keerde Yoshiie terug naar de slagvelden in het noorden van Honshu en voerde hij de keizerlijke garde aan om de Emishi uit te schakelen in de Gosannen-oorlog. Toen Yoshiie stierf, had zijn legende zich tot in de verste uithoeken verspreid, zelfs onder de adel in Kyoto.[17]

In de jaren 1150 brak er een gewelddadig conflict uit binnen het Insei-systeem. Verscheidene afgetreden keizers, Fujiwara-leiders en zelfs grote boeddhistische tempels stuurden gewapende troepen die elkaar te lijf gingen in de straten van Kyoto. De Taira en de Minamoto werden door de leiders van beide partijen ontboden in de hoofdstad, en ingelijfd als privémilitairen door de adellijke families. De Taira besloten zich in de hoofdstad te vestigen, waar ze hun eigen machtsbasis opbouwden en de controle over de keizerlijke overheid tijdelijk overnamen van de Fujiwara. In 1180 bereikte het conflict nogmaals een hoogtepunt toen de Minamoto werden ontboden om de adel te verlossen van de opkomende Taira. In het conflict dat daaruit voortvloeide, de Genpei-oorlog, kwam de adel ten val en werd de basis gelegd voor een militair bewind dat de Japanse middeleeuwen zou tekenen.

De leider van de Minamoto, Minamoto no Yoritomo 源頼朝 (1147-1199), was een briljant aanvoerder. Yoritomo was de achterachterkleinzoon van Yoshiie en had blijkbaar de gaven van zijn voorouder geërfd. Toen de Genpei-oorlog uitbrak, had Yoritomo zijn strepen al verdiend in vele succesvolle veldslagen tegen plaatselijke heren en de overgebleven Emishi-rebellen. Yoritomo stond bekend als een onverschrokken leider, maar hij was ook een sluw strateeg met een paranoïde kantje. Hij verpletterde de Taira, maar keerde zich tijdens het conflict tegen sommige van zijn eigen aanvoerders. Toen de rust terugkeerde in 1185 bleef Yoritomo als enige leider van de twee grote families van krijgers overeind. In plaats van in Kyoto de macht te grijpen, zoals de Taira hadden gedaan, keerde Yoritomo terug naar zijn thuisstreek in de Kantō, de vlakten rond het huidige Tokio. Wel liet hij zich in 1190 door de keizer uitroepen tot shogun. Twee jaar later richtte hij het Kamakura-shogunaat op, waarmee hij de aftrap gaf voor een van de belangrijkste ontwikkelingen in de Japanse geschiedenis.

Minamoto no Yoritomo riep zijn voorouder Yoshiie uit tot beschermgod van zichzelf en zijn familie. Door zijn positie als eerste shogun van Japan raakte Yoritomo's persoonlijke verering van zijn voorouder vermengd met verregaandere geloofskwesties. Dankzij de legende van Yoshiie als zogenaamde zoon van de god Hachiman leefde het idee dat ook Yoritomo onder de bescherming van de oorlogsgod viel. Dat leverde Hachiman een heleboel nieuwe volgelingen op. Yoshiie en Yoritomo raakten in de volkse verbeelding vermengd met het idee van Hachiman – zoals het geval was geweest bij de legendarische keizer Ōjin (zie hoofdstuk drie). Halverwege de dertiende eeuw ging men Hachiman beschouwen als een militair beschermer die over de veiligheid van het Japanse volk waakte.[18]

Doordat Hachiman werd geassocieerd met krijgers, in de eerste plaats met Minamoto no Yoshiie, werd hij ook god van de boogschietkunst. Hij wordt meestal afgebeeld als een vroegmiddeleeuwse Japanse krijger, een man van middelbare leeftijd in traditionele wapenrusting, uitgerust met zwaard, boog en een koker vol pijlen. In sommige portretteringen van Hachiman is de expliciete beeltenis van Minamoto no Yoshiie, en soms zelfs die van Minamoto no Yoritomo, duidelijk herkenbaar. In de daaropvolgende eeuwen smolten deze drie figuren samen tot één syncretische kami.

Hachiman wordt over heel Japan vereerd in Hachimangū-heiligdommen. De bekendste is het Usa-heiligdom in de huidige prefectuur Ōita op het eiland Kyushu, dat vaak Usa Hachimangū wordt genoemd. Naar verluidt werd dit heiligdom oorspronkelijk gewijd aan de geest van keizer Ōjin. Het wordt vermeld in teksten uit de Nara- en Heianperioden en stond onder bescherming van de keizerlijke

Twee voorstellingen van Minamoto no Yoshiie als de god Hachiman: als een Heiaanse edelman (links) en als een middeleeuwse krijger te paard (rechts).

familie.[19] Het is niet duidelijk waar de associatie met Hachiman vandaan komt, ze dateert mogelijk van voor de periode waarin de krijgersklasse kami vereerde. Andere belangrijke Hachimangū bevinden zich in het noorden en oosten van Honshu, streken die traditioneel geassocieerd worden met de middeleeuwse krijgsadel. In Kamakura (in de huidige prefectuur Kanazawa) ligt het grote Tsurugaoka Hachimangū-heiligdom, een van de voornaamste persoonlijke heiligdommen van Minamoto no Yoritomo.

Hachiman wordt nog steeds vereerd, maar op kleinere schaal dan Tenjin en andere belangrijke kami. In de periode van het moderne Japanse Keizerrijk, van de Meiji-restauratie tot het einde van de Tweede Wereldoorlog, was Hachiman een van de belangrijkste goden. Hij werd uitgeroepen tot beschermgod van de keizerlijke familie en de Japanse natiestaat (twee politieke entiteiten die pas na zijn oorspronkelijke cultus ontstonden), en was de belangrijkste kami voor soldaten van het leger en de marine van het keizerrijk. Er werd tot hem gebeden tijdens de moderne Japanse oorlogen tot en met de Tweede Wereldoorlog en daarna nam zijn populariteit even snel weer af tijdens de Amerikaanse bezetting en de naoorlogse periode. Door deze recente geschiedenis is de verering van Hachiman emotioneler geladen dan die van een god als Tenjin. Die gevoeligheid verklaart misschien waarom hij tegenwoordig aan belang heeft ingeboet. Een andere mogelijke verklaring is het officiële pacifisme van het huidige Japan.

MENSEN EN GODEN, MENSEN ALS GODEN

De grens tussen 'geest' en 'mens' is poreus. We zagen al voorbeelden van mensen waarvan de geest na hun dood werd vereerd en mettertijd steeds grotere en belangrijkere proporties aannam. Er zijn echter ook gevallen waarbij de geest van een levende van invloed is op de wereld. Premoderne Japanners hadden veel traditionele kennis over de geesten van zowel dode als levende mensen en het contact dat ze met andere mensen hadden. Dit contact kon zowel positief als negatief zijn, en soms zelfs fataal. Een confrontatie met iemands geest kon even gevaarlijk zijn als de omgang met de levende persoon in kwestie.

We weten weinig over de vroege Japanse interpretatie van plaatselijke geesten. In de kronieken uit de zevende eeuw ligt de focus op de oorsprong van de keizerlijke familie, de organisatie van de wereld en andere grootschalige gebeurtenissen. De negende-eeuwse bloemlezingen van boeddhistische folklore die bekendstaan als de *Nihon ryōiki* ('Fantastische verhalen uit Japan', samengesteld tussen 787 en 824) zijn de oudste bron van verhalen die niet met de keizerlijke familie te maken hebben. Het doel van de *Nihon ryōiki* was echter vooral om door middel van fabels boeddhistische lessen te verspreiden. Uit de periode van het einde van de negende eeuw tot het begin van de tiende eeuw zijn iets meer bronnen overgeleverd, waaronder fictie en dagboeken. Er zit dus een hiaat tussen het ontstaan van de oorspronkelijke mythen in de vroege Naraperiode (ca. 700), en de eerste bronnen over wat de adel geloofde, die pas in het midden van de Heianperiode (ca. 900) verschenen. De meeste Heiaanse edelen konden lezen en schrijven, terwijl de meeste Japanners tot de zestiende eeuw ongeletterd waren. Als we over Heiaanse folklore spreken, hebben we het dus nog steeds over de verhalen uit de hogere klassen. Bronnen over wat boeren of arme stedelingen in deze periode geloofden zijn schaars; hun perspectief komt aan bod in de volgende twee hoofdstukken. Zo goed als alle traditionele kennis over mensen en geesten uit de Japanse Heianperiode en vroege middeleeuwen is afkomstig uit teksten die geschreven werden door edelen, van wie het merendeel in Kyoto woonde.

Heiaanse edelen geloofden dat ze de wereld niet alleen met een groot aantal natuurlijke kami deelden, maar ook met de geesten van mensen. Grofweg waren er twee soorten geesten: vreedzame en gewelddadige. Van de vreedzame geesten viel niets te vrezen. Ze waren doorgaans het resultaat van de karmische banden tussen mensen die de geest van hun geliefde na het overlijden bleven vasthouden. Mensen die heel erg verliefd waren of een gelijkaardige karmische band uit een vorig leven deelden, konden aan hun partner vast blijven zitten. Volgens het boeddhistische dogma was deze gehechtheid in theorie iets negatiefs, omdat mensen zich op die manier niet konden losmaken uit de cyclus van wedergeboorte, maar in vergelijking met andere mogelijke uitkomsten was deze nog tamelijk onschuldig.

Heiaanse hovelingen waren doodsbang voor gewelddadige menselijke geesten. *Onryō* of *goryō*, zoals ze werden genoemd, waren de geesten van mensen die zijn verraden of om andere redenen wrok koesterden tegen andere levende wezens. De term 'goryō' slaat specifiek op de geesten van onschuldig ter dood veroordeelden – ook wel *shiryō* ('dode geesten') genoemd, zoals was gebeurd met prins Sawara – of van mensen die door verraad alles hebben verloren, maar nog wel leven, ook wel *ikiryō* ('levende geesten') genoemd. De term 'onryō' overlapt de andere gedeeltelijk, maar verwijst daarnaast vaak specifiek naar geesten die niet alleen boos, maar ook kwaadaardig zijn. Goryō en onryō ontstaan na een gewelddadige dood, of als een levend persoon door gewelddadige emoties wordt overmand.[20] Ze verschijnen 's nachts, in verlaten huizen, of op andere duistere en eenzame plekken in premoderne stedelijke omgevingen.

Goryō en onryō veroorzaken talloze rampen. Zoals het geval was bij prins Sawara en Sugawara no Michizane kunnen deze rampen grote groepen mensen treffen. Denk aan overstromingen, branden, stormen, aardbevingen of ziekten. In de nachtmerries van de gewone Heiaanse adel veroorzaken deze wraakzuchtige geesten eerder kleinschalige rampen, zoals instortende huizen, een plotselinge pijn of dood, en zelfs miskramen. Er is ook sprake van gevallen waarin geesten bezit nemen van levende personen en hen martelen of doden. Dit in bezit nemen noemt men in het Japans *mononoke* 物の怪, nog weer een andere naam voor de geesten die dit veroorzaken. Men kan zowel door levende als dode geesten bezeten worden.

Een bekend voorbeeld komt uit *Genji monogatari* (*Het verhaal van Genji*, ca. 1000), een van de bekendste werken uit de premoderne Japanse fictie. Het is een lang episch verhaal over een keizerlijke prins die een gewone burger wordt en vele romances heeft met vrouwen aan het hof. In het begin van het verhaal heeft het hoofdpersonage Genji 源氏 een relatie met een oudere vrouw die Rokujō 六条 heet.* Op een gegeven moment verbreekt hij de relatie en begint hij affaires met andere vrouwen. Op een van die afspraakjes bevindt Genji zich in een verlaten huis met zijn minnares, een jonge

---

* In het Nederlands te vertalen als 'de Prinselijke Toevlucht' [red.].

vrouw die Yūgao 夕顔 heet. De plek jaagt Yūgao de stuipen op het lijf, maar Genji stelt haar gerust. Later wordt hij gewekt door een spookachtige aanwezigheid. Als Genji zijn arm om Yūgao wil slaan, merkt hij dat ze koud en doods is; de bovennatuurlijke geest steekt een jaloerse tirade af die doet vermoeden dat het om de geest van Rokujō gaat. Dat vermoeden wordt bevestigd in een later hoofdstuk, als ook Genji's echtgenote Aoi 葵 onder mysterieuze omstandigheden sterft.

Goryō en onryō

- Gewelddadige menselijke geesten die zijn verraden of om andere redenen wrok koesteren tegen de levenden.
- Goryō: geesten van onschuldig ter dood veroordeelden of van levenden die door verraad alles hebben verloren.
- Onryō: een meer algemene term voor kwaadaardige geesten.
- Veroorzaken rampen en ziekten; kunnen bezit nemen van de levenden. De gevolgen van deze aanvallen kunnen grote aantallen mensen treffen.

Aoi en Genji hebben huwelijksproblemen. Ze zijn op jonge leeftijd getrouwd om politieke redenen. Genji had affaires met andere vrouwen en Aoi was koud en afstandelijk. Het gaat beter wanneer Aoi zwanger wordt van een zoon. Onderweg naar het Kamofestival blokkeert het rijtuig van de zwangere Aoi onopzettelijk het rijtuig van Rokujō. Rokujō, die nog steeds treurt om het feit dat Genji hun verhouding heeft verbroken, ziet zijn vrouw en wordt door jaloezie overvallen. Als Aoi later in het kraambed ligt, verschijnt er een vrouwelijke geest die haar martelt en haar, meteen na de geboorte van het kind, doodt. Genji herkent in deze geest de moordenaar van Yūgao. Rokujō ontwaakt in haar eigen huis met de geur van papaver en rook in haar kleren – de geuren die in Aoi's kraamkamer gebruikt werden om het kwaad af te weren.

Rokujō leeft op het moment dat haar geest de vrouwen vermoordt. Haar wakende ik is echter niet bij bewustzijn, en ze is dan ook met afschuw vervuld als ze hoort wat ze Aoi heeft aangedaan. Ze is echter zo jaloers op Genji's andere geliefden, aldus het verhaal, dat

De geest van Yūgao, afgebeeld tussen de bloemen van de fleskalebas waarnaar ze is vernoemd, op de coverpagina van een hoofdstuk uit een uitgave van *Het verhaal van Genji*, die dateert uit de Edoperiode.

ze zichzelf niet in de hand heeft. In haar slaap verlaat de gekwelde geest van Rokujō haar lichaam en wordt ze een goryō die de geliefden van Genji in een opwelling van woede vermoordt. Hedendaagse onderzoekers geloven dat het fenomeen van bezetenheid door geesten ontstond als een verklaring voor plotse sterfgevallen waarvoor men op basis van medische kennis geen oorzaak kon geven. Dat verklaart mogelijk ook waarom deze kwaadaardige geesten vaak vrouwen in het kraambed treffen. Er bestaan ook andere voorbeelden van dit motief, waaronder aanvallen op mannen, en aanvallen door mannelijke geesten. Rokujō is wellicht het meest klassieke voorbeeld in de Japanse literatuur van een geest van een levend persoon die bezit van iemand neemt. Haar interacties met Yūgao, Aoi en Genji zijn niet alleen sleutelmomenten in de plot van *Genji Monogatari*, maar ook het onderwerp van vijftiende-eeuwse no-spelen en vroeg-moderne fictie. Andere, latere stereotypen van jaloerse vrouwelijke geesten, zowel van levende als dode mensen, zijn sterk gebaseerd op dit archetype uit *Genji Monogatari* en op Rokujō's gruweldaden. Volgens het Japanse wereldbeeld zijn mensen geen bovennatuurlijke wezens, maar kunnen ze het wel worden. Belangrijke personen kunnen na hun dood nog legendarischer worden, tot hun geest op een gegeven moment wordt vereerd vanwege de wonderen die ze verrichten voor nakomelingen en gelovigen. Onschuldig veroordeelden kunnen terugkeren om zich spiritueel te wreken en ze boezemen de mensen angst en eerbied in. Op kleine schaal mondt dit uit in verhalen over geesten en bezetenheid. Op grote schaal kan het overal toe leiden, van de verering van prins Shōtoku als god tot de angstvallige postume erkenning van prins Sawara. De eerbied voor en het begrip van deze figuren veranderen net als de mythen zelf in de loop van de tijd. Sugawara no Michizane veranderde van een beroemdheid in een angstaanjagende geest, en eindigde als god.

Hedendaagse onderzoekers interpreteren dit proces op verschillende manieren. Enerzijds zijn ze van mening dat de ontwikkeling van legendarische personen tot nieuwe cultfiguren niet uniek is voor Japan. Katholieke heiligen, soefistische wijzen en hindoeïstische goeroes (om er maar een paar te noemen) ondergaan vergelijkbare transformaties. Anderzijds is het gemak en de fluïditeit waarmee goden het Japanse pantheon betreden en verlaten opmerkelijk. De oude kronieken zijn niet de alfa en omega van de mythologie van het shintoïsme of andere religies. De noden van mensen veranderen voortdurend en gebeurtenissen groeien uit tot legenden die een bron van hoop en kracht zijn. De Japanse mythen kunnen deze veranderingen uitzonderlijk goed incorporeren.

Michizane en andere figuren die in dit hoofdstuk aan bod zijn gekomen, bevinden zich tussen de werelden van goden en mensen. De Japanse folklore kent veel van dit soort personages. De grondleggers van de grote boeddhistische sekten werden alom vereerde heiligen. Levensechte versies van Rokujō werden boze geesten die buiten de stad rondwaren – regelrecht afkomstig uit spookverhalen en verhalen die dienen als waarschuwing. Er bestaan nog veel andere geesten die onder mensen leven, waarvan we er in het volgende hoofdstuk een aantal zullen leren kennen. Nog opmerkelijker zijn de figuren die de grens tussen deze werelden oversteken. Zij horen tot de belangrijkste kenmerken van de Japanse mythologie, en van de verschillende geloofsvormen die tot op heden worden gepraktiseerd in Japan. Ze getuigen van de transformatieve kracht van verhalen: eenmaal losgelaten gaan legenden een eigen leven leiden en kunnen ze van een prins een heilige maken, en van een verbannen crimineel een profeet van de wildernis.

5

VREEMDEN IN DE CANON:

HET JAPANSE BOEDDHISTISCHE PANTHEON

Het concept 'canonvreemden' beschrijft een fenomeen uit hedendaagse films en televisieseries die gebaseerd zijn op romans of strips. De term wordt gebruikt voor nieuwe personages die een hoofdrol spelen in het verhaal, maar niet bestonden in het oorspronkelijke medium.[1] Zulke personages zijn 'canoniek' in de zin dat ze officieel deel uitmaken van een werk. Tegelijk zijn het evengoed 'vreemden', omdat ze niet voorkwamen in het oorspronkelijke verhaal. Dit concept is ook van toepassing op oudere werken, waaronder mythologie. Mythen zijn niet alleen fluïde wat tijd betreft, maar ook qua ruimte en nationale en culturele grenzen. Als volkeren in aanraking komen met andere groepen kunnen hun inheemse goden, helden en demonen doordringen tot een andere cultuur in de vorm van personages, of zelfs verhandeld worden als goederen. De Japanse cultuur, die het boeddhisme, confucianisme, taoïsme en talloze andere tradities uit Oost-Azië en omstreken omarmde, kent veel voorbeelden van dergelijke vreemde goden. In de meeste gevallen zijn ze na verloop van tijd inheems geworden, met uitgesproken Japanse namen en vormen van verering – en in sommige gevallen zijn ze zelfs geheel versmolten met inheemse kami.

In dit hoofdstuk komen de voornaamste 'canonvreemden' uit de Japanse mythologie aan bod: het boeddhistische pantheon. Het boeddhisme kwam vijftienhonderd jaar geleden naar Japan. Door de jaren heen is deze religie in aanraking gekomen met andere geloofsvormen, in de eerste plaats met het inheemse shintoïsme. Deze wisselwerking beperkt zich niet tot mensen en plaatsen, maar neemt ook de vorm aan van gedeelde of wedijverende filosofieën, goden en mythologieën. Boeddhistische figuren, verhalen en invloeden hebben de inheemse mythen van Japan aangevuld en verrijkt. Uiteraard spelen ook vreemde goden uit andere tradities een belangrijke rol in de Japanse mythologie, maar die andere kami maken geen deel uit van een coherent geheel, wat het boeddhistische pantheon (een overkoepelende term voor een wisselend aantal goden en andere bovennatuurlijke wezens) wel lijkt te doen. Om die reden worden deze figuren afzonderlijk behandeld in hoofdstuk zes.

Een korte opmerking nog over naamgeving: het boeddhisme komt uit India en werd oorspronkelijk opgetekend in oude Indische talen, met name het Sanskriet en het Pali, maar de namen die in Japan werden gebruikt voor boeddhistische goden, plaatsen en concepten werden doorgegeven via China. Het zijn dan ook meestal Japanse verbasteringen van Chinese termen die op hun beurt Chinese vertalingen of transcripties uit het Indisch waren. In dit hoofdstuk worden de meeste begrippen geïntroduceerd in het Sanskriet (Sk.) en het Japans (Jp.) en waar nodig ook in het Chinees (Ch.). Voor algemene boeddhistische concepten worden de woorden uit het Sanskriet gebruikt, zoals *boeddha* en *bodhisattva*, in plaats van de Japanse termen *nyorai* en *bosatsu*. Als het Japanse equivalent echter functioneel verschilt of als de naam uit het Sanskriet lang of ingewikkeld is, gebruiken we de Japanse namen (bijvoorbeeld in het geval van de bodhisattva Kannon en de wijsheidskoning Fudō Myōō).

HET BOEDDHISME EN DE JAPANSE MYTHOLOGIE
Het boeddhisme wordt op grote schaal gepraktiseerd, kent vele verschillende sekten en mythologieën en is duizenden jaren oud. Hier focussen we ons uitsluitend op die boeddhistische goden en mythologische figuren die een grote impact hebben gehad op Japan. Dat zijn niet noodzakelijk de belangrijkste figuren in andere boeddhistische landen, of in andere vormen van het boeddhisme, hoewel het merendeel ook buiten Japan bekend is.

Het Japanse boeddhisme is onder te verdelen in verschillende scholen die allemaal behoren tot het mahayana, oftewel de traditie van het 'grote voertuig'. Dit is een van de drie belangrijkste boeddhistische stromingen, samen met het theravada ('traditie van de ouderen') en het vajrayana ('diamanten voertuig'). Het theravada, een populaire school in Zuidoost-Azië, heeft een vast corpus van kernteksten die beschouwd worden als de oudste, 'oorspronkelijke' boeddhistische geschriften uit het oude India. Het vajrayana wordt gepraktiseerd in Tibet en Mongolië en legt de nadruk op de beoefening van tantra. Het mahayana wordt gepraktiseerd in heel Oost-Azië en Vietnam en kent vele scholen, die alle geloven in 'vaardige middelen' (Sk. *upāya*, Jp. *hōben*), een manier om tijdens het leven de boeddhistische verlossing te bereiken. Elke school legt de nadruk op verschillende vaardige middelen: in de scholen van het zenboeddhisme staat bijvoorbeeld meditatie centraal.

Nog een belangrijk kenmerk van het mahayanaboeddhisme is het belang van goddelijke figuren. De verschillende vormen van het mahayanaboeddhisme kennen meer goden en goddelijke niveaus dan die van het theravada- of het vajrayanaboeddhisme. Deze figuren kunnen grofweg in vier categorieën worden verdeeld. Bovenaan staan de boeddha's (Jp. *nyorai*). Boeddha's zijn stervelingen die in hun leven de volledige verlichting hebben bereikt. Ze hebben inzicht verworven in de waarheid van de wereld, en zich al doende bevrijd van de eindeloze cyclus van wedergeboorte. Als ze sterven bereiken boeddha's het nirwana (Jp. *nehan*), een toestand waarin men tegelijkertijd niet bestaat en één is met het hele universum. Boeddha's worden vaak afgebeeld als monniken, kaalgeschoren, met eenvoudige kledij en een groot aureool. De meeste boeddha's hebben een specifieke iconografie zodat aanhangers ze in een standbeeld of afbeelding kunnen herkennen.

Op het tweede niveau staan de bodhisattva's (Jp. *bosatsu*). Net als boeddha's zijn deze wezens eerst gewone stervelingen, maar op het moment van verlichting kozen zij ervoor terug te keren en het proces uit te stellen, zodat ze de mogelijkheid hebben anderen te helpen. Bodhisattva's zijn toegankelijker, maar iets minder machtig dan boeddha's omdat ze nog steeds verstrikt zijn in de 'werelden van verlangen' – het universum. In de scholen van het theravada- en het vajrayanaboeddhisme bestaan ook bodhisattva's, maar ze worden in deze traditie veel minder vereerd dan in bepaalde vormen van het mahayanaboeddhisme, die al dan niet in Japan worden gepraktiseerd. Bodhisattva's worden vaak voorgesteld als Indiase prinsen, met golvend haar, schitterende gewaden en strengen juwelen. Net als

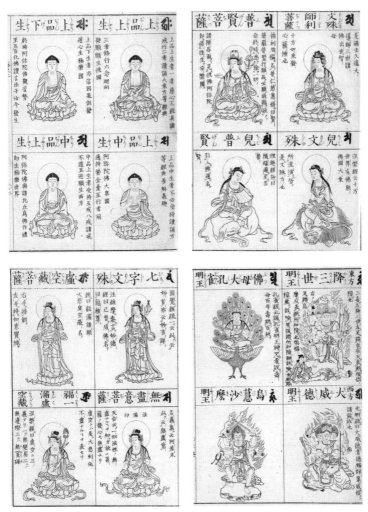

Een reeks boeddhistische figuren met namen en/of rangen: boeddha's
(boven links); bodhisattva's (beneden links, boven rechts);
deva's en wijsheidskoningen (beneden rechts).

bij boeddha's maken specifieke voorwerpen en symbolen het mogelijk de verschillende bodhisattva's in standbeelden en afbeeldingen
van elkaar te onderscheiden.

Mahayanagoden van het derde niveau staan bekend als wijsheidskoningen (Sk. *vidyārāja*, Jp. *myōō*). Ze zijn de enige gewelddadige goden in het boeddhisme. Het zijn verdedigers van het geloof die demonen en kwade geesten bestrijden.

Vier niveaus van godheden in het Japanse (mahayana)boeddhisme
- *Boeddha's*: staan bovenaan in de hiërarchie, als stervelingen die verlichting hebben bereikt en zich bevrijden van de cyclus van wedergeboorte. Na hun dood bereiken ze het nirwana. Ze worden meestal voorgesteld als boeddhistische monniken.
- *Bodhisattva's*: stervelingen die op het moment van hun verlichting naar de wereld terugkeerden om anderen te helpen; meestal afgebeeld als Indiase prinsen.
- *Wijsheidskoningen*: gewelddadige, gewapende verdedigers van het geloof met angstaanjagende rode ogen; zorgen ervoor dat mensen uit angst het juiste pad kiezen.
- *Deva's*: beschermers van het boeddhisme, vaak goden uit andere religies die tot de boeddhistische kosmologie zijn doorgedrongen; ze worden voorgesteld als mannen in wapenrusting, en als vrouwen in golvende gewaden. Hoewel deva's goden zijn, zitten ze vast in de cyclus van wedergeboorte.

Ze zorgen ervoor dat mensen eerder uit angst dan uit overtuiging of het verlangen naar verlossing het juiste pad kiezen. In lijn met hun akelige aard worden wijsheidskoningen in Oost-Azië vaak voorgesteld als angstaanjagende figuren met vurige rode ogen en een huidskleur in een van de primaire kleuren die met wapens, bijvoorbeeld zwaarden, zwaaien. In afbeeldingen worden ze vaak omringd door vuur, en staan ze op gevelde demonen, of bevinden ze zich in allerhande gewelddadige taferelen waarin ze de vijanden van het boeddhisme bestrijden. Net als andere boeddhistische godheden zijn wijsheidskoningen herkenbaar aan hun specifieke iconografie.

Mahayanagoden van het vierde niveau staan bekend als deva's (Jp. *tenbu*). In het Sanskriet betekent *deva* 'god' in algemene zin, en veel deva's zijn Indiase godheden (waarvan sommige belangrijk zijn in het moderne hindoeïsme) die overgenomen werden door het boeddhisme. Binnen het boeddhisme zijn deva's enorm krachtige figuren die nog steeds zijn ingebed in de 'werelden van verlangen', oftewel het universum. In tegenstelling tot hun tegenhangers in het hindoeïsme en andere Indiase religies zijn boeddhistische deva's niet onsterfelijk. Hoewel hun levensduur duizenden tot zelfs miljarden jaren kan omspannen, kennen boeddhistische deva's een oorsprong en uiteindelijk een dood van waaruit ze worden herboren, zoals alle wezens die geen verlichting hebben bereikt. Veel deva's zijn beschermers van het boeddhisme, en hoewel ze een lagere rang hebben dan wijsheidskoningen, boeddha's en bodhisattva's, zijn het belangrijke figuren die worden vereerd. In de Oost-Aziatische stroming van het boeddhisme worden deva's vaak voorgesteld als figuren uit het oude China (in plaats van in hun oorspronkelijke Indiase hoedanigheid), en dan ofwel als mannen in harnas ofwel als vrouwen in golvende gewaden. De bekendste deva's hebben vaak een herkenbare iconografie, maar behoren meestal tot groepen die onderling nagenoeg identiek zijn. Tussen de deva's en mensen worden, afhankelijk van de boeddhistische traditie en sekte, nog één tot drie lagere niveaus van godheden onderscheiden. Het gaat om complexe figuren die zelden vernoemd worden in een basisoverzicht van het, al dan niet Japanse, boeddhistische pantheon. Ook in dit boek gaan we niet verder op deze niveaus in.

BOEDDHA'S: DE VERLICHTEN

Er bestaat meer dan één boeddha. De boeddha waarnaar de meeste historische handboeken verwijzen staat in het mahayanaboeddhisme bekend als de 'historische boeddha'. Het gaat dan over Siddhārtha Gautama, wiens leven model stond voor het boeddhisme zoals dat omstreeks 500 v.Chr. vorm kreeg. De historische boeddha is een van de figuren die verlichting heeft bereikt. Afhankelijk van de school en traditie wordt hij óf omschreven als de enige boeddha in ons tijdperk van de geschiedenis, óf als de enige boeddha in ons bestaansniveau, of eenvoudigweg als de bekendste van deze twee.

De historische boeddha staat in het Sanskriet ook wel bekend als Śākyamuni (de wijze van de Śākyamuni-clan), via het Chinees in het Japans getranscribeerd als Shakamuni 釈迦牟尼. In Japan wordt hij vaak Shaka-nyorai 釈迦如来 genoemd, of eenvoudigweg

Shaka 釈迦. Veel boeddhistische principes en soetra's worden aan hem toegeschreven. Een groot deel van deze soetra's stamt echter niet uit de juiste periode of zelfs uit het juiste land – sommige zijn waarschijnlijk afkomstig uit China of Centraal-Azië – al beschouwt men ze allemaal als een weergave van Śākyamuni's eigen woorden. Hij is ook het voornaamste historische voorbeeld en de belangrijkste inspiratiebron voor de religie, zelfs in scholen die ook andere boeddha's vereren.

Śākyamuni werd geboren als Siddhārtha Gautama, een prins uit de Śākya-clan, die de stad Kapilavastu bestuurde. De locatie van deze stad is niet bekend, maar hedendaagse onderzoekers denken dat ze in het zuiden van Nepal of dicht bij de Nepalese grens in het noorden van India lag. De prins groeide geheel afgeschermd van de buitenwereld op en kwam daardoor nooit in aanraking met lijden, ziekte, ouderdom of dood. Tot hij zich op een dag buiten de muren van het paleis waagde en zich bewust werd van menselijk lijden. Geschokt deed Gautama afstand van zijn koninklijke positie en wijdde de rest van zijn leven aan de zoektocht naar een oplossing voor dit lijden. Vorsend naar antwoorden sloot hij zich aan bij verschillende sekten van wat we vandaag het hindoeïsme zouden noemen, maar zonder resultaat. Een van deze sekten bestond uit een groep priesters die intensief mediteerden; een andere uit een groep asceten die zichzelf uithongerden in het bos. Geen enkele groep kon Gautama meer inzicht bieden; op een dag besloot hij een herinnering uit zijn kindertijd te volgen. Mediterend onder een vijgenboom begreep Gautama uiteindelijk de oorzaak van het lijden en bereikte hij verlichting.[2]

Na zijn verlichting begon Śākyamuni het boeddhisme te prediken en binnen korte tijd verzamelde hij volgelingen om zich heen. Het feit dat zijn dood precies plaatsvond zoals hij had voorspeld, bestendigde de nieuwe beweging die zich rond zijn leer had gevormd. In de eeuwen na zijn dood, waarin verhalen over de historische boeddha zich verspreidden over Azië, ontstonden steeds meer bovennatuurlijke legenden over zijn leven. Meteen na zijn verlichting zou Śākyamuni de tweeëndertig typerende lichamelijke eigenschappen van een boeddha hebben vertoond. Zo werd hij langer dan twee meter en had hij een gouden huid, een bolvormige uitwas op het hoofd en lange oorlellen, vingers en tenen. Deze kenmerken komen terug in het merendeel van de Japanse iconen van Shaka, wiens huid en kleding met verguld brons of goudverf zijn bewerkt, en karakteristieke lichaamsvormen worden benadrukt.

De historische boeddha had volgens de overlevering al een heleboel levens achter de rug die allemaal zijn toekomstige heiligheid voorspelden. De verhalen over deze eerdere levens heten *jātaka* in het Sanskriet (*honshōtan* in het Japans). Er zijn hele boeken gevuld met jātaka-verhalen; een voorbeeld is dat van de 'Leeuw die medelijden had met de apenjongen en zijn eigen vlees aan een arend gaf'. De Japanse versie die hier wordt verteld, komt uit een tekst die bekendstaat als de *Konjaku monogatarishū* (*Verzamelde verhalen uit een ver verleden* ca. elfde-twaalfde eeuw), maar is gebaseerd op een vroegere Chinese vertaling van een oorspronkelijke versie in het Sanskriet.

Er leefde eens, lang, lang geleden, een leeuw in een grot in de bergen in het noorden van India. In de buurt van de grot leefde een stel apen met twee jongen. De jongen waren te zwaar geworden om te dragen, maar de moeder moest nu eenmaal eten zoeken om ze te voeden. De leeuw beloofde op de jongen te letten, zodat het stel apen eten kon gaan zoeken. Er lag echter een arend op de loer, en zodra de apen weg waren, dook de arend naar beneden om de apenjongen te grijpen. De leeuw verdedigde de jongen, maar de arend vertelde zelf ook jongen te hebben en dat de apenjongen nodig waren om ze te voeren. De leeuw

De historische boeddha, Śākyamuni (Shaka), voorgesteld als een pasgeboren kind dat al lichamelijke kenmerken van verlichting vertoont. Dit icoon is deel van een kom voor rituele reiniging.

wilde niet dat een van de ouders gedwongen was de jongen te laten verhongeren, dus sneed hij een stuk vlees uit zijn poot en gaf het aan de arend om diens kinderen te voeden. Toen de apin terugkwam en zag dat haar kinderen veilig waren werd ze overmand door emotie. De leeuw was een vorig leven van Śākyamuni, en de apen waren allemaal vorige levens van zijn volgelingen (het vorige leven van de arend wordt niet vermeld).[3]

Śākyamuni heeft nog steeds veel volgelingen in Japan en is een belangrijk figuur in de meeste scholen van het mahayanaboeddhisme. Hij heeft geen specifieke domeinen, maar is meer algemeen een figuur die verlossing en boeddhistische verlichting brengt.

Śākyamuni geeft zijn befaamde preek op de Gierenpiek, in de aanwezigheid van bodhisattva's, deva's en sterfelijke mensen.

Hij wordt zowel staand, zittend als liggend afgebeeld, maar altijd in de iconische gedaante van een boeddha: een boeddhistische monnik in eenvoudige kledij met een kort opgeschoren kapsel van zwarte krulletjes. Staand of zittend bevindt hij zich meestal op een lotustroon. De lotusbloem, die als knol opstijgt uit de modderige bodem van een meer en door het wateroppervlak breekt om tot bloei te komen, is in veel Indiase religies een metafoor voor wedergeboorte en verlichting. Standbeelden van Śākyamuni zijn herkenbaar aan een handgebaar, de mudra die verwijst naar het aanraken van

Parinirvana, of dood van de boeddha: Śākyamuni ligt op een lijkbaar,
omringd door rouwende goden, mensen en dieren terwijl zijn moeder,
vrouwe Maya, uit de hemel neerdaalt om zijn ziel mee te nemen.

de aarde: de rechterhand is naar beneden gericht met de handpalm
naar binnen en de tweede, derde en vijfde vinger zijn uitgestrekt.
Als de historische boeddha liggend wordt afgebeeld – zeldzaam bij
boeddhistische godheden – gaat het meestal om een voorstelling
van Śākyamuni's dood. Hij ligt dan vaak op zijn rug op een lange lijkbaar, omringd door huilende goden, mensen en dieren.[4]

Nog een belangrijke boeddha in Japan is Amitābha, de boeddha
van het oneindige licht, die in Japan Amida 阿弥陀 wordt genoemd.
Toen deze boeddha verlichting bereikte, zwoer hij een paradijs te
creëren in de meest westelijke uithoek van het multiversum. Wie
deze boeddha om verlossing vraagt, wordt in dit zuivere land in het
westen herboren en bereikt na een volgende dood automatisch de
verlichting en het nirwana. Het zuivere land, waar edelmetalen leven

en juwelen groeien, baadt in het oneindige licht en is vrij van zonde. Het is een paradijs, maar slechts een tussenstop op de weg naar verlichting, aangezien niet wedergeboorte, maar nirwana het werkelijke doel is.[5]

Amitābha is een eeuwenoud figuur in het boeddhisme. Deze boeddha en zijn zuivere land komen voor in soetra's uit India die dateren van de laatste eeuwen voor Christus, en hij wordt vereerd in elk van de drie voornaamste boeddhistische stromingen. Door de eeuwenlange invloed van China op het mahayanaboeddhisme is de beeldvorming rond Amitābha sterk door deze traditie gevormd. Zijn zuivere land wordt in de Oost-Aziatische kunst meestal afgebeeld als een Chinees ideaalbeeld van het paradijs.[6] Naast levende metalen en een schitterende atmosfeer bevat het ook paleizen in Chinese stijl, verrukkelijk voedsel en magische dienstmaagden die rondzweven en hemelse muziek spelen. In de Japanse iconografie wordt Amida (Amitābha) vaak afgebeeld met een van de twee kenmerkende handgebaren: het meditatiegebaar, waarbij de vingers van beide handen tegen elkaar worden gedrukt, of het redeneergebaar, waarbij beide handen worden uitgestrekt, de linkerhandpalm naar beneden gericht en de rechter naar boven, terwijl de duim en wijsvinger een cirkel vormen.

Amitābha wordt meestal vergezeld door twee bodhisattva's, Avalokiteśvara en Mahāsthāmaprāpta. Avalokiteśvara, die in het Japans bekendstaat als Kannon 観音, staat voor passie en is een buitengewoon belangrijke godheid in Japan die verderop in dit hoofdstuk nog uitgebreid aan bod komt.

De boeddha van het oneindige licht, Amithābha (Amida), zittend op een lotusbloem.

Mahāsthāmaprāpta, Seishi 勢至 in het Japans, vertegenwoordigt wijsheid. Dankzij de triade van wijsheid, mededogen en verlossing (die Amida biedt) vinden verloren en wanhopige zielen hun weg naar het zuivere westelijke land. Zulke drie-eenheden, meestal een boeddha en twee bodhisattva's, komen veel voor in het mahayana-boeddhisme. Deze drietallen staan bekend als triaden, zeker als ze uit een fysieke eenheid van drie iconen bestaan. Soms kan op basis van de boeddha of de bodhisattva's worden afgeleid welke drie de triade als geheel vormen.

In China, Korea en Japan ontstonden rond de verering van Amida afzonderlijke scholen die samen bekendstaan als het boeddhisme van het zuivere land. Met name in Japan vallen deze scholen uiteen in Jōdo ('zuivere land') en Jōdo Shinshū ('ware zuivere land').

De boeddha Amitābha (Amida; midden) geflankeerd door de bodhisattva's Avalokiteśvara (Kannon, links) en Mahāsthāmaprāpta (Seishi, rechts).

De centrale leerstelling van beide scholen is dat Amida de gebeden van smekelingen aanhoort en hun ziel naar het zuivere land leidt voor de volgende wedergeboorte. Hoewel ze op het vlak van bepaalde leerstellingen verschillen, omarmen beide scholen de herhaling van Amida's naam als vaardig middel, meestal in de vorm van de mantra *namu amida butsu* ('de boeddha Amida zij geprezen!'). Omdat deze methode zo eenvoudig is, zelfs voor het gewone volk, werden Jōdo en Jōdo Shinshū razend populair in Japan en behoren ze nog steeds tot de belangrijkste boeddhistische sekten van het land.

Ook Bhaiṣajyaguru, de boeddha van genezing, is een belangrijk figuur in het mahayanaboeddhisme. In Japan heet hij Yakushi 薬師 of 'medicijnmeester', een letterlijke vertaling van zijn naam. Yakushi dankt zijn bekendheid aan een oude soetra (Indiase heilige of filosofische tekst) van onbekende oorsprong, waarin beschreven wordt dat hij verlicht werd door twaalf geloften af te leggen die allemaal te maken hadden met het genezen van lichamelijke of geestelijke kwalen. Door deze nadruk op genezing schakelt men Yakushi in voor een goede lichamelijke gezondheid en niet, zoals in het geval van Amida, voor wedergeboorte in het paradijs.[7] Historisch was Yakushi veel belangrijker in Oost-Azië dan elders in de boeddhistische wereld. Zo was hij een van de eerste boeddha's die werd vereerd in Korea en Japan, waarschijnlijk omdat men geloofde dat hij ziekten genas. Enkele onderzoekers vermoeden dat als het boeddhisme ergens intrede deed en de leerstellingen nog niet waren ingeburgerd, de magische krachten van een figuur als Yakushi het aantrekkelijkst waren voor nieuwe gelovigen.

Yakushi wordt meestal zittend afgebeeld met een kommetje in zijn handen. Dat kommetje is een magisch medicijnkruikje van lapis lazuli dat zalf bevat die alle aandoeningen ter wereld kan genezen. Afgezien daarvan wordt Yakushi op een zeer vergelijkbare manier voorgesteld als Shaka (Śākyamuni). De boeddha van genezing wordt geflankeerd door twee bodhisattva's, die de zon en de maan voorstellen, Nikkō 日光 en Gekkō 月光 in het Japans. Men omschrijft ze als de 'verplegers' van 'dokter' Yakushi. De cultus van Yakushi was populair in de oude en klassieke Japanse geschiedenis, maar nam af in de middeleeuwen. Tegenwoordig wordt hij minder vereerd dan Shaka of Amida.

Nog een belangrijke boeddha is Vairocana, die in het Japans Birushana 毘盧遮那 of Dainichi Nyorai 大日如来 heet. Birushana is een transcriptie van de oorspronkelijke naam in het Sanskriet, maar Dainichi Nyorai betekent 'grote zonneboeddha'. Vairocana is namelijk een oerboeddha, een figuur die altijd al onsterfelijk was. Hij is de verpersoonlijking van het licht van de verlichting, dat zich door het multiversum verspreidt als zonnestralen. Volgens sommige leerstellingen is Vairocana de 'oorspronkelijke' boeddha, en zijn alle andere boeddha's slechts 'reflecties' van verlichting in verschillende werelden van verlangen. Vairocana zou ook śūnyatā (Jp. *kū* 空) of 'leegte' vertegenwoordigen, de werkelijke toestand van het universum. Dit is een positieve eigenschap. Het licht dat Vairocana door het universum uitstraalt is het licht van de leegte, dat het betekenisloze van de 'werelden van verlangen' openbaart.[8]

Het bekendste standbeeld van Vairocana in Japan is de grote boeddha in de Tōdaiji-tempel in Nara. De grote boeddha werd gegoten in de jaren 740 en is een van de grootste boeddhistische beelden ter wereld. Vairocana wordt meestal alleen afgebeeld, of omringd door vele esoterische bodhisattva's. De meeste beelden tonen hem zittend op een lotustroon. Een kenmerkend handgebaar voor Vairocana is dat de rechterhand de wijsvinger van de linkerhand omklemt, terwijl de rechterwijsvinger een cirkel maakt. Het symboliseert de verbintenis van het bestaan met zichzelf.

Van alle boeddha's die in Japan worden vereerd, zijn deze vier het populairst, al zijn er ook boeddhistische godheden van lagere rang, waaronder bodhisattva's en deva's, die een belangrijker rol spelen in de Japanse mythologie. Een boeddha bestaat niet meer, dat is hun aard; ze kunnen aangeroepen worden

De 'grote zonneboeddha' Vairocana (Dainichi Nyorai of Birushana) maakt zijn kenmerkende handgebaar.

voor verlossing, maar staan zelf niet meer in verbinding met de wereld. Bodhisattva's, wijsheidskoningen en deva's daarentegen bevinden zich nog steeds in de 'werelden van verlangen' en kunnen (en willen) mensen redden. Hoewel deze godheden een lagere status hebben dan boeddha's hebben ze een directere invloed op hun volgelingen, en sommige worden dan ook op grote schaal vereerd in Japan.

BODHISATTVA'S: BRENGERS VAN VERLOSSING

Bodhisattva's zijn figuren die op het moment van hun verlichting naar de werelden van verlangen zijn teruggekeerd, net voor ze het boeddhaschap bereikten. Hoewel het dus geen volledige boeddha's zijn, komen ze er wel het meest bij in de buurt; ze hebben het vermogen anderen naar verlossing te leiden zonder zelf volledig afstand te doen van de werkelijkheid. Sommige bodhisattva's worden op grote schaal vereerd in Japan, soms zelfstandig, soms als deel van een triade met een boeddha en een andere bodhisattva. De belangrijkste bodhisattva in de Japanse boeddhistische traditie is Avalokiteśvara, die in het Japans Kannon wordt genoemd. Kannon is een hybride, genderfluïde bodhisattva. Avalokiteśvara, in het Sanskriet ook wel Padmapani, vertegenwoordigt het mededogen van alle boeddha's. Dat is iets anders dan aardse compassie of empathie. Het gaat om 'mededogen' met de toestand waarin de levenden zich bevinden, gevangen in de cyclus van wedergeboorte. In het verlengde daarvan probeert Avalokiteśvara alle levende wezens op verschillende manieren uit deze cyclus te bevrijden. Hoewel het oorspronkelijk een mannelijk figuur was, bestaan er in de Indiase kunst zowel mannelijke als vrouwelijke afbeeldingen van Avalokiteśvara. Deze genderfluïditeit werd complexer toen deze bodhisattva in de vierde en vijfde eeuw China bereikte en werd herdoopt tot Guanyin ('degene die de noodkreten van de wereld hoort'), een verwijzing naar het mededogen voor de lijdenden. China kende destijds echter al een taoïstische godin die Guanyin heette. Uit een combinatie van de (toen meestal mannelijke) Indiase bodhisattva van mededogen en de Chinese vrouwelijke taoïstische godheid ontstond de overwegend vrouwelijke bodhisattva Avalokiteśvara, die over actievere krachten beschikte dan gebruikelijk is voor bodhisattva's.[9]

Kannon is de Japanse uitspraak van de Chinese naam Guanjin. Net als in China wordt Kannon in Japan vaak als vrouw afgebeeld, maar ze komt ook voor als man, genderloos of in andere combinaties. Ze heeft bovendien verschillende vormen waarin ze lijdenden naar verlichting leidt. De duizendarmige Kannon wordt meestal afgebeeld met vijftig armen die elk twintig keer meetellen. Elke hand houdt een ander instrument vast – een wiel, een lotusbloem en andere meer esoterische hulpmiddelen – die dienen om een specifiek soort lijdende te verlossen. De elfhoofdige Kannon heeft tien kleine hoofdjes op haar eerste hoofd die elk in een andere richting kijken, zodat geen enkel lijden haar zal ontgaan. De duizendarmige en elfhoofdige Kannon worden vaak gecombineerd in hetzelfde icoon.

De duizendarmige Kannon, de Japanse boeddhistische godheid van mededogen, zittend op een lotus. Ieder van de vijfentwintig armen representeert veertig armen en draagt een instrument of symbool van verlossing.

Elk van de vijfentwintig afgebeelde armen stelt veertig armen voor en draagt een instrument of symbool van verlossing. De variant van Kannon die dromen weeft, heeft maar twee of vier armen en meestal maar één hoofd. Met een net onderschept ze lijdenden die gevangen worden door wanen als hebzucht, lust of honger. Er bestaan andere, meer esoterische versies van Kannon, waaronder een die een triade vormt met de bodhisattva Seishi en de boeddha Amida (zie bladzijde 145).

Kannon is een van de meest vereerde boeddhistische figuren in Japan. Ze grijpt vaak rechtstreeks in om haar volgelingen te helpen, en er bestaan talloze verhalen waarin Kannon hulpbehoevenden redt. Het volgende verhaal is een bekend voorbeeld, dat in de twaalfde eeuw werd opgetekend in de *Konjaku monogatarishū*. In de provincie Bitchū (huidige prefectuur Okayama in centraal Honshu) leefde een man die Kaya no Yoshifuji heette. Hij was koopman, en rijk geworden door metalen munten te verhandelen. Op een dag zag Yoshifuji tijdens een wandeling een mooie vrouw. Hij vroeg haar naam en toen ze niet reageerde, volgde hij haar naar haar huis. Hoewel hij al zijn hele leven in het dorp woonde, had Yoshifuji het huis van de vrouw nog nooit gezien; het was een groot landhuis op een heuvel, met talloze bedienden. Betoverd door de schoonheid van de vrouw en de weelde van het huis besloot Yoshifuji te blijven als haar minnaar.

De familie van Yoshifuji was bezorgd toen hij zo plotseling verdween. Na een tijdje staakten ze hun vruchteloze pogingen hem te vinden en ze bouwden een beeltenis van Kannon, waar ze dagelijks gingen bidden voor Yoshifuji. Op een dag verscheen er in het dorp een onbekende man met de staf van een boeddhistische lekenmonnik. Zonder de weg te vragen ging hij naar de ruïne van een huis dat een aantal jaren geleden was platgebrand. De man richtte zijn staf op de ruïne en plots vluchtten er vossen weg uit het puin. Enkele minuten later kwam er een vuile, aapachtige gestalte uit tevoorschijn. Het was Yoshifuji! Het huis was een waanvoorstelling, opgeroepen door de vossen. Zijn familie bracht hem meteen naar huis; in alle verwarring was de onbekende man spoorloos verdwenen. Later werd onthuld dat de man een verschijning van Kannon was geweest, die de

De bodhisattva Kṣitigarbha (Jizō),
voorgesteld als monnik met een
heilig juweel in zijn hand.

smeekbeden van de familie had verhoord en Yoshifuji had gered van
bezetenheid en een gewisse dood.[10]

Een andere bodhisattva die wordt vereerd en gewone mensen te
hulp schiet is Kṣitigarbha, in het Japans bekend als Jizō 地蔵. Kannon wil uit mededogen degenen die nog geen verlichting hebben bereikt redden, en Jizō wil hun manieren leren om tot verlichting te
komen. Hij wordt vaak voorgesteld als een boeddhistische monnik
op pelgrimstocht, in een rood reishabijt en met een staf waar ringen
aan bungelen. In standbeelden heeft hij vaak een aureool boven zijn
geschoren hoofd. Jizō is het best te herkennen aan deze aureool en
de mantel van rode stof die rond zijn iconen hangt.

Avalokiteśvara/Kannon, bodhisattva van mededogen

- Vertegenwoordigt mededogen voor alle levende wezens, en helpt
  hen ontsnappen aan de cyclus van wedergeboorte.
- Oorspronkelijk een mannelijke Indiase bodhisattva (Avalokiteśvara), die in China versmolt met de taoïstische godin Guanyin tot

> een genderfluïde, hybride bodhisattva, die in Japan bekendstaat
> als Kannon.
> • In kunst zowel mannelijk als vrouwelijk afgebeeld en in verschillen-
> de vormen: duizendarmig, elfhoofdig en dromen wevend.

Net als Avalokiteśvara (Kannon) kan Jizō's oorspronkelijke Indiase gedaante, Kṣitigarbha, zowel mannelijk als vrouwelijk zijn. Bij Kṣitigarbha komt dat doordat deze bodhisattva twee belangrijke vorige levens heeft gehad. In een van die levens was Kṣitigarbha een jonkvrouw uit een hoge kaste in het oude India; in het andere een boeddhistische monnik op het Indische subcontinent. Toen de cultus van Kṣitigarbha Oost-Azië bereikte werd hij vooral voorgesteld als man en in toenemende mate geassocieerd met monniken.[11]

Behalve leraar is Jizō in Japan ook een beschermer. Men bidt vooral tot hem voor de bescherming van kinderen, zwangere vrouwen en reizigers. Beelden van Jizō staan vaak op kruispunten of langs verkeersaders, alleenstaand of in lange rijen, en soms her en der op bergflanken om reizigers te beschermen. In volksverhalen uit *Konaku monogatarishū* en andere verzamelingen uit de Heianperiode en middeleeuwen redt Jizō kinderen en zwangere vrouwen. Sinds de Muromachiperiode wordt Jizō geassocieerd met de rivier Sanzu 三途の川, de weg die dode zielen nemen om beoordeeld te worden voor hun wedergeboorte. Jizō ontfermt zich over de zielen van pas gestorven kinderen en verzekert hen, afhankelijk van het verhaal in kwestie, van een vreedzame overgang of een snelle wedergeboorte. Men legt op begraafplaatsen en kruispunten nog steeds hoopjes stenen om te jong gestorven kinderen te symboliseren en aan te geven waar men tot Jizō kan bidden voor hun verlossing.

Er is een belangrijke bodhisattva die, afhankelijk van de vorm waarin hij wordt vereerd, tot het boeddhaschap kan toetreden. Maitreya, Miroku 弥勒 in het Japans, is de boeddha van de toekomst. Hij is de volgende boeddha die op aarde geboren zal worden, een soort messiasfiguur. Omdat tijd binnen de boeddhistische kosmos een illusie is, bestaat Maitreya ook in het hier en nu en kan hij gebeden ontvangen. In de verre toekomst zal Maitreya op aarde geboren worden als de volgende boeddha, maar tot die tijd is hij een bodhisattva.

Vaak wordt hij dan ook als zodanig afgebeeld en vereerd. Soms vereert men hem als de boeddha die hij nog moet worden, maar in dat geval lijkt hij op Amida (Amitābha) of Shaka (Śākyamuni).[12]

Maitreya is een denkende bodhisattva, altijd met zijn gedachten bij de toekomst die hij zal redden. Hij wordt doorgaans afgebeeld met het ene been in lotushouding en het andere naar beneden bungelend, alsof hij in gedachten is verzonken. Hij heeft een eigen zuiver land, de Tuṣita-hemel (Jp. *Tosotsuten* 兜率天), in het uiterste noorden van het multiversum, waar hij zielen verzamelt en voorthelpt op de weg naar verlichting. In de Naraperiode en aan het begin van de Heianperiode was Maitreya het middelpunt van een belangrijke cultus die waarschijnlijk van het Koreaanse schiereiland kwam. Zijn verering leefde een aantal keer op in crisistijden, waarin men hoopte dat hij zou verschijnen. De populariteit van de cultussen rond Maitreya deinde verschillende eeuwen mee op het ritme van oorlogen en epidemieën.[13] Maitreya wordt tegenwoordig minder vereerd dan Kannon, Jizō en de boeddha's Shaka en Amida, maar hij blijft een sleutelfiguur in het Japanse boeddhisme.

Maitreya (Miroku), de toekomstige boeddha, hier voorgesteld als bodhisattva omdat hij nog niet is geboren.

De bodhisattva's Samantabhadra (Jp. Fugen 普賢) en Manjuśrī (Jp. Monju 文殊) flankeren de historische boeddha, Śākyamuni. Fugen vertegenwoordigt actie, Monju wijsheid. Ze zijn allebei nodig: actie zonder wijsheid leidt tot haast en dwaasheid, en wijsheid zonder daadkracht is verspilling. Deze bodhisattva's vertegenwoordigen twee eigenschappen van de historische boeddha, met wie ze een triade vormen, maar beschikken zelf ook over bijzondere krachten en hebben een kenmerkend uiterlijk. Fugen zit op een olifant en geeft de kracht om verheven doelen te bereiken. Monju zit op een blauwe leeuw en heeft vaak een vlammend zwaard en een lotusbloem in zijn handen. Hij brengt de wijsheid om waarheid van leugen te onderscheiden, en de schoonheid van verlichting in plaats van waanideeën.

Het mahayanaboeddhisme kent nog veel meer bodhisattva's, maar dit zijn esoterische figuren die niet op dezelfde schaal worden vereerd als de vijf voorbeelden die werden genoemd. Ze komen zelden voor in Japanse volksverhalen of mythen en hebben veel minder contact met mensen dan Kannon en Jizō.

De bodhisattva Samantabhadra (Fugen, links) zit op een olifant en wordt vaak afgebeeld met de bodhisattva Manjuśrī (Monju, rechts), die op een leeuw zit.

WIJSHEIDSKONINGEN: ANGST IS VRIJHEID

Het derde niveau van boeddhistische godheden is dat van de wijsheidskoningen, *vidyārāja* in het Sanskriet en *myōō* in het Japans. Je
zou boeddha's kunnen typeren als op afstand staande, verlichte le-
raren, en bodhisattva's als engelachtige figuren die noodlijdenden
te hulp schieten. In het mahayanaboeddhisme zijn wijsheidskoningen de boze ouders van het pantheon. Deze angstaanjagende figuren
vervullen twee rollen. In de eerste plaats nemen ze het op tegen de
demonen van zonden als hebzucht en lust. Hun belangrijkste taak
is echter om gelovigen in het gareel te houden. De wijsheidskoningen dwingen discipline af die voortkomt uit mededogen, en herin-
neren gelovigen aan de prijs die ze betalen als ze van het rechte pad
afdwalen.

Vijf van deze wijsheidskoningen staan samen bekend als 'de vijf
beschermers van het boeddhisme'. Het zijn Acāla de onverzette-
lijke, in het Japans bekend als Fudō Myōō 不動明王, en zijn vier
helpers: Trailokyavijaya (Jp. Gōzanze Myōō 降三世明王), Kuṇḍa-
li (Jp. Gundari Myōō 軍荼利明王), Yamāntaka (Jp. Daiitoku Myōō
大威徳明王) en Vajrayakṣa (Jp. Kongōyasha Myōō 金剛夜叉明
王). Van deze vijf is Fudō Myōō de belangrijkste. Hij is zo rechtschapen dat alleen hij zichzelf in beweging kan brengen, waardoor hij
dus onaantastbaar is voor zo goed als elke be-
staansvorm. Niemand kan hem verslaan,
ontwijken of tegenhouden. Hij verplet-
tert demonen die mensen in verleiding
brengen, maar herinnert de mensen
die zich laten verleiden er ook aan
dat er geen makkelijke uitweg is voor
de problemen van het leven. Als een
strenge ouder bewaakt Fudō Myōō de
orde en tucht in de wereld.[14]

Wijsheidskoning Acāla (Fudō Myō'ō)
beschermt het boeddhisme met zwaard
en zweep tegen zondige demonen.

De wijsheidskoningen zien er allemaal griezelig uit, maar Fudō Myōō is de angstaanjagendste. Zijn huid is meestal blauw, zijn haar rood als gloeiende as, en hij wordt omgeven door vuur en rook. Hij draagt een lendendoek en soms sieraden in de vorm van doodshoofden. Hij wordt vaak afgebeeld met een zwaard en een lasso. Met het zwaard doorboort hij de vijanden van het boeddhisme, en met de lasso vangt hij degenen die van het rechte pad proberen weg te vluchten. Fudō Myōō zit op een rots, wat zijn onbeweeglijkheid benadrukt. Soms wordt hij geholpen door twee volgelingen die druk in de weer zijn met het onthoofden, dan wel vermorzelen van demonen.[15] Acāla en zijn vier koninklijke metgezellen hebben in het merendeel van de boeddhistische wereld een betekenisvolle, maar secundaire plek in het pantheon, maar in Japan is de verering van Fudō Myōō zelfs belangrijker dan die van veel andere boeddhistische goden. Er zijn tempels aan hem gewijd en men associeert hem met sommige van de meer gewelddadige shintoïstische goden, zoals Hachiman.

Er zijn ook wijsheidskoningen die losstaan van de vijf beschermers. Daarvan is er één haast even belangrijk voor het Japanse boeddhisme als Fudō Myōō: Rāgarāja, in het Japans bekend als Aizen Muōō 愛染明王, de wellustige wijsheidskoning.

Ook wijsheidskoning Rāgarāja (Aizen Myō'ō) beschermt het boeddhisme tegen het kwaad, hier gesymboliseerd door het hoofd van een demon dat hij vasthoudt.

Aizen Myōō is zo'n beetje de tegenpool van Fudō Myōō. Zijn huid is karmozijnrood, zijn haar is donkerblauw en hij wordt omgeven door duister of vuur. Hij draagt met juwelen versierde gewaden en heeft zes armen, die elk een ander instrument dragen waarmee hij volgelingen verlichting helpt bereiken. Terwijl Fudō Myōō strengheid vertegenwoordigt, vertegenwoordigt Aizen Myōō de kracht van seksuele energie die, indien doelgericht gekanaliseerd, geen afleiding is, maar een hulpmiddel voor verlichting. Bij Aizen Myōō mogen seksueel verlangen, bloeddorst en ambitie iemands persoonlijke levensdoelen niet beïnvloeden, maar worden ze doelbewust ingezet om verlichting te bereiken.[16]

DEVA'S: GODEN UIT INDIA, LIVE VANUIT JAPAN

Het boeddhisme accepteert moeiteloos goden uit tal van andere religies, maar eenmaal opgenomen worden ze niet langer als alwetend en onsterfelijk beschouwd. Ook goden moeten volgens het boeddhistisch systeem sterven en de cyclus van wedergeboorte doormaken, tenzij ze verlichting bereiken. Maar omdat mensen zich veel lager in de goddelijke hiërarchie bevinden, lijken goden in vergelijking met hen alsnog alwetend en onsterfelijk. Dankzij dit compromis kunnen goden uit andere religies een plekje krijgen in het boeddhisme, of kunnen ze op zijn minst in relatieve harmonie naast elkaar bestaan.

De goden uit het oude India werden heel vroeg in het boeddhisme opgenomen. Ze zijn een mengeling van de Vedische goden uit het oude Indiase geloof en de meer recente godheden die nog steeds belangrijk zijn in het moderne hindoeïsme. Indiase goden kregen een nieuwe identiteit en nieuwe taken binnen het boeddhistisch geloof, en toen het boeddhisme zich naar Oost-Azië verspreidde, hoorde daar ook een boeddhistische interpretatie van het Indiase pantheon bij. Veel van deze goden en godinnen ondergingen bovendien transformaties in China en Korea voordat ze Japan bereikten. Soms zette die ontwikkeling zich in Japan voort, of werden ze verward met bestaande kami. In het mahayanaboeddhisme vormen ze het vierde niveau van godheden, die in het Japans bekendstaan als *tenbu's*, en in het Sanskriet als *deva's*.[17]

De vier hemelse koningen, vaak afgebeeld als oude Chinese generaals.
Van links naar rechts: Tamonten, Jikokuten, Zōjōten en Kōmokuten.

In het Japanse boeddhisme vormen deva's vaak groepen. Dat ze
samenwerken zegt echter niets over hun kracht. Hoewel deva's ondergeschikt zijn aan wijsheidskoningen, bodhisattva's en boeddha's,
zijn deze wezens vanuit een menselijk standpunt allemaal buitengewoon krachtig. De bekendste groep deva's in Japan wordt gevormd
door de vier hemelse koningen 四天王 of Shitennō. Deze vier godheden moesten oorspronkelijk Indiase tempels bewaken. In China
kregen ze een belangrijker rol en werden ze de beschermers van
de vier windstreken, gelijkwaardig aan een koning onder mindere
goden. In Japan beeldde men ze vaak af als mannen met felgekleurde huid en haren, uitgedost in de wapenrusting van generaals uit het
oude China. Ze vormen altijd een viertal en worden elk afzonderlijk
geassocieerd met bepaalde wapens en een van de vier windstreken.

Over het noorden heerst Tamonten 多聞天 (ook wel bekend als
Bishamonten 毘沙門天, afgeleid van het Sanskriet Vaiśravaṇa), 'hij
die alles hoort'. Hij is waarschijnlijk gebaseerd op Kubera, een oude
Indiase god van rijkdom. Tamonten draagt een paraplu of pagode als
wapen en wordt geassocieerd met de kleuren geel en groen. Over het
zuiden heerst Zōjōten 増長天, 'hij die doet groeien'. De oorsprong
van Zōjōtens naam is onduidelijk, maar in het Sanskriet is zijn naam
Virūḍhakan, het woord voor 'ontspruitend graan'. Hij draagt meestal een zwaard of een speer en wordt vaak afgebeeld terwijl hij een
demon vertrapt. Zōjōten wordt geassocieerd met de kleur blauw.

Over het oosten heerst Jikokuten 持国天, 'hij die het rijk overeind houdt'. Ook zijn oorsprong is onduidelijk, maar in Zuidoost-Azië en Tibet wordt hij in het Sanskriet als de god Dhṛtarāṣṭra geassocieerd met muziek, dus was hij mogelijk eerder een muziekgod. In Japan is Jikokuten een veel woestere godheid. In afbeeldingen draagt hij een drietand en vertrapt hij vaak demonen. De laatste hemelse koning is die van het westen, Kōmokuten 広目天, 'hij die alles ziet'. Zijn Indiase voorganger, Virūpākṣa, heeft een alziend oog waarmee hij het karma van alle bewuste wezens in de gaten houdt. In Japan houdt Kōmokuten een penseel en een schriftrol vast waarmee hij opschrijft wat hij ziet.

De vier hemelse koningen kunnen net als de wijsheidskoningen van hogere rang geweld gebruiken, iets wat bodhisattva's en boeddha's niet is toegestaan. Ze staan alleen wel, net als andere deva's, ver van de verlichting af, en verschillen daarin van wijsheidskoningen. Ze zijn wel vele malen machtiger dan mensen. Ze zijn toegewijd aan het boeddhisme en zetten hun krachten en legers in om het boeddhistische multiversum langs alle kanten te verdedigen. Ze kunnen opgeroepen worden om een individu, een tempel of zelfs een heel land tegen het kwaad te beschermen. In het verleden werden ze vaak aangeroepen voor bescherming tegen ziekten, variërend van de ziekte van een keizer of staatssecretaris tot verwoestende epidemieën die de hele archipel troffen. Volgens sommige legenden had prins Shōtoku zijn krachten te danken aan de bescherming van de vier hemelse koningen. Naar verluidt liet hij daarom de Shitennōji-tempel of 'tempel van de vier hemelse koningen' bouwen in het huidige Osaka (hoewel er geen enkel oorspronkelijk gebouw van is overgebleven). In folklore uit de Heianperiode beschermen de vier hemelse koningen niet alleen tegen ziekten maar ook tegen bezetenheid door geesten.

Naast de vier hemelse koningen zijn er grotere groepen deva's. Hieronder zijn ook de twaalf hemelse generaals 十二神将 (Jūni Shinshō) te vinden die de boeddha van genezing beschermen, en de achtentwintig legioenen 二十八部衆 (Nijūhachi Bushū) die de duizendarmige Kannon flankeren. De meeste goden van Indiase oorsprong zijn opgenomen in deze groepen, met nieuwe Japanse namen.

ZOWEL DEVA ALS KAMI

Er zijn ook belangrijke zelfstandige deva's in Japan. Een van de meest vereerde is Benzaiten 弁財天, vaak afgekort als Benten. Benzaiten is afgeleid van de Indiase godin Sarasvatī, die nog steeds belangrijk is in het moderne hindoeïsme. Toen Benzaiten Japan bereikte, werd ze vereerd als godin van welsprekendheid, muziek, schoonheid en kunst. Hoewel ze van oorsprong Indiaas is en als boeddhistische deva wordt beschouwd, is Benzaiten geen specifieke beschermer van het boeddhisme.[18] Tijdens de Heianperiode verloor haar verering de exclusieve associatie met het boeddhisme, en omstreeks de twaalfde eeuw ging men ervan uit dat ze altijd een oorspronkelijke kami was geweest – welke kami verschilt per bron. In de middeleeuwen geloofde men in Japan dat Benzaiten een gedaante van Ugajin 宇賀神 was, een vruchtbaarheidsgod met het lichaam van een slang en het hoofd van een mens (die zelf mogelijk gebaseerd is op Indiase *nāga* of slangengoden). Ze kan ook een gedaante van Ichikishimahime 市杵島姫 zijn, een weinig bekende godin van eilanden, die zich in de Binnenzee zou bevinden.[19]

Benzaiten is de beschermgod van de hoge kunsten van het Japanse hof, waaronder poëzie, muziek, dans, retoriek en de beeldende kunsten. Ze is ook een van de zeven geluksgoden 七福神 (Shichifukujin), een groep inheemse en vreemde goden die omstreeks de dertiende eeuw steeds vaker gezamenlijk werden vereerd. Benzaitens vermogen om geluk te schenken werd ook deel van haar individuele cultus; haar smekelingen hopen niet alleen op artistieke inspiratie, maar ook op een rijkelijke beloning voor hun ondernemingen.

Benzaiten wordt vaak afgebeeld als een dame van adel in middeleeuwse Chinese kledij. Haar haar is meestal opgestoken in een gesofisticeerde hoofdtooi en ze draagt weelderige gewaden, die vaak bestaan uit meerdere sjaals, linten en rokken. Ze wordt ook wel eens afgebeeld als boeddhistische non, met kortgeschoren haar onder een strakke kap, en lange, eenvoudige gewaden. Op haar hoofd zit soms de kami Ugajin, een kleine opgerolde slang met een mensenhoofd (soms mannelijk, soms vrouwelijk). Het aantal armen varieert van twee tot zes. Soms draagt ze een luit, fluit of de wapens van boeddhistische beschermgoden, zoals een zwaard en/of speer.

De deva Benzaiten (links), naast een muzikant die in haar gunst staat.

De plekken waar Benzaiten wordt vereerd, staan bekend als Bentendō, oftewel Benten-hallen. Deze gebouwen kunnen deel uitmaken van grotere heiligdommen of tempels of op zichzelf staan. Strikt genomen is een Bentendō een shinto-heiligdom en geen boeddhistische tempel, omdat Benzaiten later met kami werd geassocieerd. In de Shinobazu-vijver in het Ueno-park in het hart van Tokio bevindt zich een bekend voorbeeld van een Bentendō. Dit heiligdom ligt op een artificieel eiland, omringd door lotussen. De vijver is een reservoir dat werd aangelegd op de ruïnen van de Kan'eiji-tempel, een belangrijke boeddhistische locatie uit de Edoperiode (1600-1868). Van deze plek bleef alleen de pagode over, gelegen op een heuvel die uitkijkt op de Bentendō.

Een andere deva die in Japan zowel afzonderlijk als samen met andere beschermers wordt vereerd, is de godin Kichijōten 吉祥天, soms uitgesproken als Kisshōten. Net als Benzaiten was Kichijōten oorspronkelijk een belangrijke Indiase godin, in haar geval Lakṣmī (vaak geromaniseerd tot Lakshmi). In het moderne hindoeïsme is Lakṣmī als vrouw van de god Viṣṇu (Vishnu) een buitengewoon belangrijke godheid. Ondanks een eeuwenlange transformatie, eerst in China en vervolgens in Japan, heeft Kichijōten een aantal kenmer-

De deva Kichijōten, hier afgebeeld als een Chinese dame van adel.

ken en associaties van Lakṣmī weten te behouden. Ze is de godin van geluk, vruchtbaarheid en schoonheid, en vertegenwoordigt vrouwen en vrouwelijkheid in het algemeen.[20]

Net als Benzaiten werd Kichijōten een van de zeven geluksgoden. Als geluksgod brengt ze ook schoonheid die voorspoed en rijkdom oplevert. Ze wordt meestal afgebeeld als een beeldschone vrouw in Chinese kledij, haar haren opgestoken in een kunstige hoofdtooi, of lang en golvend. In haar handen draagt ze soms een juweel. Haar kledij en aura zijn soms bedrukt met de *kagome*, een zespuntige ster. Dit eeuwenoude shinto-symbool werd al in de vijfde eeuw gebruikt om heiligdommen te decoreren. Deze associatie heeft Kichijōten mogelijk te danken aan het feit dat ze in verband wordt gebracht met magische juwelen die wensen vervullen, ook iets dat ze overhield aan haar Indiase oorsprong. Tegenwoordig is het kagome-symbool onlosmakelijk met Kichijōten verbonden: afbeeldingen bevatten een enkele kagome, of als onderdeel in een raster bestaande uit een herhaling van meerdere symbolen.

Enma 閻魔, ook wel Enma-ō ('koning Enma') of Enmaten, is de Japanse evenknie van Yama, de boeddhistische hemelse rechter van de doden. Hoewel Yama voor het eerst voorkomt in Indiase boeddhistische geschriften, is het niet zeker dat hij is gebaseerd op een oudere Indiase godheid. Zijn toestand is 'gemengd'; soms heeft hij even verscheiden krachten als andere hemelse deva's, en soms alleen de krachten die bij zijn functie horen. Als wezens die zich nog in de cyclus van wedergeboorte bevinden sterven, moeten ze voor Yama verschijnen, die over hun volgende wedergeboorte beslist.

Enma

- Japanse evenknie van de Indiase Yama, de rechter van de doden.
- Ontzaglijk en rechtvaardig, staat aan het hoofd van een bureaucratie die geschikte wedergeboorten en straffen toewijst. De zielen die voor hem verschijnen, worden beoordeeld op basis van hun karmische banden en daden.
- Afgebeeld als een reus, gekleed als een hoveling uit de Heianperiode.
- Komt voor in de hedendaagse popcultuur als verwijzing naar geesten en de dood.

Toen het boeddhisme China bereikte, versmolt Yama algauw met de oudere taoïstische godheid Taishan Fujun 泰山府君 (Jp. Taizan Fukun), een gelijkaardig figuur die over het lot van mensen besloot op basis van hun verwezenlijkingen tijdens het leven. Tegen de tijd dat het boeddhisme voet aan de grond kreeg in Japan, werd Yama naast een deva die mensen naar hun volgende wedergeboorte stuurt (zijn oorspronkelijke rol) ook iemand die over hun vorige leven oordeelt (de rol van Taishan Fujun).[21] In Japan staat Enma te boek als streng maar rechtvaardig. Afhankelijk van de bron regeert hij over de boeddhistische hel, of bestaat hij in zijn eigen gebied dat met alle werelden in verbinding staat. De zielen die voor hem verschijnen, worden beoordeeld op het karma dat ze in hun vorige leven hebben opgebouwd. Zijn woonplaats wordt beschreven als een immense paleiszaal vol ambtelijke geesten die onder zijn supervisie werken. Enma wordt afgebeeld als een reus die uittorent boven de zielen over wie hij een vonnis velt. Hij gaat meestal gekleed als een hoveling uit de Heianperiode, en soms als een Chinese edelman aan het confucianistische hof. Hij lijkt streng, maar is niet kwaadaardig – zonder hem zou het universum niet functioneren.

Enma is niet verwant aan oude kami die met de dood geassocieerd worden, zoals Izanami. Zijn hiernamaals, boeddhistische hel of niet, is anders dan Yomi, het shintoïstische land van de doden (zie hoofdstuk twee). Enma's status als rechter raakte echter gescheiden van zijn eerdere positie als louter boeddhistisch figuur. Net als Benzaiten en Kichijōten wordt hij eerder als inheemse kami gezien dan als boeddhistische godheid, en de wijze waarop men hem in Japan vereert is een heel andere dan die van de Indiase Yama. Tegenwoordig wordt hij zelden vereerd, maar in de popcultuur treedt hij op als

verwijzing naar geesten, de dood en het hiernamaals. Hij komt voor in horrorverhalen, fantasy-manga en anime: bijvoorbeeld als bijrol in de populaire manga- en animereeks *Yū yū hakusho* (1990-1994).

De deva Enma in zijn dubbelrol: Chinese bureaucraat en angstaanjagende koning van de hel.

BOEDDHISME EN SHINTOÏSME, VERSTRENGELD

Omstreeks de Japanse middeleeuwen (ca. 1200-1600) was het onderscheid tussen boeddhistische en shintoïstische godheden vervaagd. Dat was geen onverwachtse ontwikkeling; uit de oudste bronnen uit de Japanse archipel kan worden opgemaakt dat deze religies toen al met elkaar waren verstrengeld. Hoewel Japanners het boeddhisme naar hun hand zetten, bleven ze zich lang bewust van het feit dat het een 'vreemde' religie was. Omdat het boeddhisme als religie echter al zo vroeg vaste voet kreeg in Japan, verwierven boeddhistische zeden en concepten hier een dominante plek. Bovendien werd het shintoisme anders dan het boeddhisme oorspronkelijk niet als 'religie' beschouwd. Het was uitsluitend dankzij de invloed van het boeddhisme en andere religies van het vasteland dat de verering van kami werd ingebed in een systeem met vaste gebruiken en filosofieën.

Vanaf de negende eeuw gingen religieuze leiders een stap verder en beweerden ze dat inheemse kami en boeddhistische goden niet alleen evenwaardig, maar identiek waren. Deze theorie stond bekend als *honji suijaku*, of 'oorspronkelijke grond en achtergebleven sporen', een concept dat China eerder had geïntroduceerd tijdens de Tangdynastie (618-908) om taoïstische en lokale folkloristische godheden verder te incorporeren in het boeddhisme. In plaats van lokale godheden net als de Indiase goden onder het boeddhistische pantheon te plaatsen, vonden Chinese filosofen het logischer om deze vertrouwde goden te zien als 'sporen' (Jp. *suijaki*, Ch. *chuiji*) van boeddhistische originelen (Jp. *honji*, Ch. *bendi*). Het was mogelijk dat een boeddhistische godheid, bijvoorbeeld de bodhisattva Avalokiteśvara, de mensen van een bepaald land, zoals het oude China, wilde redden. Zonder predikers om mensen de waarheid te tonen, was het voor Avalokiteśvara makkelijker om de gedaante aan te nemen van een godin als Guanyin (Kannon), die de lokale bevolking kon plaatsen binnen een vertrouwd geloof. De Chinese godin was als het ware een 'spoor' en de bodhisattva het 'origineel'. Deze twee entiteiten waren dus niet versmolten, maar altijd al dezelfde godin geweest.[22]

Japanse monniken die in China gingen studeren, brachten dit idee van honji suijaku (Ch. *bendi chuiji*) mee naar Japan. Daar gebruik-

te men het om bepaalde boeddha's en bodhisattva's aan belangrijke kami te koppelen. Kannon (Avalokiteśvara) werd halverwege de
Heianperiode vaak gekoppeld aan Amaterasu, omdat het allebei godinnen waren die licht en goedheid vertegenwoordigden. Deze kop-
pels komen voor in dromen waarover hovelingen in hun dagboeken
schreven, en in religieuze rituelen die plaatsvonden in tempels. Er
werden steeds vaker shinto-heiligdommen gebouwd in boeddhistische tempelcomplexen, en omgekeerd. Aan het begin van de Kamakuraperiode was de theorie van honji suijaku standaard in meerdere boeddhistische scholen, ook al was ze in nieuwere vormen van
boeddhisme, zoals zen, minder belangrijk. Uiteraard waren er altijd
priesters en vooraanstaande monniken en nonnen die het oneens
waren met de honji suijaku-verklaring, maar desondanks bleef ze
eeuwenlang de populairste voor de relatie tussen de twee religies.[23]

Ontwikkelingen in de veertiende eeuw, zoals de toenemende populariteit van het zuivere land- en Jōdo Shinshū-boeddhisme, leidden tot een nieuwe interpretatie van honji suijaki. Kami werden tot
dan toe gezien als 'sporen', ofwel als de vormen die boeddhistische
godheden moesten aannemen om te kunnen inspelen op 'Japanse'
gevoeligheden. De doctrine van het zuivere land benadrukte echter dat deze sporen veel minder belangrijk waren dan de originelen. Had het nog zin om kami te vereren als Japan al vele eeuwen
het boeddhisme had? Uit protest begon een groep priesters van het
Ise-heiligdom van Amaterasu eigen verhalen te produceren. Deze
groep, waarin de Watarai-familie een centrale plaats innam, was een
van de eersten die een gestructureerde shintoïstische doctrine op-
stelde en actief pleitte voor gelijkwaardigheid aan het boeddhisme.[24]

De Watarai maakten zich sterk voor een shintoïstische opvatting
van honji suijaku. Ze leenden bijvoorbeeld de doctrine die stelde
dat Vairocana's straling in de hele kosmos boeddha's voortbracht, en
pasten die toe op Amaterasu. Omdat de zonnegodin zelf de reflectie van puurheid en licht was, was het aannemelijk dat ze de puurheid in het centrum van het universum vertegenwoordigde, op dezelfde manier als van boeddha's werd gezegd dat het 'manifestaties'
van Vairocana waren. Amaterasu was dus evengoed een manifestatie van Vairocana – maar een die zich specifiek richtte op Japan en

het Japanse volk. Volgens deze redenering was Amaterasu – en een aantal andere belangrijke kami die banden hadden met de Watarai-familie en/of het Ise-heiligdom – de oorspronkelijke Japanse manifestatie van dezelfde waarheid die het boeddhisme verkondigde.[25]

Voortbouwend op de filosofieën van de Watarai stelden vroeg-middeleeuwse voorstanders van het shintoïsme dat niet het boeddhisme, maar het shintoïsme de primaire bron van Japanse waarden was. Niet omdat het shintoïsme 'beter' was, maar omdat het (volgens deze nieuwe redenering) hetzelfde was als het boeddhisme. In wezen ging het om dezelfde theorie in een ander, meer 'inheems' jasje. Uit de bespreking van oude mythen in eerdere hoofdstukken van dit boek blijkt echter dat niets minder waar is. Het staat buiten kijf dat geen enkele religie 'beter' is dan een andere, maar de oude mythologie rond kami en het geheel van keizerlijke mythen zijn niet hetzelfde als het boeddhisme. Toch raakten deze twee geloofssystemen omstreeks de middeleeuwen zo innig met elkaar verstrengeld dat elke poging om de een boven de ander te verheffen even gemakkelijk gebruikt kon worden om het omgekeerde te bewijzen. De theorie van honji suijaku legde niet alleen een link tussen het boeddhisme en het shintoïsme, maar maakte ook een vrije en openlijke kruisbestuiving mogelijk.

In de zeventiende eeuw ontstond de filosofische school van het 'nativisme' (Jp. *kokugaku*) uit het verlangen om de oude mythen te herwaarderen. Onderzoekers van deze invloedrijke stroming waren niet verbonden met een bepaalde religie. Het waren onafhankelijke academici met uiteenlopende achtergronden die graag wilden vaststellen wat 'oorspronkelijk Japans' was, om het te kunnen onderscheiden van wat 'oorspronkelijk vreemd' was. Deze onderzoekers vonden een nieuwe term uit, die nog steeds in gebruik is, voor wat er zich de voorbije duizend jaar had afgespeeld tussen het boeddhisme en het shintoïsme: *shinbutsu shūgō*. Dit betekent zoveel als 'syncretisme van shintoïsme en boeddhisme', of – om het wat eenvoudiger te zeggen – dat deze twee religies deel van elkaar zijn geworden (tenminste in Japan).

Dit systeem van verstrengelde religies hield niet volledig stand tot in het moderne tijdperk. Na de Meiji-restauratie in 1868 kwam de modernisering van Japan op gang en stelde het land zich open voor de rest van de wereld. Als deel van deze transformatie werd een nieuwe vorm van shintoïsme ontwikkeld, het zogenaamde staatsshintoïsme (*kokka shintō*), die de rol van de keizer moest benadrukken en dienst zou kunnen doen als een negentiende-eeuwse Europese 'nationale religie'. Om het staatsshintoïsme te promoten, moest men het boeddhisme zo snel en radicaal mogelijk de kop indrukken. In 1872 introduceerde de Meiji-regering het proces van *shinbutsu kakuri*, of de 'gedwongen scheiding van het shintoïsme en het boeddhisme'. Boeddhistische tempels en shintoïstische heiligdommen die al duizend jaar een geschiedenis en ontwikkeling deelden, werden onder dwang gescheiden en het terrein werd meestal toegekend aan het heiligdom. Tempels werden gesloten of verplaatst en soms zelfs verwoest. De heiligdommen werden uitgebreid en er werden nieuwe gebouwd op plekken die nooit belangrijk waren geweest voor het shintoïsme. Dit proces kwam ten einde omstreeks de jaren 1920 en werd tot op zekere hoogte teruggedraaid na de Tweede Wereldoorlog, maar de schade was al aangericht. Na een innige verstrengeling van anderhalf millennium waren de boeddhistische en shintoïstische religie van elkaar losgerukt.

6

EEN WERELD VOL GEESTEN

Japan kent meer goden dan de kami uit de oude mythen en het boeddhistische pantheon. Sommige zijn de mindere goden van de wildernis buiten de dorpen en steden, of godheden uit niet-inheemse religies. Andere zijn geesten van het alledaagse leven, huisgoden of goden van problemen als ziekte. In de ogen van premoderne Japanners wemelde de wereld van de geesten van verschillende niveaus en kracht. Zelfs dieren en voorwerpen konden kami hebben of zijn. De bovennatuurlijke wereld en het leven van alledag waren met elkaar verweven, en vrijwel hun hele geschiedenis geloofden Japanners vanzelfsprekend in het bovennatuurlijke.

Dit hoofdstuk gaat over de verschillende geesten die deel uitmaken van het Japanse landschap (zowel stedelijk als landelijk). We zetten onze reis door de tijd verder, naar de Muromachiperiode (1333-1600) en de Edoperiode (1600-1868), die overeenkomen met het einde van de Japanse middeleeuwen en het vroegmoderne tijdperk. Geschreven bronnen uit de veertiende en vijftiende eeuw vertellen voor het eerst iets over wat gewone mensen geloofden. De boekdrukkunst kwam op aan het einde van de zestiende eeuw en beleefde hoogtijdagen in de zeventiende eeuw, waaraan we een enorm corpus literatuur en historische teksten hebben overgehouden. Deze boeken, waaronder het oudste woordenboek van folkloristische monsters en de vroegste vertalingen van de oude kronieken in het moderne Japans van die tijd, bieden nog meer inzicht in de manier waarop gewone Japanners hun eigen mythologie begrepen.

DE VIER HEMELSE GODEN EN DE HEMELSE HUIZEN

De oude Chinezen geloofden dat de hemel de aarde weerspiegelde. Dat betekende dat de aarde zoals de hemel kon worden, maar ook dat de hemel was ingedeeld volgens een logica die men op aarde kon begrijpen. Aangezien de nachtelijke hemel een inkijk bood in het hemelrijk, moest ze in kaart worden gebracht om deze logica te kunnen ontcijferen. Deze zoektocht resulteerde in het systeem van de vier goden, vijf streken en achtentwintig hemelse huizen.

Vanaf de aarde bekeken bewegen de zon, maan en vijf planeten die met het blote oog zichtbaar zijn (Mercurius, Venus, Mars, Jupiter en Saturnus) allemaal in hetzelfde vlak. Dit vlak noemen we de ecliptica. In Europa werden de sterren in de ecliptica verdeeld in twaalf sterrenbeelden, die we vandaag kennen als de dierenriem. De maan beweegt ook door de ecliptica en legt elke dag 1/28^e van het traject af. In totaal telt een maanmaand dus ongeveer achtentwintig dagen. Ook in het oude China beschreven waarzeggers en astrologen de sterren in dit vlak aan de hand van achtentwintig huizen die elk overeenkomen met een dag uit de maancyclus. Deze staan tegenwoordig bekend als maanhuizen of hemelse huizen 宿 (Ch. *su*, Jp. *shuku* of *boshi*). Het Chinese systeem bereikte Japan rond de zesde of zevende eeuw en raakte snel ingeburgerd.

De achtentwintig huizen werden opgedeeld in vier groepen van zeven, die elk overeenkwamen met een van de vier windrichtingen. De vier windrichtingen lagen rond een centrum dat telde als een vijfde richting die samenviel met de Poolster, en aldus geassocieerd werd met de keizer (zowel in de hemel als op aarde; zie hoofdstuk drie). Samen vormden ze de vijf streken. De vier windstreken en de streek in het centrum werden elk geassocieerd met een dierlijke god, een kleur en een van de vijf elementen: aarde, vuur, water, hout of metaal.

Het oosten, geassocieerd met de kleuren blauw en groen en het element hout, is het gebied van de azuren draak Seiryū 青龍, ook wel gelezen als Shōryū (Ch. Qinglong). In het oude Oost-Azië waren blauw en groen dezelfde kleur, dus Seiryū wordt soms ook vertaald als de 'groene draak' en soms zelfs als de 'blauwgroene draak'. Seiryū vertegenwoordigt de lente en het nieuwe leven. In afbeeldingen is Seiryū een traditionele Aziatische draak: een lang, slangachtig wezen zonder vleugels. Hij komt voor in alle denkbare schakeringen groen of blauw, maar is meestal diep turquoise of bleek blauwgroen, soms met rood en/of zwart in zijn manen. De zeven huizen (sterrenbeelden) die samen Seiryū vormen zijn: de Hoorn (Su-boshi), de Nek (Ami-boshi), de Wortel (Tomo-boshi), de Kamer (Soi-boshi), het Hart (Nakago-boshi), de Staart (Ashitare-boshi) en de Wan (Miboshi). Deze huizen liggen in de westerse sterrenbeelden Maagd, Leeuw, Schorpioen en Boogschutter.

Het noorden, geassocieerd met de kleur zwart en het element water, is het gebied van de zwarte krijger Genbu 玄武 (Ch. Xuanwu). Genbu wordt meestal afgebeeld als een parende schildpad en slang, verstrengeld tot één dier. Soms is Genbu enkel een schildpad, en vertaalt men zijn naam wel eens verkeerd als de zwarte schildpad van het noorden. De meest accurate vertaling is echter 'zwarte krijger'. Genbu vertegenwoordigt koude, winter, hardvochtigheid en kracht. Hij wordt soms ook afgebeeld als een soort Chinese krijger in traditionele wapenrusting, doorgaans versierd met motieven van zowel schildpadden als slangen. De zeven huizen die samen Genbu vormen zijn: de Beer (Hikitsu-boshi), de Os (Iname-boshi), het Meisje (Uruki-boshi), Leegte (Tomite-boshi), het Dak (Umiyame- of Urumiya-boshi), het Kamp (Hatsui-boshi) en de Muur (Namameboshi). Deze huizen liggen in de westerse sterrenbeelden Boogschutter, Steenbok, Waterman en Pegasus.

Het westen, geassocieerd met de kleur wit en het element metaal, is het gebied van de witte tijger Byakko 白虎 (Ch. Baihu). Byakko vertegenwoordigt warmte, herfst, helderheid en kalmte. Hij wordt doorgaans afgebeeld als een witte tijger, soms met goud omzoomd. In oudere afbeeldingen is hij eerder slangachtig, zoals Seiryū, maar vanaf de Edoperiode heeft hij de verhoudingen van een realistische tijger. De zeven huizen die samen Byakko vormen zijn: de Benen (Tokaki-boshi), de Band (Tatara-boshi), de Maag (Ekie-boshi), het Harige Hoofd (Subaru-boshi), het Net (Amefuri-boshi), de Schildpaddenbek (Toroki-boshi) en de Drie Sterren (Karasuki-boshi). Ze liggen in de westerse sterrenbeelden Andromeda, Ram, Stier en Orion.

Het zuiden, geassocieerd met de kleur rood en het element vuur, is het gebied van de vermiljoenen vogel Suzaku 朱雀 (Ch. Zhuque). Suzaku vertegenwoordigt hitte, zomer en hartstochtelijke emoties

zoals liefde. Er wordt nooit gespecificeerd welke vogelsoort de vermiljoenen Suzaku precies is. In de premoderne tijd werd Suzaku
meestal afgebeeld als een helder roodoranje vogel met lange vleugels en een lange staart, maar recent steeds vaker als een westerse
feniks, waarmee Suzaku vaak wordt verward. De zeven huizen die
samen Suzaku vormen zijn: de Waterput (Chichiri-boshi), de Geest

De vier hemelse goden: de zwarte krijger van het noorden (Genbu, onderaan);
de witte tijger van het westen (Byakko, links); de rode vogel van het
zuiden (Suzaku, bovenaan); en de blauwe draak van het oosten
(Seiryū, rechts). Vreemd genoeg bevinden Genbu en Suzaku zich
in deze illustratie in de tegenovergestelde positie.

(Tamaono- of Tamahome-boshi), de Wilg (Nuriko-boshi), de Ster (Hotohori-boshi), het Uitgeworpen Net (Chiriko-boshi), de Vleugels (Tasuki-boshi) en het Rijtuig (Mitsukake-boshi). Deze huizen liggen in de westerse sterrenbeelden Tweeling, Kreeft, Kleine Waterslang, Beker en Raaf.

Het centrum, het rijk van de hemelse keizer, wordt geassocieerd met de kleur geel en het element aarde. Het wordt als een vijfde richting beschouwd, maar is niet verder onderverdeeld (hoewel het uiteraard andere sterrenbeelden bevat). Het vertegenwoordigt vrede, heerschappij en totaliteit – de som van de delen die samen de andere streken vormen. In het middelpunt van dit centrum ligt volgens de Oost-Aziatische astrologie de noordelijke poolster Polaris, de spil waaromheen de hemel draait.

De vier hemelse goden – Seiryū, Genbu, Byakko en Suzaku – komen vroeg in de Japanse geschiedenis voor. Ze zijn geschilderd op de Kitora- en Takamatsuzuka-graftomben in Asuka (in de huidige prefectuur Nara), die dateren van het begin van de zevende eeuw. In de Nara- en Heianperioden prijkten ze samen met de zon en de maan op vier banieren die men uithing tijdens de jaarlijkse nieuwjaarsceremonie. De vier hemelse goden werden veel gebruikt in waarzeggerij, zowel in uitgebreide rituelen als in persoonlijke voorspellingen. Ze werden echter nooit rechtstreeks vereerd. Als sterrenbeelden en representaties blijft hun kracht beperkt tot het voorspellen van de toekomst. Ook vandaag zijn ze nog steeds bekend en maken ze in allerlei contexten hun opwachting in de hedendaagse Japanse cultuur en populaire media. Een extreem bekend voorbeeld is de beroemde manga- en animereeks *Fushigi yūgi* (1994-heden); de geografie en magie van de fantasiewereld waarin het verhaal zich afspeelt is gebaseerd op de vier geluksgoden.

ENGELACHTIGE WEZENS EN ASTRALE ROMANTIEK

De oude kronieken en andere protoshintoïstische mythen zeggen niet waar de hemel zich bevindt en hoe ze eruitziet. Het boeddhisme, confucianisme en taoïsme hebben specifiekere ideeën van de hemel, maar die overlapten elkaar toen ze Japan bereikten. Daarom zijn er verschillende niet nader gespecificeerde geesten die op westerse engelen lijken, maar toch anders zijn. De meeste worden *tennin* genoemd, oftewel 'hemelse mensen'. Deze categorie bevat belangrijke subcategorieën, zoals *tennyo*, oftewel 'hemelse maagden'. Tennyo zijn mooie vrouwen, soms gevleugeld, die naar de aarde afdalen. Of ze nu vleugels hebben of niet, dankzij hun gevederde gewaden kunnen ze allemaal vliegen. In meerdere legenden slagen ondernemende jonge mannen erin de mantel van een tennyo te stelen terwijl ze aan het baden is, zoals ook gebeurt in Keltische legenden over selkies.

Er zijn een aantal verschillende bronnen waaruit tennin mogelijk zijn afgeleid. Boeddhistische hemelen worden vaak bevolkt door *apsara's* (Jp. *hiten*), mooie mannen en vrouwen die tussen of op wolken zweven. Apsara's bespelen muziekinstrumenten en dragen weelderige kledij. Ze zijn een kruising tussen engelen en hemelse entertainers. De taoïstische folklore uit China kent vergelijkbare verhalen over *xianren* of 'onsterfelijken' (Jp. *sennin*). Dit zijn mensen die door hun beheersing van de weg onsterfelijkheid en allerhande magische krachten verkregen, zoals het vermogen om te vliegen en de eeuwige jeugd. Xianren leven in adembenemende paleizen in verre oorden, zoals magisch verborgen valleien ver weg van de beschaving. Beide bronnen kunnen als inspiratie hebben gediend voor de Japanse tennin.

Twee van de bekendste legenden over tennin zijn die van de koeherder en de weefster en *Het verhaal van de bamboesnijder*. Het verhaal van de koeherder en de weefster heeft zijn oorsprong in

Een apsara, een hemelse maagd, in een boeddhistische voorstelling van het paradijs.

De koeherder en de weefster, hier gekleed als hovelingen
aan het oude Chinese hof.

het oude China en is bekend uit verschillende Oost-Aziatische landen. De weefster 織姫 (Jp. Orihime) is een ster die in het Westen bekendstaat als Wega, uit het moderne sterrenbeeld Lier; de koeherder
彦星 (Jp. Hikoboshi) is de ster Altair, uit het moderne sterrenbeeld
Arend. De weefster en de koeherder worden verliefd op elkaar, waardoor ze blijkbaar hemelse regels overtreden, hoewel beiden hemelse
wezens zijn. Ze worden elk naar een kant van de hemelse rivier (de
Melkweg) verbannen. Ze kunnen elkaar maar één keer per jaar ontmoeten, op de zevende dag van de zevende maand, als eksters een
brug over de rivier vormen. Als het die dag echter bewolkt is, kunnen de eksters niet naar de hemel vliegen en moeten de geliefden
nog een jaar wachten om elkaar te ontmoeten.

De oorspronkelijke legende is de oorsprong van de feestdag Tanabata, die nog steeds gevierd wordt in Japan. Hoewel het oorspronkelijk verwees naar de zevende maanmaand (ongeveer de huidige maand augustus), viert men Tanabata tegenwoordig meestal op
zeven juli, aangezien Japan ondertussen de westerse kalender volgt.
In de vijftiende eeuw werd de legende van de koeherder en de weefster uitgebreid tot een sprookje dat bekend kwam te staan als *Het verhaal van Amewakahiko* (*Amewakahiko sōshi*). De lange versie gaat
in op de achtergrond van beide personages en bevat een verhaallijn
waarin ze het moeten opnemen tegen een reuzenslang.[1] Deze versie
bleef populair tot in de Edoperiode, maar is tegenwoordig minder
bekend dan het oorspronkelijke, minder gedetailleerde verhaal.

Het verhaal van de bamboesnijder (*Taketori monogatari*) is een bekend werk uit de Heianperiode (784-1185) dat teruggaat tot de negende eeuw. De auteur is niet bekend, maar het lijkt om een inheemse
Japanse legende te gaan. Het vertelt het verhaal van een bamboesnijder en zijn vrouw, die graag een kind willen.

De oude bamboesnijder vindt de
kleine Kaguya-hime in een bam-
boestengel, aan het begin van het
Verhaal van de bamboesnijder.

Tennin

- 'Hemelse mensen', geesten die op westerse engelen lijken.
- Afgeleid uit verschillende bronnen: boeddhistische apsara's die door de wolken zweven, taoïstische onsterfelijken en andere al dan niet inheems Japanse voorbeelden.
- Vaak het voorwerp van verboden liefde: zijn bovennatuurlijk goed en mooi, maar een huwelijk tussen mensen en tennin is niet mogelijk.
- Bekende tennin uit legenden zijn prinses Kaguya en de weefster.

Op een dag ontdekt de bamboesnijder een lichtgevende bamboe-stengel. Als hij de stengel opensnijdt, verschijnt er een beeldschoon meisje dat straalt als de zon. Het stel adopteert het meisje en ze groeit op tot een liefdevolle, goedaardige, mooie en intelligente vrouw die ze Kaguya-hime かぐや姫 noemen (vaak vertaald als 'prinses Kaguya').

Kaguya-hime heeft een rits aanbidders. Ze wimpelt hen allemaal af door hen op onuitvoerbare queesten te sturen die ze onmogelijk kunnen volbrengen. Op een gegeven moment trekt ze de aandacht van de keizer en tegen haar wil wordt ze verliefd op hem. Er is hun echter weinig tijd vergund, want Kaguya-hime onthult dat ze een tennin is en spoedig naar de maan moet terugkeren. De keizer en zijn vorstelijk leger maken geen schijn van kans tegen de hemelse wezens die haar komen halen en Kaguya-hime verlaat haar aardse familie voorgoed.[2]

Deze en andere verhalen maken duidelijk dat tennin het voorwerp van verboden liefde zijn. Ze zijn mooi en goed, volmaakt waar normale mensen tekortschieten. Ze worden door iedereen begeerd, ondermaans en in de hemel. Maar om verschillende redenen is de liefde voor een tennin, of zelfs de liefde tussen tennin, onmogelijk. Ze vertegenwoordigen de onbereikbare idealen van het paradijs, zowel die van uitheemse tradities als van Japan zelf.

GODHEDEN VAN HUISHOUDENS, EPIDEMIEËN EN
WINDRICHTINGEN

Helaas weten we voor een groot deel van de Japanse geschiedenis veel meer over het leven van de rijken dan over dat van gewone Japanners. Vóór de grootschalige verspreiding van gedrukte teksten in de zeventiende eeuw nam de geletterdheid maar traag toe. En nog eerder waren de meeste mensen die konden lezen en schrijven rijke edelen of krijgers. Het merendeel woonde in de stad Kyoto, de hoofdstad van Japan tot de Edoperiode, dus er is veel meer bekend over het stedelijk leven in Kyoto dan over het landelijk leven in voorgaande perioden. Uit deze bronnen blijkt dat de stedelijke omgeving van het klassieke en middeleeuwse Kyoto niet alleen aan mensen toebehoorde. De inwoners deelden de hoofdstad met allerhande geesten.

Op het onderste niveau stonden goden van individuele huishoudens. Deze geesten werden niet specifiek benoemd of in groepen onderverdeeld. Het waren bijvoorbeeld voorouders of geesten van overleden familieleden die op verzoening wachten. In het moderne Japan hebben veel huishoudens een persoonlijk boeddhistisch altaar (*butsudan*) en/of een persoonlijke shinto-schrijn (*kamidana*). Naast wierook worden voor een butsudan voedsel en andere objecten geplaatst om met voorouders te delen en te bidden voor hun welzijn in volgende levens. Kamidana worden zelden gebruikt om te bidden, ze zijn gewijd aan andere geesten die zich eventueel in het huis ophouden – mindere kami van het huis, het domein en de voorwerpen die zich daarin bevinden.[3] Hoewel we niet weten of beide huisaltaren al voorkwamen voor de middeleeuwen, bestonden ze met zekerheid vanaf de veertiende eeuw, en mogelijk al veel eerder aangezien in de dagboeken van edelen en in andere bronnen uit de Heianperiode (784-1185) wordt gesproken over vormen van bijgeloof die te maken hebben met het gunstig stemmen van plaatselijke huisgoden. Het is aannemelijk dat in de late middeleeuwen gelijkaardige huisaltaren in gebruik waren, zowel in Kyoto als daarbuiten.

Naast voorouderlijke geesten vereerden veel huishoudens ook de zeven geluksgoden (Shichifukujin 七福神), zeven individuele goden die na verloop van tijd gezamenlijk vereerd werden als beschermgoden van bepaalde beroepen. Twee geluksgoden, Benzaiten en Kichijōten (Kisshōten), kwamen al aan bod in het vorige hoofdstuk. Dit zijn twee deva's, Indiase godheden die met het boeddhisme naar Japan kwamen, en pas later deel gingen uitmaken van de zeven geluksgoden. De andere vijf goden waren ook individuele goden, die na verloop van tijd werden geassocieerd met het verwerven van geld en succes.

Van de zeven geluksgoden is alleen Ebisu 恵比寿 volledig van inheems Japanse oorsprong. Ebisu komt niet voor in de oude kronieken, maar hij werd vereerd als beschermer van vissers vanaf het einde van de Heianperiode. Hij werd binnen korte tijd samengevoegd met twee goden die wel bestaan in de oude kronieken: Hiruko 蛭子 en Kotoshironushi 事代主.

De zeven geluksgoden, van rechts naar links: Kichijōten; Jūrōjin en Ebisu, zittend met eten voor zich; Bishamonten met een pagode; Daikokuten met zijn houten hamer; de halfnaakte Budai; en een oude man die mogelijk een variant van Benzaiten is of een andere vervangende god.

Hiruko het bloedzuigerkind is de eerste nakomeling van Izanagi en Izanami volgens zowel de *Kojiki* als de *Nihonshoki*, waarin hij slechts kort voorkomt, geboren zonder armen en benen, te water gelaten in een rieten mandje en spoedig vergeten (zie hoofdstuk twee). Kotoshironushi speelt daarentegen een iets grotere rol in de legenden over de afdaling van Ninigi, waarin hij Ōkuninushi raad geeft tijdens de onderhandelingen om de aarde over te dragen aan de hemelse kleinzoon (zie hoofdstuk twee).

Een *netsuke*, een gordelknoop voor een kimono, in de vorm van Ebisu, een van de zeven geluksgoden, afgebeeld als een vrolijk ventje in de kledij van een Heiaanse edelman.

Hiruko en Kotoshironushi zijn niet aan elkaar verwant in de oude kronieken. Toch had Ebisu omstreeks de dertiende eeuw zijn eigen mythische geschiedenis waarin de legenden van Hiruko en Kotoshironushi gecombineerd werden, en ze versmolten tot één god. Net als Hiruko werd Ebisu in de begindagen van de schepping op de wereld gezet door Izanagi en Izanami, en te water gelaten. Drie jaar later kreeg hij benen (en waarschijnlijk de rest van zijn ledematen) en bereikte hij de kust nabij Osaka. Hij was nog steeds enigszins kreupel, en doof, maar dat weerhield hem er niet van de geheimen van de kustlijn en de dingen die er aanspoelden te ontrafelen. In de hoedanigheid van god van geluk en geheimen treedt het voormalige bloedzuigerkind vervolgens op als raadgever van Ōkuninushi, waarna hij Japan doorkruist en mensen in nood te hulp schiet – met name vissers.[4] In de gedaante van Ebisu won de verering van deze twee marginale goden weer aan belang. Ebisu wordt afgebeeld als een korte, dikke, lollige man, meestal gekleed als een Heiaanse edele. Vaak draagt hij een heel hoge hoed die zijn jolige voorkomen nog komischer maakt.

De vierde geluksgod is Daikokuten 大黒天. Hij was oorspronkelijk ook een deva, gebaseerd op de Indiase god Śiva (Shiva), tegenwoordig een van de belangrijkste goden in het hindoeïstische pantheon. Śiva is zowel schepper als vernietiger in verschillende stromingen van het hindoeïsme en heeft een groot aantal krachten die met deze twee eigenschappen te maken hebben. In Japan werd Daikokuten vermengd met Ōkuninushi, de aardse god uit de oude kronieken. Hij wordt vereerd als de beschermgod van geluk en rijkdom die uit de aarde voortkomt, met name grondbezit.[5] Het karakter 黒 in zijn naam betekent 'zwart', waardoor hij ook geassocieerd wordt met de positieve aspecten van het duister. Daikokuten draagt vaak een houten hamer die geluk brengt, en zit op een berg rijst. Hij wordt soms omringd door ratten, die ambitie en geluk symboliseren.[6]

De vijfde geluksgod is Bishamonten 毘沙門天, die ook een van de vier hemelse koningen is, onder de naam Tamonten. Als geluksgod behoudt Bishamonten zijn rol als beschermer van het boeddhisme en alle heilige plekken.[7] De zesde en zevende geluksgoden, Jūrōjin 寿老人 en Budai 布袋, zouden ooit mensen zijn geweest. Jūrōjin is de Japanse vorm van een taoïstische wijsgeer uit het oude China, van wie de precieze identiteit niet bekend is. Hij heeft een kenmerkend verlengd hoofd en een lange baard en snor. Jūrōjin zit op de rug van een wit hert en is dol op wijn en drinken, zaken die sterk geassocieerd werden met taoïstische wijsgeren en kluizenaars. Budai is de zogenaamde 'lachende boeddha', een jolige boeddhistische monnik met een bolle buik. Hij is gebaseerd op een van de mogelijke grondleggers van de boeddhistische school zen 禅 (Ch. Chan). Budai draagt een uitpuilende zak die symbool staat voor het geluk dat hij zijn beschermelingen, met name kinderen, brengt.

De zeven geluksgoden worden vaak verbeeld in kostbare kleinoden of standbeeldjes. Ze werden ook verwerkt in *netsuke*, kleine decoratieve voorwerpen uit ivoor of hout die men tijdens de Japanse Edoperiode bevestigde aan een kimonogordel of de handgreep van een zwaard. Tegenwoordig zijn netsuke begeerde verzamelobjecten, en veel bekende exemplaren verbeelden een of meerdere geluksgoden. Iconen van de zeven worden uitgestald om geluk te brengen in een huis of bedrijf.

Jūrōjin (links, zittend op een netsuke, met een opgerekt hoofd) en
Budai (rechts, getekend, met uitpuilende buik en zak) zijn
twee geluksgoden die ooit mens zijn geweest.

Er waren ook godheden die stedelingen niet hielpen maar bedreigden. De meest voor de hand liggende voorbeelden zijn de goden van epidemieën, zoals Gozu Tennō 牛頭天皇, de 'keizer met de ossenkop'. Hij brengt ongeluk, meestal in de vorm van ziekten die verspreid worden door kwade winden. Vanaf de tiende eeuw duiken in tempels in Kyoto beeltenissen op van een god met ossenkop die wind brengt (symbool voor een epidemie). Gozu Tennō zou in de populaire verbeelding nog vele eeuwen bekendstaan als een angstaanjagende godheid die her en der verderf zaait. Hij verspreidt bijvoorbeeld de pokken en de mazelen, twee veelvoorkomende plagen in het premoderne Japan.

Hedendaagse onderzoekers denken dat Gozu Tennō, zoals zoveel Japanse goden, is samengesteld uit andere godheden. Hij was oorspronkelijk mogelijk een mindere Indiase god genaamd Gosirsa Devarāja, die door vroege boeddhisten werd vereerd. In Tibet werd deze godheid geassocieerd met de plaatselijke god van een berg waarvan men zei dat hij de vorm van een ossenkop had. Gozu Tennō behield deze associatie vele eeuwen lang in China, en toen de god met de ossenkop eenmaal Japan bereikte was hij verweven met andere figuren uit taoïstische en Chinese folkloristische overtuigingen over ziekten. Japanse bronnen uit de Kamakuraperiode (1185-1333) beweren dat Gozu Tennō een incarnatie was van de eeuwenoude en machtige kami Susanowo, omdat beide goden werden geassocieerd met gewelddadige natuurrampen. Vanwege deze overeenkomst werd Gozu Tennō vereerd in het Yasaka-heiligdom in Tokio, dat oorspronkelijk aan Susanowo was gewijd.[8] Het wereldberoemde festival Gion, dat zich afspeelt in de straten rond het Yasaka-heiligdom – de wijk Gion, die in de Edoperiode bekendstond om zijn vele geisha's – is mogelijk begonnen als ceremonie om Gozu Tennō gunstig te stemmen en de hoofdstad tegen ziekten te beschermen.

Naast Gozu Tennō waren er andere goden die problemen veroorzaakten voor de inwoners van het premoderne Kyoto: de goden van de richtingen, gepersonifieerd door de godheid Konjin 金神. Konjin, een mysterieuze god van wie de naam eenvoudigweg 'gouden god' betekent, verschilt van de vier hemelgoden van de vier windrichtingen. Deze god begeeft zich in alle richtingen zoals het hem belieft. Als Konjin of een gelijkaardige god – er waren nog talloze minder bekende goden die bekend waren bij waarzeggers – in een specifieke richting reist of verblijft, wordt die richting taboe of *kataimi* 方忌. Niemand mag in de richting van een huidige kataimi reizen of erbij in de buurt komen.

Kataimi was tijdens de Heianperiode een enorm taboe in de samenleving. Literatuur uit die tijd bevat talloze voorbeelden van hovelingen die niet naar huis konden vanwege kataimi en lange tijd in het keizerlijk paleis of bij vrienden of familie moesten verblijven. Uit de dagboeken van hovelingen blijkt ook dat kataimi niet alleen spannende fictie opleverde, maar als een reële bedreiging werd gezien. Edelen zorgden ervoor dat ze meerdere verblijfplaatsen hadden rond Kyoto, voor het geval ze niet naar hun hoofdverblijf konden reizen.

In het bekende literaire werk *Genji monogatari* (*Het verhaal van Genji* ca. 1000) worden reizigers meerdere malen gedwarsboomd door kataimi. Deze onderbrekingen doen vaak dienst als onopzettelijke plotwendingen: bijvoorbeeld als de hoofdpersoon, Genji, vanwege kataimi ineens moet schuilen in het huis van gouverneur Kii. Deze onverwachte wending is de aanleiding voor Genji's affaire met

Utsusemi 空蝉, de jonge vrouw van de gouverneur.[9] Ook een aantal van Genji's andere affaires ontstaan als hij noodgedwongen in de buurt komt van vrouwen die hem anders misschien niet waren opgevallen.

ONMYŌJI: KEIZERLIJKE WAARZEGGERS

Een kataimi werd bepaald met behulp van waarzeggerij. In de Heianen de Kamakuraperioden, en mogelijk veel langer (aan het keizerlijk hof tenminste), werden deze rituelen uitgevoerd door *onmyōji* of 'yin-yangtovenaars'. Onmyōji waren officieel overheidsbeambten die onder het departement van *onmyōdō* of 'yin-yangmagie' vielen.[10]

Onmyōdō was een syncretische Japanse kunstvorm waarin tal van invloeden samenkwamen. Daaronder vielen wat in China bekendstond als de theorie van yin en yang en de theorie van de vijf elementen, twee eeuwenoude gebruiken die uitgingen van het geloof dat alle verschijnselen uit energieën bestaan die met elkaar balanceren. Yin 陰 (Jp. *in* of *on*), het 'vrouwelijke' beginsel, vertegenwoordigt duisternis, vrouwelijkheid en passiviteit. Yang 陽 (Jp. *yō* of *myō*), het 'mannelijke' beginsel, vertegenwoordigt licht, mannelijkheid en actie. Volgens de theorie van yin en yang liggen deze twee principes aan de basis van alle energieën ter wereld.

De theorie van de vijf elementen is vergelijkbaar met die van yin en yang, maar in plaats van twee principes worden de vijf Oost-Aziatische elementen gebruikt: hout, vuur, aarde, metaal en water. Deze vijf elementen worden geassocieerd met vijf kleuren (respectievelijk blauw/groen, rood, geel, wit en zwart), met de vijf waarneembare planeten (Jupiter, Mars, Saturnus, Venus en Mercurius), en met tal van andere natuurlijke systemen. Wie deze systemen in balans brengt, kan verschijnselen beheersen en beïnvloeden, als een soort wetenschappelijke magie. In Japan werden de theorie van yin en yang en de theorie van de vijf elementen gecombineerd, zodat elk element een versie had die yin of yang was. Deze systemen werden geassocieerd met andere middelen uit de waarzeggerij, zoals de twaalfdelige Chinese dierenriem, en vormden samen een complex systeem van dertig tot zestig fasen.[11]

De theorie van yin en yang, de theorie van de vijf elementen en de complexe wiskundige voorspellingen werden vervolgens gecombineerd met weer andere vormen van magie. Boeddhistische rituelen voor genezing en zuivering, taoïstische alchemie, het binden van geesten, en volksgeneeskunde behoorden allemaal tot de vaardigheden van bekwame onmyōji. De overheid verleende alleen een volmacht aan gediplomeerde departementsleden om deze krachten te gebruiken, en bestempelde de rest als 'zwarte magiërs'.[12] En no Gyōja, de god van de bergasceten, werd eerst gestraft voor het onbevoegd gebruik van deze krachten (zie hoofdstuk vier). Zelfs toen waarzeggerij om kataimi of het lot van mensen te bepalen niet langer nodig was om de overheid te doen functioneren, bleef het in theorie tot 2006 illegaal onmyōdō te leren zonder schriftelijke toestemming van het agentschap van de keizerlijke huishouding!

Tegenwoordig kan iedereen de kunst van yin-yangmagie leren. Hedendaagse Japanners zien in onmyōji vooral de Japanse tegenhangers van tovenaars in westerse fantasy. Ze komen voor in manga's, romanreeksen, anime en liveactionfilms en televisieseries. Een van de bekendste figuren is Abe no Seimei 安部晴明 (921-1005), de beroemdste onmyōji uit de Heianperiode, over wie talloze legenden de ronde deden. De legende wil dat hij naar de hel en terug kon reizen door in een magische bron in het zuiden van Kyoto te springen. Hij kon geesten binden met eenvoudige spreuken op papier die men *ofuda* noemde, en hij kon zelfs de belangrijke kami aan zijn wil onderwerpen.

De beroemde Onmyōji Abe no Seimei (links) doet waarzeggerij bij het licht van een fakkel.

185

In sommige verhalen wordt hij vergezeld door *shikigami*, geesten die worden opgeroepen in papieren figuurtjes en vervolgens een fysieke gedaante aannemen als dienaren of handlangers.[13]

Hoewel er al legenden over Seimei bestonden toen hij nog leefde, raakten ze pas in de Edoperiode wijdverspreid, en vandaag de dag zijn ze nog steeds bekend. Zijn krachten staan model voor alle onmyōji in moderne Japanse fictie; hij is de held in tal van boeken. Een heel beroemd voorbeeld is de romanreeks *Onmyōji* 陰陽師 door Yumemakura Baku (geb. 1951), die al in 1986 begon en nog steeds loopt. In deze romans wordt Seimei voorgesteld als een soort detective uit de Heianperiode, die samen met zijn handlangers mystieke misdaden oplost. Er bestaan talloze spin-offs van deze razend populaire boeken, waaronder manga's en liveactionfilms uit 2001 en 2003.

HET SPOOKACHTIGE PLATTELAND

Premodern Japan was grotendeels landelijk. Vóór de vijftiende eeuw kende het land behalve Kyoto maar een paar belangrijke steden. Daaronder vielen Kamakura, de hoofdstad van het eerste shogunaat, en Dazaifu, het zenuwcentrum van Kyushu. In de vijftiende eeuw begon men in de landelijke provincies echter kastelen te bouwen, en omstreeks het einde van de zestiende en het begin van de zeventiende eeuw waren daaromheen invloedrijke nieuwe steden van aanzienlijke omvang ontstaan. Kasteelsteden, of *jōkamachi*, vormen vandaag de dag het centrum van veel moderne Japanse steden.

Met de opkomst van deze steden bloeide de binnenlandse handel en werden steeds meer mensen geletterd, waardoor er meer verslagen van stedelingen en plattelanders verschenen. Halverwege de zestiende eeuw werden de eerste verhalen en andere teksten over landelijk Japan geschreven en gedrukt. Dit aantal steeg tijdens de Edoperiode, toen druktechnieken met houtsneden zich over de Japanse archipel verspreidden. Deze teksten zijn de vroegste bronnen van informatie over de folklore en mythologie van gewone mensen die niet tot het keizerlijk hof en het shogunaat behoorden.

Het platteland dat in deze teksten wordt beschreven, krioelt van de geesten. De meeste zijn shintoïstische kami, maar soms zijn ze geïnspireerd door boeddhistische of taoïstische tradities, of meer alge-

meen door 'volksgeloof'. Sommige zijn geesten van specifieke land-
schapsvormen; andere beschikken over meer algemene krachten en
gaan en staan waar ze willen. Deze geesten staan collectief bekend
als *yōkai* 妖怪, *ayakashi* あやかし, *mononoke* 物の怪 of *mamono*
魔物. Yōkai is de meest gangbare term en wordt tegenwoordig het
meest gebruikt. Ayakashi en mononoke werden vroeger meer gebruikt; mononoke beschrijft ook het verschijnsel waarbij iemand
bezeten wordt door de geest van een ander mens.

Er zijn legio soorten yōkai. Sommige waren over heel Japan bekend, andere behoren specifiek tot de legenden van een streek of
zelfs een dorp. In de achttiende eeuw waagden onderzoekers zich
voor het eerst aan encyclopedieën van de vele geesten van landelijk Japan, met als resultaat een reeks geïllustreerde compendia van
yōkai, van de hand van Toriyama Sekien
(1712-1788). Deze boeken zijn tot op
de dag van vandaag de bekendste traditionele beschrijvingen van de monsters die
door het Japanse platte-
land dolen. Vanaf het
einde van de negentien-
de eeuw onderzochten
moderne etnografen als
Orikuchi Shinobu (1887-
1953) de plaatselijke folklo-

Een *mikoshi-nyūdō*, een
yōkai met een lange nek,
doemt op uit het bos. Dit
soort yōkai brengt mensen
graag aan het schrikken
door plotseling tevoor-
schijn te komen boven de
rand van kamerschermen
en andere hoge objecten.

re voor het eerst systematisch; hun resultaten kwamen vaak overeen met de verhalen en wezens uit de encyclopedie van Toriyama. Na de Tweede Wereldoorlog gingen veel van deze traditionele verhalen verloren als gevolg van de toenemende focus op stedelijk Japan. Dankzijde de folklore die in de Edoperiode en de eerste helft van het moderne tijdperk werd opgetekend, kon de kennis over yōkai voortleven tot in het heden, waarin deze geesten in nieuwe vormen zijn teruggekeerd in de Japanse populaire cultuur.

Yōkai zijn vaak fysieke wezens die monsterlijke of bizarre vormen aannemen.

Enkele bekende soorten yōkai

- *Oni*: vaak vertaald als 'boeman'. Mensachtige wezens met felgekleurde huid en horens. Gekleed in dierenhuiden of als boeddhistische geestelijken. Dwalen rond door bergen en bossen, vallen reizigers lastig en dringen dorpen binnen.
- *Tengu*: vaak vertaald als 'kobolden'. Mensachtige kraaiengeesten met een lange neus of snavel en lange zwarte vleugels. Beschaafder dan *oni*. Bedreven in de zwaardvechtkunst. Voorboden van de dood op het slagveld.
- *Kappa*: vaak vertaald als 'waterduivels'. Mensachtigen met groene, geschubde huid en schildpadschilden. Verdrinken mensen en verorberen hun lever, maar zijn verder beleefde, kinderlijke wezens zonder kwade bedoelingen.
- *Ningyo*: Japanse meerminnen, deels mens, deels vis. Wie hun vlees eet wordt onsterfelijk, maar dat blijkt meestal eerder een vloek dan een zegen.
- *Yamanba*: vrouwen die in de bergen leven, vergelijkbaar met westerse heksen. Meestal oude vrouwtjes, maar soms ook jong en mooi. Afhankelijk van het verhaal zijn ze goedaardig, kwaadaardig of gewoon neutraal.

In veel hedendaagse teksten wordt het woord 'yōkai' vertaald als 'demon', 'duivel' of 'monster'. Deze vertalingen zijn handig om het concept uit te leggen, maar berusten deels ook op culturele misvattingen. Yōkai kunnen angstaanjagend en gevaarlijk zijn, maar ze zijn niet kwaadaardiger dan andere wilde dieren of natuurverschijnselen. Sommige hebben kwaad in de zin, andere goed, maar dat is dan een individuele trek, geen vaste eigenschap van een groep of 'soort' yōkai. Net als alle andere verschijnselen in de natuur bestaan de meeste yōkai gewoon, en of ze mensen helpen of kwaad berokkenen is iets bijkomstigs.[14] Hieronder volgt een overzicht van yōkai die veel voorkomen of historisch belangrijk zijn. Een uitputtende opsomming van alle yōkai zou nog veel meer bladzijden in beslag nemen en tal van streekgebonden voorbeelden bevatten.

Oni

Het befaamdste wezen dat door de wildernis van Japan waart is de *oni* 鬼. Oni worden wel eens 'boemannen' genoemd, hoewel dat alleen maar zo dicht mogelijk bij een parallel in westerse sprookjes komt. Oni zijn grote, mensachtige wezens, vaak anderhalf tot twee keer zo groot als mensen. Ze hebben grove trekken en een enkele hoorn op hun hoofd. Oni kunnen verschillende huidskleuren hebben, maar rood en felblauw komen het vaakst voor. Soms hebben ze klauwen aan hun handen en voeten, en soms (ook) extra vingers en tenen. Oni dragen meestal huiden van wilde dieren, met name van tijgers (die zelden correct zijn afgebeeld omdat er in Japan geen tijgers voorkwamen). Met hun zware ijzeren knuppels, *kanabō*, kunnen ze grootschalige verwoesting aanrichten. Dat neemt niet weg dat Oni tegelijk ook welbespraakt en intelligent kunnen zijn.[15]

Oni dwalen rond door de bergen en bossen van Japan. Ze vallen reizigers lastig op afgelegen bergpaadjes of dringen dorpen binnen om mensen te ontvoeren. In het volksverhaal 'Issun Bōshi' komt een beroemde oni voor. Het volgende verhaal is hoofdzakelijk gebaseerd op de geïllustreerde versies uit de late Muromachiperiode (1333-1600), die bekendstaan als *otogi zōshi*. Er was eens een kinderloos stel dat wanhopig naar een kind verlangde. Ze bidden tot Watatsumi, de drievuldige god van de zee, in het Sumiyoshi-heiligdom (in de huidige prefectuur Osaka), en werden gezegend met een zoon. Toen het jongetje geboren werd, was het echter niet groter dan één *sun* (ongeveer drie centimeter), en het groeide niet, dus noemden ze hem Issun Bōshi, of 'jongen van één sun'. Toen Issun Bōshi volwassen was, trok hij eropuit met een rijstkom als boot, een eetstokje als roeispaan, een naald als zwaard en een strootje als schede.

Tijdens zijn reis stuitte Issun Bōshi op een prachtig groot huis, waar de provinciegouverneur woonde met zijn beeldschone dochter. Hij vroeg of hij de gouverneur mocht spreken, maar werd uitgelachen en weggestuurd omdat hij zo klein was.

Een oni, gekleed als boeddhistische monnik.

Enige tijd later gingen de gouverneur en zijn dochter op perlgrimstocht. Op een nacht werd hun kampeerplek overvallen door een oni, die het meisje ontvoerde. Onbevreesd ging Issun Bōshi de oni achterna, maar hij werd door het beest gepakt en opgeslokt. Issun Bōshi trok zijn naald uit de schede en prikte meermaals in de binnenkant van de maag van de oni. Gillend van de pijn spuwde de oni Issun Bōshi uit, gaf hem de dochter van de gouverneur en vluchtte terug naar de bergen. De gouverneur was uitzinnig van vreugde; Issun Bōshi trouwde met zijn dochter en werd edelman aan het hof.[16]

Oni worden niet vereerd, maar ze maken wel hun opwachting op de feestdag Setsubun. Setsubun valt op de derde dag van de tweede maand (oorspronkelijk in maart, maar tegenwoordig op drie februari). In dit ritueel wordt een verklede oni bekogeld met rauwe sojabonen en roept men: *oni wa soto fuku wa uchi* ('Oni naar buiten, geluk naar binnen!'). De oni moet het huis uit worden verdreven zodat het geluk van het nieuwe jaar naar binnen kan.

Tengu

Tengu 天狗 worden vaak 'kobolden' genoemd, maar die beschrijving had niet meer van hun aard en voorkomen kunnen verschillen. Hoewel de Chinese karakters 'hemelse hond' betekenen, zijn tengu eigenlijk kraaiengeesten. Soms staan ze zelfs bekend als *karasu tengu*, oftewel 'kraaien-tengu'. Het woord 'tengu' is afgeleid van een monster uit de Chinese folklore, een magische hond met de naam Tiangou, die verder niets met de tengu te maken heeft. Japanse tengu leven ook in bossen en bergen, maar daar houdt de vergelijking met de Tiangou op. Tengu zijn mensen, meestal mannen, met een uitzonderlijk lange neus, en in sommige gevallen een echte snavel, en grote vleugels met zwarte veren.

Tengumaskers hebben een lange, snavelachtige neus en veerachtig donshaar.

Volgens sommige legenden kunnen ze wisselen tussen hun menselijke gedaante en die van een enorme kraai.[17] In de meeste verhalen bevinden ze zich daar ergens tussenin, soms zijn ze haast helemaal menselijk op de neus en vleugels na, en soms zijn ze volledig bedekt met veren en hebben ze klauwen in plaats van voeten.

Tengu zijn beschaafder dan oni. Ze dragen kleren, vaak die van edelen van lagere rang, en ze beoefenen de zwaardvechtkunst. Er wordt gezegd dat tengu de beste zwaardvechters van Japan zijn. Het zijn dappere krijgers, maar ze zijn sluw in duels. Er wordt voor het eerst naar tengu verwezen in bronnen uit de negende eeuw, al dateren de eerste afbeeldingen uit de twaalfde eeuw. Hoewel het geen woeste bruten zijn zoals veel oni, zijn tengu ondanks hun goede manieren en vechtkunst niet minder gevaarlijk: ze zullen niet aarzelen om mensen te ontvoeren of aan mootjes te hakken. Ook als ze zich gedragen, treden ze – althans in folklore uit de vroege middeleeuwen – op als voorbode van de dood in gevechten, net als de kraaien waar ze op lijken.

Men geloofde dat de tengu gehoorzaamden aan een koning, Sōjō-bō genaamd, die op de berg Kurama ten noorden van Kyoto zou wonen.

Sōjōbō, koning van de tengu, leert een jonge man vechten.

Op de top van de berg staat een oude boeddhistische tempel, Kura-madera, en de berg wordt omringd door beboste, nauwelijks be-woonde valleien, hoewel hij officieel binnen de stadsgrens van het huidige Kyoto ligt. Volgens de overlevering heeft dit gebied altijd aan Sōjōbō toebehoord. Volgens legenden die op zijn minst teruggaan tot de Muromachiperiode kwam de jonge Minamoto no Yoshitsune 源義経, een broer van de beroemde Yoritomo en een van de grote helden van de Genpei-oorlog, als jongeling naar de berg Kurama. Sōjōbō nam de jonge Yoshitsune onder zijn hoede en onderwees hem in de zwaardvechtkunst. Dat was naar verluidt een van de rede-nen waarom Yoshitsune onoverwinnelijk was.

Tegenwoordig komen tengu voor in allerlei populaire media en ze hebben daarin hun associatie met dichte bossen, kraaien en zwaardvechtkunst behouden. De Kuramadera-tempel voert een succesvolle marketingcampagne met tengumaskers en lokkertjes als 'de habitat van Sōjōbō'. Tengu komen zelfs in westerse fantasy voor; ze vormen een ras in een aantal roleplayinggames. Hoewel ze niet zo alomtegenwoordig zijn als oni, behoren tengu tot de bekendere yōkai.

Kappa

Kappa 河童 zijn yōkai die in of nabij zoetwater leven. Ze worden vaak 'waterduivels' genoemd, maar net als bij tengu en kobolden geeft die benaming een verkeerd beeld. Kappa zijn doorgaans mensachtig en hebben een geschubde, groene huid en het schild van een schildpad. Ook hun brede, stompe bek doet denken aan de snuit van een schildpad. Kappa hebben een kuiltje in hun kruin dat altijd met water gevuld moet blijven. Daarom moet iemand die oog in oog staat met een kappa buigen. De kappa is van nature beleefd en zal terugbuigen, waardoor het water uit zijn hoofd loopt. Op die manier wordt de kappa overwonnen of in ieder geval onschadelijk gemaakt.[18] Maar goed ook, want hoewel kappa goedgemanierd zijn, willen ze niets liever dan mensen verdrinken om via de anus van het slachtoffer hun lever te verslinden.

Een kappa komt tevoorschijn uit een lotusvijver.

Volgens sommige verhalen zit in de menselijke anus een magisch juweel, een zogenaamde *shirotama*, dat de kappa eerst moet verwijde-
ren om bij de lever te kunnen.[19]

Kappa zijn ongeveer zo groot als een klein kind en hun naam is
dan ook afgeleid van de samenstelling *kawa warawa* of 'rivierkind'.
In de eerste verwijzingen naar kappa, uit de middeleeuwen, worden
ze eerder getypeerd als kinderlijk en immoreel dan als boosaardig.
Hoewel ze mensen willen verdrinken en verslinden, doen ze dat niet
uit kwade wil, en ze gedragen zich dan ook buitengewoon beleefd en
vriendelijk, ook tegenover hun prooi. Naast mensenlever zijn kappa
dol op verse producten, met name komkommers, en in de Edoperiode werden ze niet alleen als ondeugende en gevaarlijke watergeesten
beschouwd, maar ook als een spookachtige plaag op boerderijen.

Ningyo
Ningyo 人魚 (let. 'mens-
vis') zijn een Japanse variant van meerminnen. Net
als hun westerse tegenhangers zijn deze wezens deels
mens, deels vis. Afhanke-
lijk van het verhaal kunnen
het echter vissen zijn met
een mensenhoofd, mensen
die onder water zijn opgegroeid, of elke denkbare
vorm daartussenin. Nin-
gyo zijn oceaan-yōkai, ze
komen niet voor in zoet-
water.

Een ningyo zwemt in de oceaan; in tegenstelling tot westerse meerminnen zijn ze vaak
afzichtelijk.

In de oudste bronnen wordt hun kop omschreven als aapachtig en hun tanden als klein en puntig. In verhalen vanaf de Muromachiperiode zijn ningyo menselijker.

Middeleeuwse verhalen over ningyo vertellen niet of deze wezens mannelijk of vrouwelijk zijn. De nadruk ligt op een ander lichamelijk aspect: hun vlees. Wie het vlees van een ningyo eet, wordt onsterfelijk. In de meeste verhalen is die onsterfelijkheid een vloek. In sommige gevallen zet een verlangen naar het vlees van een ningyo vissers of hun familie en vrienden aan tot verderfelijke daden. In andere gevallen wordt het eeuwige leven een bron van leed in plaats van vreugde. Men dacht dan ook dat het ongeluk bracht om onbedoeld een ningyo te vangen of een aangespoelde ningyo te vinden.

Een van de bekendste verhalen over het vlees van een ningyo is dat van de Yao Bikuni 八百比丘尼 of de 'achthonderd(jarige) non'. In de bekendste versie van deze mythe vangt een visser een ningyo aan de kust van de provincie Wakasa (huidige prefectuur Fukui). De visser vierde zijn vangst met een feestje, maar vertelde niet om wat voor vis het ging. Toen de genodigden de waarheid ontdekten, weigerden ze ervan te eten. Een van de gasten smokkelde echter een stukje vlees mee voor zijn dochter, die ernstig ziek was. De dochter genas en groeide op tot een gezonde, mooie jonge vrouw. Eenmaal volwassen hield ze echter op met ouder worden. Uiteindelijk legde ze boeddhistische geloften af nadat haar man en kinderen waren gestorven en werd ze achthonderd jaar oud, al die tijd door Japan zwervend als onsterfelijke non. Uiteindelijk ging ze terug naar haar geboortedorp en beroofde zichzelf van het leven.[20]

Yamanba

Yamanba of *yamauba* 山姥 (let. 'oud bergvrouwtje') zijn verwant aan heksen uit westerse sprookjes. Deze vrouwen wonen diep in de bergen van Japan waar ze magie gebruiken en in contact staan met de bergkami. De stereotype Yamanba is een oudere vrouw, maar niet noodzakelijk een oud besje. Ze eet doorgaans het vlees van zowel mens als dier en maakt genadeloos jacht op de argeloze zielen die per abuis haar territorium betreden.[21] Yamanba kunnen echter ook geschenken, kennis of magie geven aan mensen die hen helpen. Net als huisgeesten kunnen ze huizen betrekken en er blijven 'rondspoken'. In centraal Honshu en het noorden van Kyushu geloofde men dat een yamanba die in huis rondspookt geluk brengt. Of de yamanba oorspronkelijk mens was verschilt per verhaal. In tegenstelling tot heksen uit westerse folklore zijn yamanba ongeacht hun voorkomen en gedrag meer yōkai dan mens.

Ook van yamanba bestaan verschillende varianten, afhankelijk van de streek waarin ze verschijnen. Soms zijn het oude vrouwtjes, maar het kunnen ook beeldschone jonge vrouwen zijn, of mannen. In de Edoperiode waren deze verhalen zo populair dat er een reeks beroemde houtsneden werd gemaakt van mooie jonge yamanba. Dankzij dergelijke prenten ontsnapten yamanba deels aan de censuur die op bloederige volksverhalen werd toegepast ten tijde van het shogunaat. Ongeacht hun goede of kwade intenties werden de mooie yamanba in deze afbeeldingen populaire erotische figuren, wat dan weer zijn weerslag had op hun imago in de folklore. Ook vandaag nog vertellen verschillende regionale mythen over mooie, verleidelijke yamanba.[22]

Hoewel minder dan van andere yōkai zijn er voorbeelden van yamanba in de hedendaagse populaire cultuur. Sommige beelden van wijze oude vrouwen of heksen in de hedendaagse Japanse fantasy zijn evenveel geïnspireerd door yamanba als door westerse invloeden. Een aantal hedendaagse Japanse auteurs heeft ze gebruikt als symbool voor traditionele Japanse vooroordelen tegen oudere vrouwen. Het korte verhaal 'Yamanba no bishō' ('De glimlach van de bergheks', 1976) door Ōba Minako (1930-2007) is daar een beroemd voorbeeld van.

Een oude yamanba trekt zich terug in de bergen.

Het verhaal, dat zich afspeelt in het heden, maakt de vergelijking tussen een oudere weduwe, die in de steek is gelaten door haar familie, en de fictionele yamanba, en stelt de vraag of de yamanba als niet-menselijk wezen meer vrijheid geniet in het leven dan een vrouw in de moderne Japanse samenleving.

Yūrei

In hoofdstuk vier kwamen menselijke geesten en de geesten van de levenden aan bod. Dankzij verhalen uit de Muromachiperiode en later breidt het spectrum van wat onder een 'geest' kan vallen zich echter uit, en overlapt het ook met yōkai. Onder de categorie *yūrei* 幽霊 ('mysterieuze geest') vallen de eerdergenoemde onryō en goryō, wraakzuchtige of jaloerse geesten die anderen schade berokkenen. De term 'yūrei' is ook van toepassing op andere geesten, die niet in eerdere volksverhalen voorkwamen of die nu pas bij andere groepen 'geesten' worden ingedeeld.

De yūrei Okiku, de geest die de hoofdrol speelt in het griezelverhaal
'Het bordenhuis van Banchō' uit de Edoperiode.

Een van deze categorieën is die van de *gaki* 餓鬼 of 'hongerige geesten' uit de boeddhistische kosmologie. Volgens het mahayanaboeddhisme is het bestaan verdeeld in tien 'werelden'. Die 'werelden' zijn eigenlijk eerder manieren van zijn dan fysieke locaties in het multiversum. Onder deze werelden vallen (van beneden naar boven): de hel, hongerige geesten, dieren, strijdende geesten, mensen, deva's, wezens die wijsheid naderen, wezens die verlichting naderen, bodhisattva's en boeddha's.[23] Nirwana is een staat van zijn die zelfs de tiende 'wereld' overstijgt. Helemaal onderaan, in de hel, worden slechte zielen gemarteld tot ze gezuiverd kunnen worden en klaar zijn voor wedergeboorte hogerop. Het volgende niveau is dat van de gaki, en het is haast even gruwelijk als de hel.

Gaki, of *preta* in het Sanskriet, worden beschreven als kinderen met een grotesk opgezwollen buik en met onverzadigbare honger. Ze kruipen door hun dimensie, voortdurend op zoek naar eten dat ze nooit kunnen vinden. Het is er minder vreselijk dan in de hel, maar alles erboven is beter, zelfs opnieuw geboren worden als een dier. Toch konden zelfs in het boeddhisme van het oude India sommige preta van hun wereld naar de onze ontsnappen. Preta kunnen lastposten zijn, geesten die verlangen naar dingen die alleen de levenden hebben, en soms zijn ze zelfs gevaarlijk. Tegen de tijd dat legenden over preta/gaki Japan bereikten, waren deze wezens al een stuk minder onschuldig. Gaki gaan over lijken om de dingen die ze van mensen verlangen in handen te krijgen.[24] Je kunt ze vergelijken met klopgeesten, ghouls en tot op zeker hoogte met westerse vampiers. Ze worden ook als een soort yūrei beschouwd. Grappig genoeg is het woord 'gaki' in het hedendaagse Japans 'verwend kreng' gaan betekenen. Je hoort het vaak in Japanse films en op televisie.

Een gelijkaardige soort yūrei is de *zashiki-warashi* 座敷童子 (het 'pakhuiskind'). Dit zijn geesten van jonggestorven kinderen, die door magazijnen en opslagplaatsen spoken. Ze zijn ondeugend, maar minder gevaarlijk dan gaki. Zashiki-warashi willen met mensen spelen; hun gedrag wordt eerder gedreven door een kinderlijk gebrek aan moraal dan door gulzigheid of kwade opzet.[25] Veel hedendaagse Japanse spookverhalen zijn geïnspireerd door traditionele verhalen over deze geesten, die soms dienstdoen als afschrikwekkende voorbeelden, zoals de geest in de horrorfilm *Juon* (Eng. *Ju-On: The Grudge*) uit 2002.

Yūrei worden ook geassocieerd met een ander soort yōkai, die bekendstaan als *bakemono* 化け物 of *obake* お化け.

'Hongerige geesten' (gaki) kunnen tot de mensenwereld doordringen en chaos veroorzaken.

Het werkwoord *bakeru*, waarvan beide namen zijn afgeleid, betekent 'veranderen'. Bakemono/obake zijn dus wezens die een verandering ondergaan. In het geval van yūrei kan het gaan om een overgang naar de dood. Ook sommige van de dierlijke yōkai die later in dit hoofdstuk aan bod komen, zijn bakemono. Bakemono vormen een brede categorie en omvatten allerlei soorten geesten van zowel dieren als voorwerpen, die hieronder aan bod komen, en ook yōkai die niet gebaseerd zijn op dingen uit de fysieke wereld.

Regionale Yōkai
Vele en misschien zelfs alle yōkai in Japan zijn kenmerkend voor een streek of, in sommige gevallen, een stad of dorp. Hoewel sommige van deze streekgebonden yōkai overlappen met de soorten die hier-

voor aan bod kwamen, bestaan er ook varianten die uniek zijn voor een streek. De vele verschillende yamanba waarover eerder werd gesproken, zijn daar een voorbeeld van. De werken van Toriyama Sekien waren een van de eerste waarin veel van deze regionale varianten werden opgesomd. Sommige werden voor het eerst beschreven in zijn encyclopedieën en hij baseerde zich waarschijnlijk op de verhalen van over de hele archipel die hij halverwege de achttiende eeuw verzamelde. Andere werden pas beschreven in de plotse explosie van boeken over yōkai die op gang kwam na de publicaties van Toriyama en voortduurde tot het einde van de Edoperiode.

Lafcadio Hearn (1850-1904), een van de eerste Amerikanen die zich in Japan vestigden, maakte een gedetailleerde studie van de regionale folklore van de streek Izumo (huidige prefectuur Shimane). Dankzij Hearns werk, gepubliceerd als de verhalenbundel *Kwaidan. Stories and Studies of Strange Things* (1904), maakte de Engelstalige wereld niet alleen kennis met yōkai in het algemeen, maar ook met de streekgebonden yōkai van Izumo. Na de Tweede Wereldoorlog maakte de gevierde auteur Mizuki Shigeru (1922-2015) er zijn levenswerk van om de folklore uit deze streek bij het grote publiek te introduceren door middel van manga's. Mizuki's magnum opus, *Gegege no Kitarō* (*Kakelende Kitarō* 1960-1969) vereeuwigde de yōkai van Shimane voor een hele generatie Japanse kinderen, en de franchise is nog steeds populair (zie hoofdstuk zeven voor meer over het werk van Mizuki).

Tegenwoordig kan iedereen een Japanse boekenwinkel binnenstappen en een woordenboek met yōkai kopen. Deze hedendaagse boeken variëren van bescheiden gidsjes tot dikke turven met alfabetische opsommingen en gedetailleerde antropologische beschrijvingen van de vele geesten en mindere kami van het platteland. Er zijn ook een heleboel films over yōkai, en andere populaire media, zoals anime en manga. Hoewel hedendaags Japan eigen urban legends en hedendaagse varianten van yōkai heeft – die komen in het volgende hoofdstuk aan bod – blijven de traditionele versies razend populair. Er dolen nog steeds yōkai door het platteland van Japan.

DIEREN, VOORWERPEN EN DINGEN

Opmerkzame liefhebbers van de Japanse traditionele cultuur hebben ongetwijfeld gemerkt dat er een aantal belangrijke yōkai ontbreken in dit overzicht, waarin de focus lag op yōkai waarvan de oorsprong duidelijk bovennatuurlijk is. Er is echter nog een omvangrijke categorie van deze wezens: yōkai die gebaseerd zijn op dieren en voorwerpen. Men geloofde dat deze geesten ondanks hun bovennatuurlijke krachten natuurlijke ontwikkelingen waren van doodnormale dingen. Hoewel het de normaalste zaak van de wereld was dat planten kami hadden en hebben, bestonden er vóór het moderne tijdperk verrassend genoeg veel minder legenden over planten die zelf bovennatuurlijke wezens waren. In tegenstelling tot dieren en door mensen gemaakte voorwerpen, die dikwijls wel actieve geesten werden.

Vaak verandert een doodgewoon dier of voorwerp in een bovennatuurlijk wezen als het een bepaalde leeftijd heeft bereikt. De bekendste legende over dieren is dat als ze honderd jaar of ouder worden, ze extra staarten, een andere kleur of iets anders krijgen dat hen onderscheidt. Meestal worden ze minstens zo intelligent als mensen en ontwikkelen ze bovennatuurlijke gaven. De veranderingen hangen af van het dier en de legende. Ook voorwerpen kunnen na verloop van tijd bewust worden. Dit gebeurt het vaakst bij zwaarden en spiegels, die veel gebruikt werden als *sintai* of 'lichamen van goden' in en nabij shinto-heiligdommen. Middeleeuwse Japanse legenden beschrijven hoe allerhande voorwerpen, van heilige juwelen tot magische levende potten, spiritueel ontwaken of een geestelijk bewustzijn ontwikkelen.[26] Hieronder volgt een bespreking van de meest voorkomende voorbeelden.

Vossen

Vossen (Jp. *kitsune*) behoren tot de beroemdste dierlijke geesten en zijn tegenwoordig mogelijk de bekendste yōkai in Japan. De rode vos (*Vulpes vulpes*) is zoals in de meeste landen op het noordelijk halfrond een inheemse diersoort in Japan. Vossen zijn slinkse jagers die ook als ze dicht in de buurt wonen meestal onopgemerkt blijven, en deze eigenschappen worden uitgespeeld in folklore. In Japan gelooft men dat vossen wezens zijn die van gedaante kunnen wisselen. Ze kunnen allerlei gedaanten aannemen, maar de meeste veranderen in mooie vrouwen, oudere mannen of kleine kinderen van onbepaald geslacht. Vossen in menselijke gedaante proberen goedbedoelende mensen op te lichten of op andere manieren uit te buiten. Dat doen ze met eenvoudige listen, bijvoorbeeld door zich voor te doen als bedelaar en mensen voedsel en geld af te troggelen, maar hun streken kunnen ook grotere en gevaarlijkere proporties aannemen. Zoals gebeurt in de legende van Kaya no Yoshifuji (zie hoofdstuk vijf) lokken vossen soms mensen mee, die in plaats van een vossenhol een prachtig paleis zien. In de ban van de betovering wordt het weerloze slachtoffer langzaam van alle levensenergie beroofd, meestal door middel van seks. Als er niemand ingrijpt, sterft het slachtoffer uiteindelijk.[27]

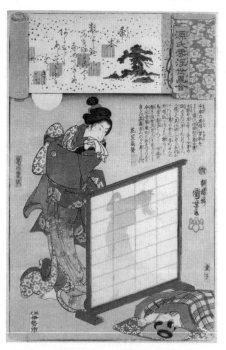

Een vos is vermomd als een beeldschone vrouw,
maar zijn ware gedaante is te zien in haar schaduw.

Niet alle vossen zijn zo boosaardig. De vruchtbaarheidskami Inari 稲荷 (ook wel Inari Ōkami of Ō-inari genoemd) gebruikt vossen als boodschappers. Zijn vossen zijn wit en hebben gouden ogen. Ze beschikken over dezelfde krachten als traditionele vossen, maar die gebruiken ze alleen om Inari te helpen de boeren en dorpelingen van voorspoed te verzekeren.[28] De verering van Inari is afgeleid van een versmelting van bekendere kami uit de oude mythen, zoals Izanagi en Ninigi. Hoe en wanneer deze goden zijn samengesmolten tot de beschermgod van de landbouw is niet bekend, maar omstreeks de vijftiende eeuw verschenen er over de hele archipel aan Inari gewijde heiligdommen. Het bekendste heiligdom is Fushimi inari, net buiten Tokio. Het bergpad naar het centrale heiligdom telt meer dan driehonderd helderrode toriipoorten. Inari vertegenwoordigt voorspoed in de landbouw, met name op rijstvelden en theeplantages. Mogelijk wordt hij met vossen geassocieerd omdat die de gewoonte hebben op ongedierte te jagen in de velden. Inari en zijn vossen zijn nog steeds belangrijke mythische figuren in het hedendaagse Japan; men vereert ze in kleinere heiligdommen naast grote shinto-heiligdommen en zelfs op boeddhistische plekken.

Een populair gerecht op de menukaart van sushi-restaurants is *inari-zushi*, in azijn geweekte sushirijst die wordt ingepakt in een laagje tofuvel. De spitse uiteinden van het tofuvel lijken op vossenoortjes, waaraan het gerecht zijn naam te danken heeft. Door dit verband wordt ook in andere contexten naar verschillende soorten tofuvel verwezen als 'kitsune'. Populaire gerechten in de Japanse regio Kansai (Osaka, Kyoto, Nara en omstreken) zijn onder andere *kitsune udon* en *kitsune soba*, twee noedelgerechten met tofuvel (en dus niet met vossenvlees!).

Tanuki

De *tanuki* 狸 of wasbeerhond (*Nyctereutes procyonoides*) is een inheemse Japanse diersoort uit de familie van hondachtigen. Deze schuwe nachtdieren lijken veel op Noord-Amerikaanse wasberen, waarvan ze overigens geen familie zijn. Hun naam wordt vaak verkeerd vertaald als 'wasbeer' (het Japanse woord voor de Noord-Amerikaanse wasbeer is eigenlijk *araiguma* 'beer die handen wast'), maar het zijn verschillende diersoorten.

In Japan werden tanuki lang beschouwd als wezens die van gedaante kunnen wisselen, net als vossen. In tegenstelling tot vossen zijn tanuki meestal aangenaam in de omgang en hebben ze goede bedoelingen. Ze halen grappen uit met mensen, maar doen dat op manieren die het slachtoffer zelden veel ongemak bezorgen en soms zelfs voordeel opleveren. De magie van tanuki bevindt zich in hun testikels, die in afbeeldingen vaak heel groot zijn. Hoe het met vrouwelijke tanuki zit vertellen de volksverhalen niet. Echte mannetjes hebben inderdaad prominente testikels, wat mogelijk de oorsprong van de mythe verklaart, maar lang niet zo groot als ze in kunst vanaf de Edoperiode worden afgebeeld.[29]

In de *Nihonshoki* en andere bronnen uit die tijd komen al tanuki voor die van gedaante kunnen veranderen. Ze maken met enige regelmaat hun opwachting in literatuur uit de Heian- en Kamakuraperioden, en vanaf de middeleeuwen komen ze vaak voor in bekende volksverhalen. Ze zijn nog steeds populair en in veel delen van Japan staan aan de ingang van restaurants en winkels standbeelden van vriendelijke tanuki met grote testikels. De animatiefilm *Pom Poko* (1994) van de gevierde regisseur Takahata Isao (1935-2018) is slechts een van de vele bekende hedendaagse werken waarin de folklore van tanuki centraal staat. De film gaat over de strijd tussen gulzige projectontwikkelaars en een groep magische tanuki, die hun toverkunsten gebruiken om de verwoesting van hun bos te voorkomen.

Een tanuki of wasbeerhond, naar verluidt een vriendelijkere tegenhanger van de vos, die ook van gedaante kan veranderen.

Draken en slangen

Slangen en draken zijn andersoortige wezens, maar in de Japanse mythologie zijn ze soms verwant. De mythologie van draken en slangen overlapt met name in grote delen van Zuid- en Oost-Azië. De Japanse legenden over slangen en draken werden gevoed met verhalen uit India en China en in sommige contexten zijn de overeenkomsten duidelijk zichtbaar. Japan kent veel inheemse slangensoorten, maar de meeste zijn niet giftig en ze zijn geen van alle groot. Er zijn geen inheemse krokodillensoorten, geen grote hagedissen en, althans volgens wetenschappers, geen draken. Toch is er zelfs in de vroege mythen uit de *Kojiki* en de *Nihonshoki* al sprake van grote reptielachtige wezens. Of deze geïnspireerd zijn door invloeden van het vasteland is niet zeker.

In zowel de *Kojiki* als de *Nihonshoki* komt de Yamata-no-Orochi voor, een reptiel met acht koppen en acht staarten, waar Susanowo tegen vecht (zie hoofdstuk twee). De Orochi wordt in detail beschreven, maar het blijft tamelijk onduidelijk welke vorm het lichaam van het wezen heeft. Het heeft acht koppen en staarten; het lichaam vult acht valleien en bedekt acht bergen; de rug is bedekt met dennenbomen; uit de buik vloeit een rode vloeistof; de ogen zijn felrood, als Chinese lantaarns. Er worden schubben vermeld, maar geen poten. In de *Nihonshoki* worden de karakters voor 'grote slang' 大蛇 gebruikt om het woord *orochi* te schrijven, dus werd het wezen eeuwenlang afgebeeld als een enorme meerkoppige slang. Eigenlijk weten we niets over de oorsprong en betekenis van het woord 'orochi' (*worochi* in oudere Japanse teksten). Hoewel het monster wordt afgebeeld als een slang, kan het vele andere verwoestende krachten vertegenwoordigen, van een rivier die door de vervuilde afvoer van ijzerverwerking uit zijn oevers treedt, tot een vulkaanuitbarsting. Helaas zullen we waarschijnlijk nooit de 'juiste' interpretatie kunnen achterhalen, als die al ooit heeft bestaan.[30]

De Chinese notie van draken deed heel vroeg haar intrede in Japan. In China zijn draken slangachtige wezens met vier poten, maar ze hebben geen vleugels. Ze leven in water en zijn op dat element afgestemd. Ze kunnen ook vliegen en komen even vaak voor in de wolken en de lucht als in meren, rivieren en de zee. Afhankelijk van de bron kunnen draken bliksem, stormen of alleen maar wolken uitademen. Het zijn machtige, koninklijke wezens met veel kennis. Draken zijn soms goede bondgenoten voor mensen, maar over het algemeen kijken ze op hen neer; ze zijn dan ook even prikkelbaar als behulpzaam.

Deze Chinese beschrijving van draken bereikte Japan ten laatste in de zevende eeuw. Draken in de Chinese stijl van de Noordelijke en Zuidelijke Dynastieën (220-589) komen voor in de architectuur van de Hōryūji-tempel nabij Nara. De draken zijn gekerfd in houtsnijwerk dat dateert van omstreeks 700. In historische teksten uit de Naraperiode (710-784) komen draken voor die lijken op de draken uit Chinese bronnen. Tegen het begin van de Heianperiode raakte Watatsumi, de drie-in-één-god van de zee (zie hoofdstuk twee), vermengd met de drakenkoning van de zee 竜王 (Jp. Ryūō). De drakenkoning, die in een paleis op de bodem van de zee woont, is de meester van alle draken, en een machtige god. Na deze versmelting kreeg Watatsumi naast zijn status als beschermer van overzeese reizen ook al deze kenmerken.

Een draak vliegt door onweerswolken. Zoals de meeste Oost-Aziatische draken is het een wezen van water en lucht, niet van vuur.

Draken

- In de Japanse mythologie zijn draken mindere kami, vaak goden van zeeën en rivieren, met kenmerken van zowel Chinese draken als Indiase slangen.
- Chinese draken hebben slangachtige lichamen, vier poten en geen vleugels, maar ze kunnen wel vliegen. Ze leven in water en in de lucht, en ademen stormen en bliksem uit. Ze zijn wijs en krachtig, maar even gevaarlijk als behulpzaam.
- Indiase nāga zijn mindere goden – half slang, half mens – die in de boeddhistische onderwereld leven en altijd ethisch en met mededogen handelen.
- De draakachtige Yamata-no-Orochi uit de oude Japanse kronieken heeft acht koppen en acht staarten, een lichaam dat acht valleien vult, en een rug bedekt met dennenbomen. Het monster kan ook verwoestende overstromingen of vulkanen voorstellen.

Een ander bekend verhaal met draken en de zee, dat vaak werd verteld in de Muromachi- en Edoperioden, is dat van Urashima Tarō 浦島太郎. Het is gebaseerd op een veel ouder verhaal dat voorkomt in werken uit de Nara- en vroege Heianperioden, en wordt vaak vergeleken met het Amerikaanse korte verhaal 'Rip Van Winkle'. Lang, lang geleden was er eens een man, genaamd Urashima Tarō, die een groep kinderen tegenkwam op het strand. De kinderen vielen een schildpadje lastig, dat tevergeefs terug bij de oceaan probeerde te komen. Urashima jaagde hen weg en redde het leven van de schildpad. Toen Urashima enkele dagen later aan het vissen was, steeg uit de zee een magische boot op die op hem af kwam varen. In de boot zat het schildpadje dat hij had gered en het veranderde in een prachtige vrouw. Ze onthulde dat ze de dochter van de drakenkoning van de zee was en dat de schildpad haar minder intimiderende gedaante was (in tegenstelling tot die van een draak of prinses). Omdat hij haar leven had gered, bood ze Urashima aan met haar te trouwen. Hij stemde toe en ging met haar mee naar het paleis van de drakenkoning, waar het echtpaar een aantal dagen – in sommige versies vele jaren – gelukkig samenleefde.

Op een dag kreeg Urashima echter heimwee. Hij miste zijn vader en moeder en wilde teruggaan. Zijn vrouw liet hem gaan, maar gaf hem een bijzondere doos mee, een *tamatebako*, en ze zei dat hij de doos alleen moest openen als hij niet langer wilde leven. Urashima keerde terug naar de oppervlakte, maar ontdekte dat zijn dorp was veranderd.

De dochter van de drakenkoning bij het vertrek van Urashima Tarō, die terug naar huis keert zonder te weten hoeveel tijd er is verstreken.

Iedereen die hij kende was dood; ook zijn ouders waren, zo ontdekte hij, al lang geleden gestorven. Hoelang hij weggeweest was varieert van bron tot bron, maar of het nu tachtig jaar was of achthonderd, hij was hoe dan ook in een heel ander tijdperk terechtgekomen. Omdat hij niet meer wilde leven nu al zijn kennissen en geliefden dood waren, opende Urashima de tamatebako, waarin alleen een witte mist zat. De mist veranderde hem in een oude man en na een vredige dood werd hij eindelijk herenigd met zijn familie.[31]

In Japan werden draken een soort kami van lagere rang. Veel goden van beken en rivieren worden voorgesteld als draken. Ook de zee en stormen behoren tot hun gebied. Na verloop van tijd werden draken echter ook geassocieerd met wijsheid en boeddhistische moraliteit, en met slangen, via de Indiase nāga. Nāga zijn deels slang, deels mens en bewonen de onderwereld van het oude India.

Deze krachtige, mindere godheden zijn buitengewoon wijs en staan meestal welwillend en meelevend tegenover mensen. In het moderne hindoeïsme vervullen nāga deze rol nog steeds.

Zoals zoveel facetten van het oude Indiase geloof werden nāga al vroeg opgenomen in het boeddhisme. Verschillende oude soetra's gaan in op de aard van nāga en stellen hen voor als wijze en machtige bondgenoten van het boeddhisme. Deze ideeën vonden hun weg naar China, waar het beeld van de nāga zich vermengde met dat van de draak. Beide wezens waren deels slangachtig, wijs en machtig, en stonden doorgaans aan de kant van het goede. Hoewel ze in de mythologie van het Oost-Aziatische boeddhisme hoofdzakelijk gescheiden bleven, werden beelden van draken en nāga zo vaak verward dat ze kenmerken van elkaar overnamen. Draken begonnen de kracht van het boeddhisme te vertegenwoordigen, terwijl nāga – en dus slangen – steeds vaker geassocieerd werden met water.

Zo kregen slangen dus ook een grote rol in de Oost-Aziatische mythologie. Nāga kunnen een menselijke vorm aannemen in Indiase mythen en hetzelfde lijkt te gelden voor slangen in de Chinese en Japanse folklore. In tegenstelling tot de in het Westen populaire op het christendom geïnspireerde beeldvorming van slangen als misleidende dieren, zijn slangen in Japan bronnen van wijsheid. Ze fluisteren geheimen en fungeren soms als orakel. Ze zijn echter niet per definitie goedaardig; als ze zich beledigd of bedreigd voelen, kunnen het geduchte tegenstanders zijn.

Een bekend verhaal is dat van 'vrouwe witte slang', waarin een jonge man verliefd wordt op een vrouw die eigenlijk een slang is die van gedaante kan veranderen. De man is geschokt als hij haar ware gedaante ontdekt, en de wraakzuchtige vrouw transformeert in een grote moordzuchtige witte slang. Het verhaal van vrouwe witte slang vindt zijn oorsprong in een Chinees volksverhaal uit de vierde of vijfde eeuw en bereikte Japan ten laatste halverwege de Heianperiode. Het inspireerde een groot aantal plaatsgebonden volksverhalen, zoals de legende van de Dōjōji-tempel in de dertiende-eeuwse *Konjaku monogatarishū*, en het latere no-toneelstuk *Dōjōji* (ca. vijftiende eeuw).

Katten

Er zijn verhalen over huiskatten die teruggaan tot de Heianperiode. Uit literatuur uit de Heianperiode, zoals Sei Shōnagons luchthartige verhalenbundel *Makura no sōshi* (*Het hoofdkussenboek*, ca. 1015) blijkt dat keizers katten als huisdier hielden.[32] Tegen de veertiende eeuw zijn er ook verhalen over magische katten. Net als bij vossen zijn het meestal dieren die een bepaalde leeftijd hebben bereikt (meestal een eeuw) en meerdere staarten hebben. Misschien werden (en worden) de staarten van katten daarom gecoupeerd in Japan, om mensen tegen hun magie te beschermen. Anderzijds bestaat er een inheems kattenras, de Japanse stompstaartkat, dat door een genetische afwijking van nature een korte staart heeft. Het is goed mogelijk dat de aanwezigheid van zoveel staartloze katten tot bijgeloof heeft geleid.

Een kat die honderd jaar oud wordt, kan een tweede staart krijgen en een *nekomata* worden, die zichzelf met kledij kan vermommen en over magische krachten beschikt.

Een bekend voorbeeld van katten die yōkai worden zijn *nekomata* 猫. Dit zijn katten die na honderd jaar of langer plots zo groot als wolven worden en een tweede staart krijgen. Na deze transformatie vluchten de nekomata naar het bos, waar ze mensen vangen en opeten. In een anekdote uit het veertiende-eeuwse werk *Tsurezuregusa* (*De kunst van het nietsdoen*) wordt een man 's nachts onderweg naar huis aangevallen door een nekomata. Hij rent schreeuwend door het dorp om er vervolgens met behulp van een lichtbron achter te komen dat de reusachtige yōkai-kat zijn hond was die hem wilde verwelkomen.[33]

De *bakeneko* 化け猫 of 'van gedaante verwisselende kat' is een andere yōkai die lijkt op de nekomata.

Magische katten

- Magische katten hebben vaak meerdere staarten. Het Japanse gebruik om de staart van katten te couperen is mogelijk ontstaan om mensen tegen hun magie te beschermen.
- *Nekomata*: als katten honderd jaar worden, krijgen ze een tweede staart en vluchten ze naar het bos waar ze mensen vangen en opeten.
- *Bakeneko*: katten die dankzij hun leeftijd en vele staarten van gedaante kunnen veranderen. Ze zijn ondeugend en doen waar ze zin in hebben. Soms helpen ze mensen, soms jagen ze op hen.
- *Manekineko*: 'uitnodigende' katten die vaak in de vorm van beeldjes mensen verwelkomen in winkels, restaurants en bedrijven. Zwaaien met hun pootje naar beneden om het geluk naar binnen te wuiven.

Deze langlevende katten met meerdere staarten worden geen wolfachtige wilde dieren, maar kunnen wel van gedaante veranderen. Net als vossen en tanuki zijn bakeneko ondeugend; ze zijn echter immoreler dan sluwe vossen of behulpzame tanuki. Bakeneko doen waar ze zin in hebben, het ene moment jagen ze op mensen, het volgende zijn ze juist behulpzaam. Typisch katten dus, zou elk kattenbaasje zeggen.

Vanaf de Edoperiode staan katten ook symbool voor geluk. De

neerwaartse beweging die katten met hun pootjes maken, lijkt op het handgebaar waarmee Japanners mensen in hun winkel of huis uitnodigen, waardoor het idee ontstond dat katten geluk aantrekken. Dat is ook de oorsprong van de *manekineko* of beeldjes van 'uitnodigende katten' die je vaak aan de ingang van restaurants en andere winkels ziet.

Andere magische dieren

Er bestaan nog talloze andere soorten dieren met magische of spirituele krachten in Japan. Deze dieren worden over het algemeen tot de yōkai gerekend. Het zou te veel plaats innemen om ze allemaal gedetailleerd te behandelen, maar hier volgen nog enkele beknopte beschrijvingen van soorten die vaak voorkomen in Japanse verhalen.

Schildpadden (*kame*) en kraanvogels (*tsuru*) staan symbool voor een lang leven, een verband dat misschien afkomstig is van de legende van Urashima Tarō (zie hiervoor). Volgens een bekend gezegde dat minstens tot de Edoperiode teruggaat, leven schildpadden 'honderd jaar en kraanvogels duizend'. Beide dieren worden vaak geassocieerd met dennenbomen (*matsu*), nog een symbool van hoge ouderdom. Het woord voor den is hetzelfde als het werkwoord 'wachten' dus de associatie kan ook daaruit zijn voortgekomen.

Konijnen komen voor in sommige oude mythen, met name in de delen over de aardse god Ōkuninushi in de *Kojiki*. Als jonge god redt Ōkuninushi een konijn dat een wedstrijd verloor tegen een krokodil (of een haai; zie hoofdstuk twee) en geeft hij het een zachte witte vacht als troostprijs. Konijnen staan ook symbool voor de maan, onder invloed van China. In oude Chinese mythologie hebben de donkere vlekken op de maan niet de vorm van een man, zoals in de meeste westerse culturen, maar van een konijn. Dit wordt vaak vermengd met de legende van Chang'e 嫦娥 (Jp. Jōga of Kōga), een Chinese maangodin. Deze legende wil dat Chang'e in de maan woont, waar ze het elixir van onsterfelijkheid maakt door het fijn te stampen in een vijzel. De konijnenvorm neemt haar rol over en stampt magisch voedsel fijn. In Japan is dat voedsel meestal zoet rijstdeeg of *mochi* in plaats van vloeibaar elixir.

Duizendpoten en spinnen roepen negatieve associaties op in de Japanse mythen. In Japan leeft een kleurrijke inheemse spinnensoort uit de familie van de wielwebspinnen, die bekendstaat als de Jōro-spin (*Trichonephila clavate*). In augustus weven de vrouwtjesspinnen, die opvallender zijn dan de mannetjes, enorme webben. Ze eten de veel kleinere mannetjes meteen na het paren op, waarmee ze mogelijk een inspiratiebron werden voor de gelijknamige *jorōgumo* 女郎蜘蛛 (let. 'vrouwtjesspin'), een gevaarlijke yōkai. Deze spinnen

veranderen in mooie vrouwen die reizigers mee naar huis lokken, waar ze seks met hen hebben en hen vervolgens onthoofden om hun bloed te drinken. Ook duizendpoten worden als gevaarlijke dieren beschouwd. Hoewel ze geen menselijke vorm aannemen, kunnen ze in de Japanse folklore gigantisch groot worden. Vreemd genoeg zijn duizendpoten vaak de aartsvijanden van slangen in volksverhalen uit de late middeleeuwen en Edoperiode. Een voorbeeld daarvan is de folklore rond het Akagi-heiligdom in het huidi-

Konijnen worden in een groot deel van Oost-Azië geassocieerd met de maan omdat ze in Chinese mythen met elkaar in verband werden gebracht.

ge Maebashi in de prefectuur Gunma. Het heiligdom is gewijd aan de godheid van de naburige berg Akagi, die vaak wordt voorgesteld als een gigantische duizendpoot en die vocht met een al even gigantische slang, de godheid van de berg Futara in de huidige prefectuur Tochigi, boven een meer dat tussen hun gebieden in ligt. De duizendpoot moest helaas het onderspit delven, waardoor het meer nu toebehoort aan de godheid van Futara en het bijbehorende heiligdom (het Nikkō Futara-heiligdom in het huidige Nikkō in de prefectuur Tochigi). Het moerasland en Ramsar-gebied op de grens tussen de twee huidige prefecturen, Senjōgahara (het 'slagveldmoeras'), werd naar hun gevecht vernoemd.[34]

De legende dat meervallen (*namazu*) aardbevingen veroorzaken, dateert van het einde van de Heianperiode of het begin van de Kamakuraperiode. Dit geloof verdween echter uit de populaire folklore tot halverwege de Edoperiode, toen er in korte tijd een hele reeks natuurrampen plaatsvond (waaronder de uitbarsting van de berg Fuji in 1705). In de achttiende en vroege negentiende eeuw bliezen stedelingen nieuw leven in het idee dat Japan op een reusachtige slapende meerval ligt die af en toe heen en weer rolt en zo aardbevingen en vulkaanuitbarstingen veroorzaakt. Dit volksgeloof leidde zelfs tot de toegenomen populariteit van beschermende amuletten die moesten voorkomen dat de meerval bewoog, of die de drager beschermden tegen de aardbevingen die hij ontketende.

Ook apen, everzwijnen en verscheidene marterachtigen maken hun opwachting in de mythen. De rol en kenmerken van deze dieren hangen meestal af van specifieke streekgebonden legenden. Apen komen vaak voor als mensachtige wezens of als incarnaties van bergkami. Wilde zwijnen zijn gevaarlijke dieren die in bossen leven, en kunnen dus optreden in de gedaante van de even wilde kami van bergen en andere wilde plekken. Wezels, marters en hermelijnen zijn zeldzamer in de folklore, maar worden soms verbonden aan een aantal regionale yōkai. Een voorbeeld dat tegenwoordig meer bekendheid geniet, is de *kamaitachi* 鎌鼬 ('sikkelwezel'), een wezel met een zeis of sikkel die in een wervelwind verandert en mensen vermoordt voor ze goed en wel beseffen wat hun overkomt.

Een kamaitachi, een wezelkami, creëert een wervelwind
met een magische sikkel.

Legenden over kamaitachi stammen vooral uit het noorden van Honshu, maar ze komen voor in de hele archipel.

Tsukumogami en geesten van voorwerpen
Een laatste groep geesten in de Japanse folklore is die van de geesten van voorwerpen. Net als oude dieren kunnen oude voorwerpen zich manifesteren als hun eigen kami. Doorgaans worden zulke voorwerpen *tsukumogami* 付喪神 genoemd. Tsukumogami zijn vaak gebruiksvoorwerpen die meer dan een eeuw lang gekoesterd en gebruikt zijn. Het kunnen ook wapens of huishoudelijke voorwerpen zijn, zoals kamerschermen of waaiers. Ze manifesteren zich meestal in een menselijke verschijning, als geest of in een vast lichaam. Soms is de aanleiding verdriet om het feit dat het voorwerp niet langer gebruikt wordt. In andere gevallen ontstaan tsukumogami om de ei-

215

genaar van het voorwerp te belonen. Misschien wel de griezeligste incarnaties van tsukumogami zijn degene die gebaseerd zijn op kamerschermen of schilderijen, die ogen en hoofden krijgen waarmee ze mensen in de gaten houden als een soort spookachtige luistervinken.[35]

In de steek gelaten voorwerpen kunnen ook tsukumogami worden. Zwaarden die al een eeuw liggen te roesten of eens geliefde gebruiksvoorwerpen die werden weggegooid, kunnen na verloop van tijd bezielde geesten worden. Vaak zijn deze tsukumogami gevaarlijker dan die van voorwerpen die nog steeds geliefd en/of gebruikt worden. Zulke negatieve tsukumogami willen wraak nemen op de mensen die hen hebben weggegooid, of andere problemen veroorzaken. Ze behoren tot de groep yōkai die magiërs, zoals onmyōji of yamabushi, onschadelijk moeten maken en moeten verzegelen.

De wereld van het premoderne Japan wemelde van de geesten; dit hoofdstuk over Japanse religieuze en volkse overtuigingen was slechts het topje van de ijsberg. De hemel werd bevolkt door continentale en inheemse goden en tennin. In de steden huisden goden van geluk en bedrijvigheid, maar ook goden die epidemieën en rampspoed brachten. Op het platteland spookten allerlei yōkai rond en zelfs dieren en voorwerpen konden bezield zijn.

Een tsukumogami, een voorwerp dat bezield is tot kami, hier samengesteld uit servies.

Tsukumogami

- Geesten (kami) van voorwerpen, meestal oud en al meer dan een eeuw in gebruik: wapens, gebruiksvoorwerpen of huishoudartikelen.
- Kunnen zich als mens manifesteren, vooral als het voorwerp niet meer in gebruik is, of om de eigenaar te belonen.
- Voorwerpen die niet langer gekoesterd of gebruikt worden, kunnen zich openbaren als gevaarlijkere tsukumogami die op wraak zinnen.

In de moderne tijd hebben de verhalen over deze geestenwereld zich meer en meer verspreid. Dankzij de ontwikkeling van houtsneden en de verbreiding van het onderwijs telde Japan omstreeks de Edoperiode meer geletterde inwoners dan ooit tevoren. Dit grote lezerspubliek hongerde naar sappige griezelverhalen, bovennatuurlijke romances en de epische legenden uit vervlogen tijden. De verhalen in dit hoofdstuk drongen door tot in de verste uithoeken en inspireerden mensen als Toriyama Sekien verhalen te verzamelen die nog nooit waren neergeschreven.

Dankzij deze explosie van geschreven tekst tijdens de Edoperiode (en wellicht een portie geluk) hebben deze verhalen het overleefd en weten we het een en ander over de legenden en folklore van Japan. Ze zijn anders dan de eeuwenoude mythologieën van het shintoïsme en het Japanse boeddhisme, maar erg belangrijk. Ze laten ons het web van volkse overtuigingen zien dat de oudere mythen uit de vorige hoofdstukken al minstens sinds de zeventiende eeuw omringt. Ze bieden context bij de manier waarop premoderne en zelfs moderne Japanners naar de geestenwereld kijken. Als we in het volgende hoofdstuk ingaan op de meest recente ontwikkelingen in de Japanse mythologie moeten we niet alleen de verzamelde mythen van de belangrijkste religies in ons achterhoofd houden, maar ook deze wonderlijke geestenwereld.

7

DE NIEUWE MYTHOLOGIEËN VAN
HET MODERNE JAPAN

In 1845 bereikte een Amerikaanse vloot onder aanvoering van commandeur Matthew Perry de Baai van Edo (huidige Baai van Tokio). Het betrof de meest flagrante inbreuk van het Westen op de Japanse isolatiepolitiek zoals die 225 jaar eerder was afgekondigd. Op grond van de *sakoku*-edicten van 1639 mocht geen enkele westerling, behalve de Nederlandse handelaars in Nagasaki, Japan betreden. De overtreding van de Amerikanen zou ongetwijfeld een heftige reactie hebben uitgelokt. Het Tokugawa-shogunaat wist echter dat deze schepen – zogenaamde *kurofune* of 'zwarte schepen' – technologie vertegenwoordigden die geraffineerder was dan die van hun eigen vloot. Het shogunaat vreesde dat een aanval zou uitdraaien op de invasie van Edo. Ondanks eeuwenlange volharding dat geen enkele vreemdeling voor de shogun of zijn raad van ouderen mocht verschijnen, ging de Tokugawa-overheid in op de Amerikaanse eis om te onderhandelen.

Het resultaat, de Conventie van Kanagawa, werd ondertekend in 1854. Japan stelde vijf 'verdraghavens' open voor Amerikaanse, Britse en Russische schepen. Algauw volgden de Europese grootmachten hun voorbeeld, behalve de Nederlanders, die hun monopolie hadden verloren. De komst van al die verschillende Europeanen veroorzaakte interne spanningen in Japan. Het volk verloor het vertrouwen in de bescherming van het shogunaat. In de periode tussen eind 1850 en begin 1860 vonden een aantal incidenten met vreemdelingen plaats, waarbij het shogunaat telkens toegaf aan de eis tot schadevergoeding van de vreemde partij. In de ogen van veel Japanners bevestigde de machteloosheid van het shogunaat dat de angst voor westerse kolonisatie gegrond was. Hervormingsgezinde Japanners schaarden zich rond de nieuwe keizer Meiji (1852-1912) en eisten een nieuwe regering. In 1867 deed de zeventiende Tokugawa-shogun, Tokugawa Yoshinobu 徳川慶喜 (1837-1913) afstand van de troon zonder een erfgenaam te benoemen, waarmee het shogunaat officieel ten einde kwam.

Keizer Meiji (r. 1868-1912; rechts) met zijn zoon, prins Yoshihito en belang-rijkste vrouw, keizerin Shōken (links). De moeder van de prins, een keizerlijke concubine van lagere rang, stond niet op afbeeldingen die moesten beant-woorden aan het westers ideaal van een keizerlijk kerngezin.

In 1868 brak een kortstondige oorlog uit, waarin werd afgerekend met de laatste fervente voorstanders van het shogunaat. Wat we van-daag kennen als de Meiji-restauratie had echter al plaatsgevonden en Japan zou nooit meer hetzelfde zijn.[1]

In de decennia na de Meiji-restauratie werd Japan overspoeld door nieuwe technologieën en cultuur. Het gros kwam uit Europa, dat voor het eerst sinds 1639 openlijk handel mocht drijven met Japan. De Japanners kregen in één keer de late renaissance, de verlichting en een groot deel van de Europese negentiende eeuw over zich heen. Deze toestroom van informatie over wetenschap, kunst, maatschap-pij en filosofie zorgde voor enorme veranderingen, die de Meiji-regering grotendeels omarmde. Toen Japan in 1905 een militaire her-opleving doormaakte en Rusland versloeg in de Russisch-Japanse Oorlog, had het land een ingrijpende transformatie ondergaan.

Tijdens de Edoperiode was een ongekend aantal regionale en plaatselijke legenden bewaard in de vorm van gedrukte teksten. Ook de grote literaire werken van de voorgaande eeuwen werden verspreid. Tot op zekere hoogte circuleerden al deze ideeën reeds in Japan. De Meijiperiode (1868-1912) kenmerkte zich echter door een aanvoer van totaal nieuwe ideeën, en deze geïmporteerde, vreemde concepten hadden een enorme invloed op de Japanse denkkaders. Ze verrijkten, veranderden of verwoestten tal van al lang bestaande elementen uit de vroegere Japanse cultuur. Ook de Japanse folklore en mythologie bleven niet gespaard.

De Meiji-overheid voerde in ijltempo moderniseringen door om te voorkomen dat Japan zoals zoveel niet-westerse landen gekoloniseerd zou worden. Deze haastige reformatie hield (onder andere) pogingen in om Japanse religies te controleren en te hervormen naar Europees model. De gedwongen scheiding van het shintoïsme en het boeddhisme die in hoofdstuk vijf werd besproken, was maar één stap in dit proces. Academici die opgeleid werden in westerse varianten van de wetenschappelijke methode onderzochten de Japanse folklore opnieuw en voegden hun eigen interpretaties toe. Ten slotte leidde de ontwikkeling van een moderne populaire cultuur niet alleen tot nieuwe interpretaties van de oude mythen, maar ook tot nieuwe creaties, waaronder literaire teksten in de stijl van westerse sprookjes.

Dit hoofdstuk draait om de wisselwerking tussen de mythologie van het premoderne Japan en, ten eerste, deze plotse toestroom van 'moderne' en 'westerse' cultuur in de periode aan het einde van de negentiende en het begin van de twintigste eeuw, en, ten tweede, de ingrijpende maatschappelijke veranderingen die plaatsvonden na de Japanse nederlaag in de Tweede Wereldoorlog. De Japanse mythologie is nog steeds springlevend. Door toenemende verstedelijking en de opkomst van populaire culturen ontstonden er in het naoorlogse en hedendaagse Japan nieuwe urban legends die voortbouwen op het verleden. Hedendaagse populaire media zoals anime en manga grijpen terug op premoderne mythologie en verkennen tegelijkertijd recentere ontwikkelingen in het moderne Japan. Door de overlevering van de Japanse mythologie naar het moderne tijdperk te onderzoeken, maken we meteen duidelijk welke plaats de mythen hebben in het leven van moderne Japanners.

STAATSSHINTOÏSME EN NATIONALE MYTHOLOGIE

De westerse grootmachten waarmee Japan aan het einde van de negentiende eeuw in aanraking kwam, waren Groot-Brittannië, Duitsland, Frankrijk, Rusland en de Verenigde Staten. Veel Europese machten hadden staatsreligies, dat wil zeggen religies die officieel erkend werden door de overheid, en beschermd en bevoordeeld door de wet. Een staatsreligie kan een bron zijn van nationale trots, focus en identiteit voor een volk, en dus een handige manier om de inwoners van een natie met elkaar te verbinden. Precies om die reden, het verlangen naar een hechte bevolking met een vergaand gevoel van zelfidentificatie, wilde de Meiji-regering een eigen nationale religie.[2]

Er was alleen een groot obstakel: Japan had geen dominante religie. Zowel het boeddhisme als het shintoïsme waren belangrijke religieuze tradities, en ook het confucianisme (vooral het neoconfucianisme) bleef na de Edoperiode populair. Van al deze opties leek het shintoïsme de meest voor de hand liggende keuze. Het was de enige inheemse Japanse godsdienst, die bovendien de keizer in een positie van autoriteit plaatste. Tegelijkertijd was het shintoïsme om andere redenen problematisch. Het had geen vastomlijnde morele en ethische filosofie die het van het boeddhisme onderscheidde, en bovendien geen heilige teksten en geen structurele morele leer. Om van het shintoïsme een nationale religie te maken die de christelijke staatsreligies van de Europese grootmachten kon evenaren, moest de Meiji-overheid deze elementen ergens anders vandaan halen, of ze vanuit niets zelf verzinnen. De overheid combineerde deze strategieën en legde de basis voor de doctrine en teksten van wat zou uitgroeien tot het staatsshintoïsme 国家神道 (*Kokka Shintō*).[3]

De term 'staatsshintoïsme' werd overigens pas na de Tweede Wereldoorlog in gebruik genomen. Voor de Japanse overheid tussen de jaren 1868 en 1945 was wat we nu staatsshintoïsme noemen nog gewoon 'shintoïsme'. Door geen nieuwe naam te kiezen, deed de overheid alsof er geen nieuwe religie werd uitgevonden; de oude religie kreeg alleen een ander jasje. De scheiding van het boeddhisme en het shintoïsme was de eerste stap in dit proces (zie hoofdstuk vijf). De tweede stap was de introductie van nieuwe overtuigingen, gebruiken en feestdagen. Deze toevoegingen maakten van het shintoïsme een officiële religie die theoretisch uitgebreid genoeg was om autonoom, dat wil zeggen zonder het boeddhisme, te kunnen functioneren.[4]

De eerste van deze nieuwe geloofsovertuigingen was meteen ook de meest controversiële: men diende de keizer te vereren als een god.

Het staatsshintoïsme

- Werd door de Meiji-overheid als staatsreligie ingevoerd in de negentiende eeuw.
- De term 'staatsshintoïsme' werd pas na de Tweede Wereldoorlog in gebruik genomen.
- De overheid voerde teksten en doctrines in die samen een nieuwe religie vormden.
- Berust op een kunstmatig onderscheid tussen het shintoïsme en het boeddhisme.
- De keizer werd voor het eerst vereerd als een levende god.
- Gebeurtenissen uit de oude kronieken werden gevierd met nieuwe feestdagen.
- Herziene volksverhalen zoals Momotarō, 'De perzikjongen', werden aanbevolen.

De keizer was altijd al belangrijk geweest, ook in de oude mythen. Hij (of zij) stamt af van de zonnegodin Amaterasu en is op grond van deze goddelijke komaf ritueel en politiek relevant. De eerste keizers werden omschreven als kami, of stonden als gelijken met hen in contact. De keizer zelf werd echter nooit vereerd. Zelfs rituelen als de grote traditionele nieuwjaarsceremonie werden voordien altijd beschouwd als politiek machtsvertoon. Oude teksten waarin nog het meest sprake is van verering van de keizer zijn enkele begrafenisgedichten uit de *Man'yōshū* (de vroegste bloemlezing van Japanstalige poëzie). In sommige van deze gedichten wordt naar de keizer verwezen met woorden die zich laten vertalen als variaties van 'goddelijke macht' of 'onloochenbare godheid'. Zulke taal werd echter pas

De grote toriipoort aan de ingang van het hoofdcomplex van het
Meiji-heiligdom. De eenvoudige maar monumentale architectuur is
kenmerkend voor heiligdommen van het staatsshintoïsme
zoals die tussen 1870 en 1945 werden gebouwd.

gangbaar na de Meiji-restauratie. Bij leven werd naar keizer Meiji
als levende godheid verwezen met woorden die teruggrepen naar de
Man'yōshū en andere oude teksten. Na zijn dood werd het lichaam
van de keizer geborgen in het speciaal voor die gelegenheid opge-
richte Meiji-heiligdom, dat nog steeds belangrijk is. Hier werd de
geest van de keizer vereerd als beschermer van het Japanse volk en
als bron van voorspoed.

De nadruk op de keizer als levende god was niet de enige verandering in de shintoïstische geloofsovertuigingen. De Meiji-regering
kondigde ook nieuwe feestdagen af om gebeurtenissen uit de oude
kronieken te vieren. Onder meer de oprichting van Japan door de legendarische keizer Jinmu kreeg een datum toegewezen: 11 februari
660 voor Christus. Vanaf de jaren 1880 leerden schoolkinderen over
opnieuw berekende en 'wetenschappelijk' beredeneerde versies van
de oude mythen alsof het om officiële geschiedenis ging. Dit moedigde niet alleen een nieuw soort 'Japanse' trots aan, gestoeld op de

Keizer Meiji bezoekt het Yasukuni-heiligdom. Het heiligdom werd onder het staatsshintoïsme gebouwd om Japanse oorlogsdoden te bergen; tegenwoordig voedt het de discussie over het koloniale verleden van Japan.

lange en magische nationale geschiedenis van Japan, maar zorgde ook dat burgers al van jongs af aan in aanraking kwamen met deze nieuwe interpretaties van de mythen.[5]

In de Meijiperiode was Japan betrokken in drie belangrijke oorlogen: de Satsuma-opstand van 1877, de Chinees-Japanse Oorlog van 1894-1895 en de Russisch-Japanse Oorlog van 1904-1905. Het gemoderniseerde keizerlijke leger zegevierde, maar de menselijke tol was hoog. Deze oorlogsslachtoffers werden geborgen in Tokio: in het Yasukuni-heiligdom, een ander nieuw ontworpen plek die tegenwoordig eveneens zowel belangrijk als controversieel is. De Japanse oorlogsdoden werden niet alleen in dit heiligdom geborgen zodat ze herinnerd konden worden, maar ook zodat men tot hen kon bidden als kami van oorlog, bescherming en opoffering.

Dankzij de oorlogen uit de Meijiperiode verwierf Japan voor het eerst kolonies. Tijdens de Edoperiode werden de Ryūkyū-eilanden (huidige prefectuur Okinawa) ingelijfd, net als het integrale noordelijke eiland Hokkaido. Deze gebieden werden echter pas na de Meiji-restauratie gekoloniseerd in de moderne zin van het woord. Vanaf de jaren 1870 moedigde men grote groepen Japanners aan zich op de Ryūkyū-eilanden en vooral op Hokkaido te vestigen. Ook na de Chinees-Japanse en Russisch-Japanse Oorlogen won Japan nieuw grondgebied: Formosa (het huidige Taiwan) van China, de Koerilen en het zuiden van Sachalin van Rusland, en uiteindelijk het volledige Koreaanse schiereiland (officieel geannexeerd in 1910). Al deze gebieden werden bewoond door niet-Japanners die nooit tot een shintoïstisch systeem hadden behoord. Het shintoïsme moest worden uitgebreid om tegemoet te kunnen komen aan de kolonies en hun niet-Japanse volkeren. Dat deed men door nieuwe mythen te creëren.

De kolonisatie van Korea was het makkelijkst met nieuwe mythen te verantwoorden. In de kronieken staat de legende van keizerin Jingū (zie de vertelling in hoofdstuk drie), die volgens de legende in ieder geval de zuidelijke helft van het schiereiland veroverde. De mythische veroveringen van Jingū rechtvaardigden niet alleen de annexatie van Korea door de Japanse overheid, maar schaarden de Koreanen ook onder het staatsshintoïsme. Sinds de invasies van Toyotomi Hideyoshi in de jaren 1590 hadden Japanse handelaars en bannelingen al een klein aantal shinto-heiligdommen opgericht op het Koreaanse schiereiland; dat werden er nog veel meer onder het koloniale bewind. Koreaanse voorouders werden net als de voorouders van Japanse clans in heiligdommen geborgen als (een soort van) kami, maar zij hadden wel een lagere status.

Foto uit de jaren 1930 van het Korea-heiligdom, gebouwd onder het staatsshintoïsme.

Op die manier konden ook Koreanen de keizer dienen en vereren, al hadden ze een lagere sociale rang dan Japanners. Tijdens de koloniale periode deed het Japanse koloniale bewind pogingen tot culturele indoctrinatie en werd het merendeel van de Koreanen bijvoorbeeld verplicht om shinto-heiligdommen te bezoeken.[6]

In Taiwan, Sachalin en andere Japanse grondgebieden legde de overheid de bevolking vergelijkbare shintoïstische geloofssystemen op. Aangezien er geen historische basis was voor de Japanse bezetting van deze gebieden, werden inheemse volkeren hier niet geportretteerd als lang verloren Japanse burgers. In plaats daarvan kregen ze te horen hoeveel geluk ze hadden dat de Japanners de Europese kolonisatoren voor waren geweest; nu konden zij Japan helpen om de rest van Azië te bevrijden. Hun religieuze overtuigingen werden minder streng onderdrukt dan die van de Koreanen, maar de verering van Japanse goden, de keizer voorop, genoot zonder meer de voorkeur. Net als in Korea werden er heiligdommen opgericht ter ere van plaatselijke culturele helden, en werden er veralgemeniseerde opvattingen over 'de staat' ingevoerd om het shintoïsme te bevorderen, zij het minder dan elders.[7] Met uitzondering van Korea kreeg het staatsshintoïsme nooit echt vat op de koloniën, al werden ze er evengoed door onderworpen.

Ook aan het begin van de twintigste eeuw gebruikte men volksverhalen uit eerdere tijdperken voor nationalistische doeleinden. De bekendheid van verhalen als dat van Momotarō 桃太郎, 'De perzikjongen', nam daardoor toe. Oorspronkelijk dateert dit verhaal van de vijftiende of zestiende eeuw en tegen de Edoperiode was de legende van Momotarō algemeen bekend. Het verhaal begint met een oud kinderloos echtpaar dat een perzik vindt in een rivier. De perzik barst open zodra ze hem uit het water vissen en er komt een baby'tje uit tevoorschijn. Ze noemen het kind Momotarō, naar de perzik, en hij groeit op tot een dappere, sterke jongen. Als Momotarō volwassen is besluit hij naar Onigashima, het eiland van de oni, te reizen om de bende schurkachtige oni die er woont te verslaan. Onderweg raakt hij bevriend met drie dieren: een hond, een fazant en een aap. Hij deelt zijn voedsel in ruil voor hun diensten, en samen verslaan ze de oni van Onigashima en maken ze hun schatten buit.

De legende van Momotarō bleef populair tijdens de Meijiperiode, maar kreeg een nieuwe betekenis zodra Japan actief aan het hoofd van een koloniaal rijk kwam te staan. In een versie die voor het eerst gepubliceerd werd in schoolboeken uit het begin van de jaren 1930 wordt uitdrukkelijk vermeld dat Momotarō een vertegenwoordiger van het keizerlijk leger is. De drie dieren die hij tegenkomt zijn afkomstig uit Japanse kolonies. In deze versie zijn het ellendige, haveloze dieren, die Momotarō smeken hun tot iets groters te verheffen; door hem te vergezellen krijgen ook zij de kans de keizer te dienen en roem te verwerven. De onderliggende boodschap is zelfs voor een hedendaags publiek helder: de gekoloniseerden zijn minderwaardige wezens, maar kunnen een noodzakelijke bijdrage leveren zolang ze het thuisland dienen. De animatiefilm die van deze nieuwe versie van de mythe van Momotarō werd gemaakt, was een van de eerste Japanse animatiefilms. *Momotarō's Divine Warriors of the Sea* (1945) is enerzijds een door en door problematische propagandafilm, en anderzijds een hoogtepunt in de geschiedenis van de animatiefilm.[8]

Veel prominente kami werden ingelijfd om de natie te dienen. Als bron van de kracht en goddelijkheid van de keizer prijkte Amaterasu aan het hoofd van het Japanse pantheon, en werd zij vereerd als belangrijkste god. Het was echter een probleem dat Amaterasu een vrouw was, aangezien de vooroorlogse regering de boodschap wilde uitdragen dat vrouwen zorgzaam en onderdanig waren en het hun taak was de dappere, militante Japanse mannen te ondersteunen. Amaterasu moest dus worden omgevormd tot een goedaardige, beschermende moederfiguur die zich bezighield met uitvindingen, zoals het weven van zijde en andere cultureel vrouwelijke bezigheden. Om het militarisme te bevorderen moesten ook (mannelijke) goden worden heruitgevonden. Hachiman werd opgevoerd als nationale beschermheilige van het leger en was verantwoordelijk voor militaire successen. Susanowo werd geëerd als een bron van Japanse strijdvaardigheid, maar omdat zijn ongehoorzaamheid aan Amaterasu (zijn goddelijke voorouder binnen de keizerlijke lijn) niet in het plaatje paste, werd zijn rol minder uitgespeeld dan die van Hachiman. De verering van boeddhistische goden was niet verboden, maar werd wel sterk ontmoedigd. Als vreemde goden werden zij verantwoordelijk geacht voor het culturele verval en de 'vervrouwelijking' (zoals sommige onderzoekers uit het Meiji-tijdperk het noemden) van Japan sinds de Heianperiode.

Het staatsshintoïsme was een voortreffelijk propagandamiddel in de periode vóór de Tweede Wereldoorlog. De Japanse staat beheerste er de hoofden en harten van de bevolking mee en drukte zo religieuze oppositie tegen politieke beslissingen de kop in. Het groeiende belang van het Japanse leger was een van de twee pijlers van dit staatsproject. De andere pijler was de keizer, de ultieme bron van vrede en voorspoed. Het systeem overleefde de oorlog niet. Tijdens de Amerikaanse bezetting van 1945 tot 1952 stond de ontmanteling van het staatsshintoïsme hoog op de agenda. Het werd beschouwd als een van de voornaamste drijfveren voor het Japanse militarisme. Handboeken werden herschreven, feestdagen herzien en talloze andere aspecten – zoals de nadruk op militaire waarden als een vorm van verering, of de voorwaarde dat archeologisch en geschiedkundig onderzoek de oude mythen moesten bekrachtigen – werden eenvoudigweg gebannen of afgevoerd. Toch liet het staatsshintoïsme sporen na in Japan.

De belangrijke heiligdommen die aan het einde van de negentiende en het begin van de twintigste eeuw werden gebouwd, zijn de voornaamste souvenirs van het staatsshintoïsme. Het Yasukuniheiligdom is nog steeds onderwerp van internationale controverse. Onder de oorlogsslachtoffers die er sinds de Tweede Wereldoorlog begraven liggen, bevinden zich ook meerdere oorlogscriminelen; men vindt het feit dat Japanse politici het heiligdom nog altijd bezoeken respectloos tegenover het lijden van de inwoners van de voormalige Japanse kolonies. Andere heiligdommen die Japan overhield aan het staatsshintoïsme – waaronder het Meiji-heiligdom in Tokio, het Heian-heiligdom in Kyoto en het Kashihara-heiligdom ten zuiden van Nara – zijn nog steeds belangrijke toeristische trekpleisters. Het staatsshintoïsme en het verzet ertegen heeft de maatschappelijke rol van religie in Japan, die vandaag de dag problematisch is, blijvend beïnvloed. Opvattingen over patriottisme en militarisme, die sommigen ook om andere redenen verwerpen, zijn diepgeworteld in de religieuze ideeën van voor 1945. Wenselijk of niet, het staats-shintoïsme en zijn geschiedenis vormen een lens die de huidige perceptie van de inheemse Japanse mythologie en religie kleurt.

MYTHEN EN FANTASY IN NAOORLOGS JAPAN

Populaire cultuur wordt vaak gedefinieerd als de cultuur van de overgrote meerderheid van de mensen, en dus niet van alleen de elite. Populaire cultuur was in elk geval vanaf de zeventiende eeuw zichtbaar aanwezig in Japan. In de Edoperiode verschenen er met blokdruk vervaardigde equivalenten van populaire romans, prentenboeken, pin-up posters en zelfs kranten (in broadsheet-formaat). Na de Meiji-restauratie vonden nieuwe druktechnieken hun ingang en naarmate de Japanse uitgeverswereld zich ontwikkelde, verschenen er meer moderne kranten en boeken. De filmtechnologie bereikte Japan rond 1890 en ontwikkelde zich ook in rap tempo. Omstreeks de jaren 1920 viel de populaire cultuur te vergelijken met die van de Verenigde Staten en de meeste Europese landen, met de nadruk op een actieve uitgeef- en filmsector. De opkomst van het militair bewind na 1931 leidde echter tot een drastische toename van censuur. Toen de Tweede Wereldoorlog uitbrak, was de Japanse populaire cultuur bijna volledig in de greep van overheidscensuur.[9]

Japan gaf zich over aan de Verenigde Staten op 11 augustus 1945. Luttele dagen daarna hervatten kranten en tijdschriftredacties hun werkzaamheden. Ook de filmindustrie herleefde na de oorlog. Regisseurs, personeel en acteurs die de strenge overheidscensuur tijdens de oorlog waren ontvlucht, keerden terug om nieuwe films te maken. In eerste instantie hadden de Amerikaanse bezetters portretteringen van de Japanse cultuur verboden, uit angst dat het mensen nostalgisch zou maken naar het vooroorlogse systeem. Die censuur verslapte na 1948, en er verschenen steeds meer films over traditionele Japanse geschiedenis en cultuur. Tegen 1950 produceerde de Japanse filmindustrie al meer dan voor de oorlog. De censuur werd officieel opgeheven toen de Amerikaanse bezetting eindigde in 1952; de filmindustrie kende toen een gestage en verbluffende groei. De jaren 1950 worden ook wel de 'gouden eeuw van de Japanse cinema' genoemd.

Door de afname van censuur aan het begin van de jaren 1950 bogen Japanse academici zich opnieuw over de Japanse mythologie en folklore. Er verschenen populaire boeken over de zogenaamde 'echte' (historische, archeologische, maatschappelijke) basis van de mythen. Dat mythen waren ingezet als propaganda onder het staatsshintoïsme was al doorzien, maar nu werd uit de doeken gedaan hoe de vork precies in de steel zat. De terugkeer van traditionele folklore in de kunst en deze nieuwe academische benadering van de Japanse mythologie schiep ruimte voor fictie die gebaseerd was op mythische tradities.[10]

Na de Tweede Wereldoorlog lieten Japanse filmmakers mythologische en folkloristische onderwerpen eerst links liggen vanwege hun associatie met militarisme en propaganda, maar eind jaren 1950 kwam daar verandering in. Een van de bekendste naoorlogse films die de Japanse mythen onder de loep neemt, was het filmepos *The Three Treasures* (Jp. *Nippon tanjō*, 'het ontstaan van Japan') uit 1959. De film werd geregisseerd door Inagaki Hiroshi (1905-1980), die ook al een aantal bekende samoeraifilms had gemaakt; de sterrencast bestond onder meer uit namen als Mifune Toshirō (1920-1997) en Hara Setsuko (1920-2015), twee van de bekendste acteurs uit de jaren 1950. De film voerde mythen op uit de *Kojiki* en de *Nihonshoki*, waaronder de scheppingsmythe van de archipel, het conflict tussen Amaterasu en Susanowo, en de avonturen van Yamato Takeru. Deze gebeurtenissen werden voorgesteld als historische fantasy. De personages droegen kostuums gebaseerd op wat men toen wist over de Kofunperiode (maar dan met wat meer sexappeal). Er werden special effects gebruikt om wezens als de Yamata-no-Orochi tot leven te wekken en de krachten van de goden spectaculair in beeld te brengen. De film had echter niet de ambitie historisch of realistisch over te komen. In plaats daarvan volgden de makers het voorbeeld van Amerikaanse collega's die in het Hollywood van de jaren 1950 met een enorm budget epische Bijbelse films maakten, zoals *Ben-Hur* en *The Ten Commandments*. *The Three Treasures* werd een groot bioscoopsucces. Hoewel hedendaagse critici niet te spreken zijn over het acteerwerk, waren de special effects ongeëvenaard in het Japan van de jaren 1950. Nog belangrijker was dat de film het bewijs leverde dat men mythen kon verweven tot een nieuw soort fantasy, in plaats van ze als geschiedenis te presenteren. Deze fantasy was geïnspireerd door internationale voorbeelden, maar naar inhoud was ze volstrekt Japans, en werd ze als stijl belangrijk in films en andere populaire media zoals manga.

Het einde van de jaren 1950 en het begin van de jaren 1960 werden gekenmerkt door de opkomst van de manga-industrie. Strips werden in Japan geïntroduceerd aan het einde van de Meijiperiode, gelijk op met de verspreiding van strips in Europese tijdschriften. *Manga* ('onwillekeurige kwaststreken') verwees oorspronkelijk naar de schetsen op basis waarvan houtblokkunstenaars hun uiteindelijke tekening maakten, maar werd al snel de naam van dit nieuwe medium. Omstreeks de jaren 1920 verschenen er bekende strips in kranten en tijdschriften. De moderne manga-industrie kwam pas tot bloei na de Tweede Wereldoorlog. Aan het einde van de jaren 1940 verschenen er tijdschriften voor kinderen, maar daarin speelden strips nog maar een kleine rol. Toen manga's een ruimer lezerspubliek vonden, ontstonden er ook tijdschriften die uitsluitend gewijd waren aan strips en omstreeks het einde van de jaren 1950 verschenen de eerste moderne manga-tijdschriften. Deze uitgaven hadden het formaat van een telefoonboek en waren geprint op goedkoop papier. Elk nummer bevatte een aflevering uit een twintigtal reeksen.[11]

De populaire manga *Gegege no Kitarō* (*Kakelende Kitarō* ook wel bekend als *Kitarō van het kerkhof* 1960-1969) door Mizuki Shigeru (zie hoofdstuk zes), was een van de belangrijkste reeksen die verschenen in *Weekly Shōnen Magazine*. *Gegege no Kitarō* gaat over het jongetje Kitarō, een yōkai, en de avonturen die hij beleeft als hij andere geesten helpt die verloren zijn in de technologisch geavanceerde wereld van de jaren 1950. Kitarō en zijn yōkai-vrienden zijn vooral geïnspireerd door de plaatselijke folklore van Mizuki's thuisstad Matsue nabij Izumo in de moderne prefectuur Shimane. Deze plek staat sinds jaar en dag bekend als de locatie van de belangrijkste heiligdommen van Susanowo en Ōkuninushi, en Izumo kent een rijke traditie van streeklegenden, yōkai en heilige plekken. Met zijn manga's wilde Mizuki bijdragen aan het behoud van deze traditionele elementen. Toen de reeks succes kreeg, kon hij de plaatselijke mythologie van zijn jeugd op nationale schaal verspreiden. Doordat *Gegege no Kitarō* yōkai uit het verleden en het heden combineert, schepte de manga een precedent voor het gebruik van elementen uit traditionele Japanse legenden in verhalen die zich in andere tijdperken afspelen, zoals Tezuka Osamu's 手塚治虫 meesterwerk *Hi no tori* 火の鳥 (*Phoenix*, 1954-1988), dat zich heen en weer beweegt tussen een voorhistorisch verleden en een denkbeeldige toekomst, en de oude kronieken integreert aan de hand van archeologie, zoals ook gebeurt in de film *The Three Treasures*.

MONSTERS EN METALEN MANNEN

Na de Tweede Wereldoorlog werden niet alleen de oude mythen herzien of verwerkt in de populaire cultuur. Sommige van de bekendste films en manga's uit de naoorlogse periode werden op hun beurt deel van de Japanse mythologie. Hoewel men deze toevoegingen niet als traditionele 'mythen' beschouwde, speelden ze wel een vergelijkbare culturele rol – en werden ze zelfs geïntegreerd met oudere ideeën. De twee toevoegingen die van zowel fans als geleerden de meeste aandacht hebben gekregen, zijn *kaijū*, enorme monsters in de trant van Godzilla, en kolossale robots die 'mecha' worden genoemd.

Kaijū 怪獣 (let. 'vreemde beesten') waren oorspronkelijk een variant op de figuren uit Amerikaanse monsterfilms uit de jaren 1930, zoals de originele *King Kong*. Het waren vreemde, mysterieuze wezens die uit afgelegen delen van de wereld kwamen – Afrika, Zuidoost-Azië of de eilan-

Still uit *Godzilla* (1954).

den in de Grote Oceaan. Onder het kolonialisme vielen deze plaatsen ten prooi aan fetisjisme, en in Japan en een groot deel van het koloniserende Westen beschouwde men ze destijds nog steeds als onderontwikkeld. De film *Godzilla* (Jp. *Gojira*) uit 1954 was echter meer dan een huiveringwekkend spektakel over exotische monsters. Regisseur Honda Ishirō (1911-1993) wilde een allegorie maken over de gruwelen van de Tweede Wereldoorlog en het gevaar van kernwapens. Het resultaat was een sombere, ernstige film waarin het monster een onstuitbare en onverwoestbare natuurkracht is, die alleen door het mysterieuze wapen van een wetenschapper kan worden tegengehouden.[12] Met Godzilla en zijn verwanten creëerde de Japanse filmindustrie een nieuwe mythe, die de vrees en hoop van de moderne samenleving gestalte gaf.

De jaren 1950 en 1960 brachten nog een moderne Japanse mythe voort: die van de reusachtige robotheld. Ze verschenen voor het eerst in manga's voor jongens. De allereerste van deze manga's wordt vaak toegeschreven aan Tezuka Osamu met zijn *Tetsuwan Atom* ('Atoom de Grote', 1952-1968), in de Verenigde Staten gepubliceerd als *Astro Boy*. Deze manga over een robotjongetje dat de wereld redt met zijn technologische gaven was een daverend succes. De geanimeerde adaptatie van *Tetsuwan Atom* uit 1963 was de eerste anime die wekelijks werd uitgezonden op de Japanse televisie. Het succes van de reeks luidde een nieuwe fase van de Japanse sciencefiction in, waarin de toekomst van de mensheid in handen van robots ligt.

Tetsuwan Atom werd binnen de kortste keren gekopieerd door rivalen van Tezuka, zowel in manga als in anime. Een bijzonder populaire reeks was *Tetsujin 28-gō* ('IJzeren reus nr. 28', 1956-1966), in de Engelstalige wereld bekend als *Gigantor*. Deze reeks gaat over een enorme robot die op afstand wordt bestuurd door een jongetje van wie de overleden vader de robot heeft uitgevonden. Hiermee brak eind jaren zestig en zeventig het tijdperk van de zogenaamde 'superrobots' aan. Deze reeksen, die zowel in manga's als op televisie verschenen, gingen over een jonge hoofdpersoon, meestal een jongen, die een grote mechanische held bestuurt. Dankzij reeksen als *Mazinger Z* (1972-1974) en *Getter Robo* (1974-1975) werd dit concept een succesformule. De menselijke helden in deze verhalen zijn goed, maar machteloos zonder hun robots; de robots zijn tot grote dingen in staat, maar niet zonder de mensen die hen besturen. Deze nieuwe mythologie lijkt op die van de Amerikaanse superheld, maar is niet hetzelfde. Door gewone maar goede mensen te koppelen aan krachtige maar immorele technologie, creëerden verhalen over 'superrobots' het geloof dat de menselijke ontwikkeling zelfs in de meest overweldigende gevallen van overmacht fundamenteel goed is. Deze verhalen stelden ook een toekomst voor waarin technologie veel goeds teweegbrengt. In de decennia na de Tweede Wereldoorlog was deze boodschap niet alleen populair, maar ook broodnodig.[13]

Tegenwoordig noemen zowel fans als geleerden deze robots 'mecha' (Jp. *meka*), kort voor 'mechanisme' of 'mechanisch'. Anime, manga's en liveactionfilms over mecha zijn een even populair en omvangrijk genre geworden als dat over kaijū. Het onderging tal van veranderingen in de decennia die volgden. In 1979 ontketende de epische anime-televisieserie *Kidō senshi Gundam* ('mobiel gevechtspak Gundam') een subgenre over 'echte robots'. In plaats van het technologische equivalent van superhelden, waren deze robots (waarvan vele 'Gundham' heten) gewone oorlogswapens als tanks of straalvliegtuigen. De begeleidende piloten en militairen vormden de menselijke morele achtergrond van de gevechten tussen mecha. Voortbordurend op de Koude Oorlog voerde men in de langlopende Gundamreeks niet alleen individuele helden en slechteriken op, maar hele beschavingen met botsende filosofieën, die hun geavanceerde robots gebruikten om oorlog met elkaar te voeren. Dit nieuwe subgenre domineerde in de jaren 1980 de Japanse sciencefiction en heeft nog steeds veel invloed.

De maatschappelijke malaise die volgde op de economische crash van Japan in 1990 leidde tot een nieuw subgenre van mecha-verhalen in de populaire media. Deze verschuiving begon in 1995 met de controversiële televisiehit *Neon Genesis Evangelion* (*Shinseiki Evangelion*), die meer bloederigheid, psychologische foltering en filosofische diepgang bevatte dan eerdere mainstream animehits. Met een combinatie van jungiaanse filosofie, christelijke beeldtaal en een focus op de psychologie van tieners die worden gedwongen oorlog te voeren, zette deze reeks een wereld neer waarin technologie uit de hand loopt door menselijke hebzucht en gebrekkige communicatie. De robots – biologische gedrochten die behalve apparaten vooral metaforen waren – benadrukten maatschappelijke problemen, maar boden geen oplossingen. *Neon Genesis Evangelion* weerspiegelde de onzekerheden van de nieuwe status van Japan en meer algemeen die van de wereld na de Koude Oorlog, en zette de toon voor meer verhalen over 'psychologische robots'. Net zoals kaijū de angst weerspiegelde om het op te nemen tegen natuurkrachten waarover de mens geen controle heeft, gaat mecha-fictie rond 'psychologische robots' over het verlies van de hoop dat er een betere toekomst mogelijk is dankzij de technologie zoals die voor het eerst in 'superrobots' werd gerealiseerd.

Het is niet overdreven om fictie over kaijū en mecha als mythen te omschrijven. Godzilla, *Tetsuwan Atom* en hun nakomelingen hebben een enorme impact op de Japanse cultuur en samenleving. Verscheidene generaties zijn opgegroeid met verhalen over gigantische monsters en robots die strijden voor de toekomst van de mensheid. Hoewel deze nieuwe mythologische figuren niet vereerd worden, richten ze zich wel op de verwachtingen, angsten en dromen van mensen binnen en buiten Japan. Deze verhalen weerspiegelen ook hoe de Japanse samenleving zich heeft aangepast aan de snelle veranderingen van de moderne wereld. Ze bieden een nieuwe folklore voor het hedendaagse Japan die duidelijk fictief is, maar ook emotioneel resoneert.

URBAN LEGENDS EN DIGITALE MONSTERS

Het 'economisch wonder' is een term die wordt gebruikt voor de snelle wederopbouw van Japan na de Tweede Wereldoorlog. Omstreeks 1965 begon een periode van economische bloei en tegen 1980 had Japan zijn plaats onder de rijkste en meest geavanceerde naties ter wereld heroverd, hoewel het dertig jaar eerder volledig geruïneerd was. Toen Tokio en de andere grote steden werden herbouwd, ondergingen ze een complete transformatie. Wolkenkrabbers en moderne appartementencomplexen vormden het stalen en betonnen stadsbeeld van het moderne Japan.[14] Deze nieuwe stedelijke omgevingen brachten ook hun eigen folklore voort. Sommige van deze urban legends zijn gebaseerd op bestaande folklore, andere zijn uniek.

Geesten en bezetenheid behoren tot de meest voorkomende thema's in deze nieuwe stadslegenden, die zich vaak van mond tot mond verspreiden, in plaats van uitsluitend via de populaire media. In de Edoperiode ontstond een traditie van spookverhalen vertellen die nog steeds leeft. Een populaire traditie is de *hyakumonogatari kaidankai* of 'bijeenkomst met honderd spookverhalen', waarbij mensen de nacht doorbrengen met het vertellen van spookverhalen. Traditiegetrouw worden er honderd verhalen verteld, en na elk verhaal wordt een kaars gedoofd. Het is de bedoeling dat de luisteraars het tot de laatste kaars volhouden. Dit gebruik ontstond in het midden van de Edoperiode om de moed van jonge stedelingen op de proef te stellen. Tegenwoordig doen mensen het vooral voor het plezier; het is populair onder middelbare scholieren en studenten die elkaar de stuipen op het lijf willen jagen.

Het moderne stedelijke Japan wordt net zo goed door geesten en verschrikkingen geplaagd als het premoderne Kyoto (zie hoofdstuk zes). De nieuwe yūrei en yōkai spoken samen met figuren uit de oudere legenden door de straten. Deze mix van oude en nieuwe stedelijke spoken is van grote invloed op moderne en hedendaagse Japanse fictie, waaronder literatuur, film, liveactiontelevisie, anime en manga. De Japanse horrorfilm, een genre dat in de jaren 1990 wereldwijde bekendheid verwierf, put uit deze mengelmoes van oude en moderne urban legends. Invloedrijke films zoals *Ringu* (1999) en de vele vervolgen daarop, en de talloze bewerkingen, waaronder de Amerikaanse herverfilming *The Ring*, zijn geïnspireerd door de onryō-traditie, die teruggaat tot de Heianperiode. Het succes van de zogenaamde 'J-horror' is wellicht te danken aan de meeslepende mix van eeuwenoude angst in een moderne setting.

MYTHEN VOOR HET HEDEN

Oude mythologie wordt heruitgevonden in de populaire cultuur. Mythen zijn vaak een uitvergroting van het leven en leveren dus goede verhalen op, vooral voor fantasy, sciencefiction en historische fictie. De mythologie van de oude Japanse kronieken en de latere volksverhalen is soms letterlijk naverteld in manga's, met name in educatieve manga's die de verhalen opnieuw verpakken in eenvoudige beelden en hedendaagse dialogen. Deze hervertellingen zijn vooral bedoeld voor kinderen die geen moderne vertalingen kunnen lezen, laat staan de oorspronkelijke teksten van de oude kronieken. In overeenstemming met de naoorlogse ontwikkelingen maken deze vertellingen gebruik van precies zoveel echte geschiedenis als de mythen toelaten. In verhalen over Amaterasu en Susanowo kunnen bijvoorbeeld mensen voorkomen die kleding dragen uit de Yayoiperiode, en die leven in wat archeologen zich voorstellen bij Yayoi-nederzettingen. Deze hervertellingen zijn dus anders dan populaire bewerkingen van de mythen in andere genres, zoals sciencefiction of fantasy.

Vooral de mythen uit de *Kojiki* zijn een belangrijke bron voor moderne bewerkingen en hervertellingen. Voor populaire hervertellingen gaat de voorkeur eerder naar de *Kojiki* dan naar de *Nihonshoki* omdat de verhaallijn eenvoudiger is, maar ook omdat de *Kojiki* bloediger en rauwer overkomt. Ontdaan van de meer twijfelachtige details worden figuren als Yamato Takeru dappere helden waar jonge Japanners naar opkijken – en die dus goed samengaan met helden uit het mecha-genre.

In de jaren 1990 was er een opleving van door de Japanse mythologie geïnspireerde anime- en mangaseries waarin figuren uit de oude kronieken gecombineerd werden met motieven uit mecha-verhalen. De animetelevisieserie *Yamato Takeru* ヤマトタケル (1994) is een haast letterlijke hervertelling van de legende van Yamato Takeru, behalve dat het verhaal zich afspeelt in de toekomst en in de ruimte. Yamato Takeru is een jongen, geen driftige man, die zijn vijanden (onder wie Kumaso Takeru en Izumo Takeru) verslaat met de machtige robot die hij bestuurt. De televisieanime *Blue Seed* ブルー・シード (1995) is zowel een hervertelling van, als een vervolg op de mythen over het conflict tussen Amaterasu en Susanowo. Een nieuwe versie van Susanowo valt Tokio aan met plantenmonsters, die bekend staan als *aragami* (let. 'razende kami'). Een team van militaire agenten en magische Shinto-priesteressen werkt samen om Susanowo's troepen namens Amaterasu uit te schakelen.

De mythen uit de *Kojiki* en de *Nihonshoki* worden niet alleen hergebruikt door ze opnieuw te vertellen. In moderne fictie worden wapens en superkrachten vaak vernoemd naar grote kami. Wie iets over Amaterasu weet zal begrijpen waarom krachten die met vuur of licht te maken hebben naar haar vernoemd zijn, en hetzelfde gebeurt met andere bekende goden. In de populaire manga- en animereeks Naruto ナルト (1999-2017), over de avonturen van tienerninja's in een andere wereld, maken een aantal hoofdpersonen gebruik van technieken die vernoemd zijn naar Amaterasu, Tsukuyomi, Susanowo en andere shintoïstische godheden. Met de techniek 'Amaterasu' kan de gebruiker zwart vuur uitstoten dat alles verbrandt, zelfs normaal vuur. De techniek 'Tsukuyomi' vangt het doelwit in een illusie. De techniek 'Susanowo' roept een skeletachtig wezen op dat als een gigantisch harnas functioneert, bijna als een soort magische mecha. Hoewel de kami waarnaar ze vernoemd zijn deze krachten niet hadden, zijn ze toch begrijpelijk voor iedereen die iets van de oude mythen weet.

Er zijn ook videogames geïnspireerd op de mythen uit de *Kojiki* en *Nihonshoki*. Het bekendste voorbeeld is *Ōkami* 大神 ('grote god'), een franchise die in 2006 begon met een spel voor de PlayStation 2 en almaar blijft uitbreiden. In de spelletjes van *Ōkami* zit Amaterasu gevangen in de gedaante van een wolf. De speler moet Amaterasu helpen de andere kami te bevrijden van slechteriken als de Yamatano-Orochi en 'Yami', een verzonnen god van de duisternis. De speler kan een 'hemels penseel' gebruiken om met inkt tastbare effecten als vuur of water te creëren, eveneens verwijzingen naar traditionele elementen uit de Japanse cultuur.

VERLEDEN, HEDEN EN TOEKOMST VAN DE JAPANSE MYTHOLOGIE

De Japanse mythologie is geen eenduidig systeem. Het combineert verschillende religies, waarvan sommige van verre komen. De Japanse mythen zijn in de loop der tijd geëvolueerd, en doen dat nog steeds. Ze bevatten lagen die meer dan duizendvijfhonderd jaar oud kunnen zijn – niet alleen verhalen en overtuigingen die door overheden zijn goedgekeurd, maar ook folklore en legenden van mensen uit verschillende groepen van de samenleving.

Met dit boek hebben we proberen aan te tonen dat deze lagen ontleed en bestudeerd kunnen worden. We kunnen de oude kronieken lezen om de oorsprong van inheemse mythen te begrijpen. Ze bieden inzicht in de toestroom van boeddhistische, confucianistische, taoïstische en andere continentale godsdiensten, en de invloed die ze op Japan hebben gehad. Ze stellen ons in staat de ontwikkeling van folklore te volgen vanaf het moment dat ze op schrift werd gesteld. We kunnen zelfs zien hoe bepaalde gebeurtenissen in de geschiedenis van Japan de mythen hebben beïnvloed en dat blijven doen. Maar hoe aandachtig we de afzonderlijke lagen ook bekijken, de Japanse mythologie blijft een complex geheel dat veel meer is dan de som der delen. En de voortdurende, organische verweving van alle verschillende elementen is dan ook de belangrijkste les die we kunnen trekken uit deze bestudering van de Japanse mythologie.

We vergeten gemakkelijk dat oude samenlevingen ooit net zo levendig waren als de onze. 'Het' oude Griekenland en Rome bestonden uit verschillende culturen in verschillende tijden. Noorse volkeren hadden geen vast geloofssysteem, net zomin als de oude Egyptenaren. Alles beweegt; betekenis verandert; geloof groeit. De mythologie van een samenleving kun je zien als een kluwen: in sommige opzichten logisch, in andere onbegrijpelijk. Wie geen levend voorbeeld bestudeert, ziet alleen de lijnen van een fossiel. De Japanse mythologie verschaft ons dat levende voorbeeld.

De moderne Japanse populaire cultuur bevat veel verwijzingen naar oudere ideeën. De mythen en legenden uit verschillende perioden van de Japanse geschiedenis vinden hun herziene weg in moderne anime, manga's, films, literatuur en videogames. Toch zijn zelfs zij niet het einde van de Japanse mythologie. Integendeel, ze vormen een nieuwe fase, een nieuwe laag. Door ons met deze moderne werken bezig te houden, voegen we onze eigen ideeën toe – en zo worden wij, wie we ook zijn, zelf deel van de mythologie.

NOTEN

1. Wat zijn de Japanse mythen?

1. Piggot, p. 81.
2. Ibid., p. 143-144.
3. LeFebvre, p. 190-191.
4. Breen en Teeuwen, p. 2.
5. Ibid., p. 2-4.
6. Cali en Dougill, p. 20.
7. Gardner, p. 6-7.
8. Adler, p. 5.
9. Gardner, p. 14-15.
10. Wong, p. 3-5.
11. Laozi, p. 5-6.

2. Het tijdperk van de goden

1. Heldt, *Kojiki*, p. xvi-xviii.
2. Duthie, *Imperial Imagination*, p. 111-112.
3. Heldt, *Kojiki*, p. 7. Voor het equivalent uit de *Nihonshoki*, zie Aston, *Nihongi*, p. 2.
4. Heldt, *Kojiki*, p. 7. Namen van goden die voorkomen in de *Kojiki* zijn gebaseerd op de vertaling van Heldt.
5. Aston, *Nihongi*, p. 3. Namen die enkel voorkomen in de *Nihonshoki* zijn gebaseerd op de vertaling van Aston.
6. Heldt, *Kojiki*, p. 16.
7. Bijvoorbeeld de animatiereeksen *Blue Seed* (1995-96) en *Kannazuki no miko* ('Priestesses of the Godless Month', 2006).

8. Heldt, *Kojiki*, p. 23.
9. Heldt, *Kojiki*, p. 27. Nederlandse vertaling: *De val van de Taira*. Vert. Jos Vos. Amsterdam: Athenaeum—Polak & Van Gennep (2022). p. 617.
10. Matsumae, 'The Origin and Growth of the Worship of Amaterasu', p. 5.
11. Gadeleva, 'Susanoo', p. 167-168.
12. 'Unearthed Pillar', *Japan Times*, 29 april 2000.
13. Torrence, 'Infrastructure of the Gods', p. 13.
14. Heldt, *Kojiki*, p. 67.

3. De keizerlijke mythe

1. 'Grondwet van Japan', Kanselarij van de premier van Japan en zijn kabinet, http://japan.kantei.go.jp/constitution_and_government_of_japan/constitution_e.html, geraadpleegd op 20 juli 2020.
2. Piggot, p. 91-92.
3. *Nihonshoki 4*, p. 313.
4. Thakur, p. 263.
5. *Nihonshoki 1*, p. 270-271.
6. *Kojiki*, p. 84-85.
7. Duthie, p. 319-320.
8. *Kojiki*, p. 92.
9. *Kojiki*, p. 92.
10. *Nihonshoki 1*, p. 386-387.
11. *Kojiki*, p. 112.
12. *Nihonshoki 1*, p. 427.
13. *Nihonshoki 1*, p. 484.
14. Cranston, p. 162.
15. Cranston, p. 46.
16. Tsunoda, p. 13.

4. Levende *kami* en goddelijke mensen

1. Como, p. 4.
2. Como, p. 19.
3. Como, p. 86.
4. Como, p. 166.
5. Como, p. 102.
6. Como, p. 134-135.
7. Keenan, p. 343-344.
8. Keenan, p. 348.
9. Keenan, p. 347.
10. Keenan, p. 346.
11. Van Goethem, p. 108-110.
12. Borgen p. 89-91.
13. Borgen p. 240-243.
14. Borgen, p. 308.
15. Oyler, p. 48-50.
16. Scheid, p. 33-34.
17. Oyler, p. 51
18. Oyler, p. 53.
19. Scheid, p. 34.
20. Faure 2016a, p. 140.

5. Vreemden in de canon: het Japanse boeddhistische pantheon

1. 'Canon Foreigners', *TV Tropes*.
2. Carrithers, p. 2-3.
3. *Traditional Japanese Literature*, p. 535-537.
4. *Japanese Architecture and Art Net Users System*, 'Shaka'.
5. Atone en Hayashi, p. 9.
6. Inagaki, p. xiii-xiv.
7. Thành en Leigh, p. xii.
8. Hodge, p. 39.
9. Yu, 'Introduction'.
10. *Traditional Japanese Literature*, p. 545-547.

11. Glassman, p. 6-8.
12. Kitagawa, p. 108-110.
13. Lee, p. 349-350.
14. Faure 2016a, p. 116-117.
15. Faure 2016a, p. 125.
16. Faure 2016a, p. 169.
17. Faure 2016b, p. 7-9.
18. Faure 2016b, p. 163.
19. Faure 2016b, p. 192-195.
20. Faure 2016b, p. 40.
21. Faure 2016b, p. 56-57.
22. Faure 2016b, p. 4-5.
23. Faure 2016b, p. 6.
24. Teeuwen, p. 231-233.
25. Rambelli 2008, p. 254-255.

6. Een wereld vol geesten

1. Reider 2015a, p. 266-267.
2. *Traditional Japanese Literature*, p. 169-170.
3. Roemer, p. 34-35.
4. Rambelli 2018, hoofdstuk 5.
5. Faure 2016b, p. 51.
6. Faure 2016b, p. 53-54.
7. Faure 2016b, p. 23-26.
8. Saitō en Premoselli, p. 279.
9. Tyler, p. 36.
10. Yamashita en Elacqua, p. 83.
11. Shigeta en Thompson, p. 68.
12. Yamashita en Elacqua, p. 82-83.
13. Miller, p. 32-33.
14. Foster 2015, hoofdstuk 1, sectie 2b 'Researching *Yōkai*'.
15. Reider 2015b, p. 7.
16. Reider 2015b, p. 26.
17. Foster 2008, p. 89.

18. Foster 1998, p. 4.
19. Foster 1998, p. 6-7.
20. Frasier, p. 181-182.
21. Reider 2015b, p. 63.
22. Reider 2015b, p. 85, p. 88-89.
23. Bowring, p. 123. Strijdende geesten of asura's zijn onsterfelijke geesten die voortdurend oorlog voeren. Wezens die wijsheid bereiken (*śrāvaka's*) en wezens die verlichting bereiken (*pratyekaboeddha's*) beschouwt men als fasen die voorafgaan aan het bodhisattvaschap. Deze fasen zijn moeilijk te definiëren buiten de context van bepaalde doctrines van het mahayanaboeddhisme.
24. Teiser, p. 126-127.
25. Yoshimura, p. 149.
26. Foster 2008, p. 5-7.
27. Foster 2008, p. 42-43.
28. Smyers, p. 103.
29. Foster 2008, p. 36.
30. Weiss, p. 5, 11.
31. Holmes, p. 1.
32. *Traditional Japanese Literature*, p. 250-253.
33. *Traditional Japanese Literature*, p. 836.
34. Kuribara, 'Hitobito wo tanoshimaseru Akagiyama', p. 145-147.
35. Foster 2008, p. 7-8.

7. De nieuwe mythologieën van het moderne Japan

1. Jansen, hoofdstuk 10, deel 1d 'The Tokugawa Fall'.
2. Hardacre, p. 30.
3. Hardacre, p. 52-53.
4. Jansen, hoofdstuk 14, deel 5 'The State and Culture'.
5. Jansen, hoofdstuk 12, deel 5 'Mori Arinori and Meiji Education'.
6. Nakajima, p. 32-33.
7. Nakajima, p. 38-39.
8. Reider 2015, p. 108-110.
9. Jansen, hoofdstuk 16, deel 7 'Urban Culture'.

10. Jansen, hoofdstuk 19, deel 7 'Postwar Culture'.
11. Power, p. 10-11.
12. Anderson, p. 25.
13. Lunning en Freeman, p. 277.
14. Jansen, hoofdstuk 20, deel 2 'The Rise to Economic Superpower'.

BIBLIOGRAFIE

Adler, Joseph. 'Confucianism as a Religious Tradition. Linguistic and Methodological Problems'. Gambier, Ohio, VS: Kenyon College (2014). Presentatie.

Anderson, Mark. 'Mobilizing *Gojira*. Mourning Modernity as Monstrosity'. In *Godzilla's Footsteps. Japanese Pop Culture Icons on the Global Stage*. Ed. Tsutsui, William M., en Ito, Michiko. New York: Palgrave Macmillan, 2006.

Atone, Joji en Hayashi, Yoko. *The Promise of Amida Buddha. Hōnen's Path to Bliss*. Boston: Wisdom Publications, 2011.

Borgen, Robert. *Sugawara no Michizane and the Early Heian Court*. Honolulu: University of Hawai'i Press, 1994.

Bowring, Richard. *The Religious Traditions of Japan 500-1600*. Cambridge: Cambridge University Press, 2008.

Breen, John, en Teeuwen, Mark. *A New History of Shinto*. Hoboken, New Jersey, VS: Wiley-Blackwell, 2011.

Cali, Joseph, en Dougill, John. *Shinto Shrines. A Guide to the Sacred Sites of Japan's Ancient Religion*. Londen: Latitude, 2012.

'Canon Foreigner'. *TV Tropes – the All-Devouring Pop Culture Wiki*. TV Tropes. Web: 10 november 2020. https://tvtropes.org/pmwiki/pmwiki. php/Main/CanonForeigner.

Carrithers, Michael. *Buddha. A Very Short Introduction*. Oxford: Oxford University Press, 2007.

Como, Michael I. *Shōtoku. Ethnicity, Ritual and Violence in the Japanese Buddhist Tradition*. Oxford: Oxford University Press, 2008.

Cranston, Edwin A. *A Waka Anthology, Volume One. The Gem-Glistening Cup*. Stanford, Californië, VS: Stanford University Press, 1993.

Duthie, Torquil. Man'yōshū *and the Imperial Imagination in Early Japan*. Leiden: Brill, 2014.

Farris, William Wayne. *Japan to 1600. A Social and Economic History*. Honolulu: University of Hawai'i Press, 2009.

Faure, Bernard. *Gods of Medieval Japan, Volume 1. The Fluid Pantheon*. Honolulu: University of Hawai'i Press, 2016.

- *Gods of Medieval Japan, Volume 2. Protectors and Predators*. Honolulu: University of Hawai'i Press, 2016.

Foster, Michael Dylan. 'The Metamorphosis of the Kappa. Transformation from Folklore to Folklorism in Japan'. *Asian Folklore Studies*, vol. 57 nr. 1 (1998).

- *Pandemonium and Parade. Japanese Monsters and the Culture of Yokai*. Berkeley: University of California Press, 2008.

- *The Book of Yokai. Mysterious Creatures of Japanese Folklore*. Berkeley: University of California Press, 2015. Uitgave Amazon Kindle.

Frasier, Lucy. 'Lost Property Fairy Tales. Ogawa Yōko and Higami Kumiko's Transformations of "The Little Mermaid"'. *Marvels and Tales*, vol. 27 nr. 2 (2013). 181-193.

Gardner, Daniel K. *Confucianism. A Very Short Introduction*. Oxford: Oxford University Press, 2014.

Glassman, Hank. *The Face of Jizō. Image and Cult in Medieval Japanese Buddhism*. Honolulu: University of Hawai'i Press, 2012.

'Grondwet van Japan'. Het kabinet van de premier van Japan en de leden van zijn regering. http://japan.kantei.go.jp/constitution_and_government_of_ japan/constitution_e.html.

Hardacre, Helen. 'Creating State Shinto. The Great Promulgation Campaign and the New Religions'. *Journal of Japanese Studies*, vol. 12 nr. 1 (1986). 29-63.

Hodge, Stephen. *The Mahā-Vairocana-Abhisambodhi Tantra. With Buddhaguhya's Commentary*. Londen: Routledge, 2003.

Holmes, Yoshihiko. 'A Chronological Evolution of the Urashima Tarō Story and its Interpretations'. Victoria University of Wellington, 2014. Masterscriptie.

Hudson, Mark. *Ruins of Identity. Ethnogenesis in the Japanese Islands*. Honolulu: University of Hawai'i Press, 1999.

Inagaki, Hisao. *Three Pure Land Sutras*. Berkeley, California, VS:

Numata Center for Buddhist Translation and Research, 2003.

Janssen, Marius B. *The Making of Modern Japan*. Cambridge, Massachusetts, VS: Harvard University Press, 2000. Uitgave Amazon Kindle.

Japanese Architecture and Art Net User System. Ed. Parent, Mary Neighbor. http://www.aisf.or.jp/~jaanus/

Keenan, Linda Klepinger. 'En the Ascetic'. *Religions of Japan in Practice*. Ed. Lopez, David S. Princeton, New Jersey, VS: Princeton University Press, 1999.

Keown, Damien. *Buddhism. A Very Short Introduction*. Oxford: Oxford University Press, 2013.

Kitagawa, Joseph M. 'The Career of Maitreya, with Special Reference to Japan'. *History of Religions*, vol. 21 nr. 2 (1981). 107-125.

Kuribara, Hisashi. 'Hitobito wo tanoshimaseru Akagiyama no miryoku 2. Akagiyama wo meguru densetsu to sono rūtsu no kōsatsu'. *Tōkyō fukushi daigaku daigakuin kiyō*, vol. 4 nr. 2 (maart 2014).

Laozi. *Daodejing. The Book of the Way*. Vert. Moss Roberts. Berkeley, California, VS: University of California Press, 2001.

Lee, Junghee. 'The Origins and Development of the Pensive Bodhisattva Images of Asia'. *Artibus Asiae*, vol. 53 nr. 3/4 (1993). 311-57.

Le Febvre, Jesse R. 'Christian Wedding Ceremonies. "Nonreligiousness" in Contemporary Japan'. *Japanese Journal of Religious Studies*, vol. 42 nr. 2 (2015). 185-203.

Lunning, Frenchy en Freeman, Crispin. 'Giant Robots and Superheroes. Manifestations of Divine Power, East and West'. *Mechademia*, vol. 3 (2008). 274-82.

Miller, Laura. 'Extreme Makeover for a Heian Era Wizard'. *Mechademia*, vol. 3 (2008).

Ministerie van Land, Infrastructuur, Transport en Toerisme. 'Land en klimaat van Japan'. https://www.mlit.go.jp/river/basic_info/english/land.html, geraadpleegd op 4 juni 2020.

Nakajima, Michio. 'Shinto Deities that Crossed the Sea. Japan's "Overseas Shrines" 1868-1945'. *Japanese Journal of Religious Studies*, vol. 37 nr. 1 (2010). 21-46.

Nihonshoki 1-3. Ed. Kojima, Noriyuki, et. al. *Shinpen Nihon koten bungaku zenshū*, vols. 2-4 (1994).

Ō no Yasumaro. *The Kojiki. An Account of Ancient Matters.* Vert. Gustav Heldt. New York: Columbia University Press, 2014.

O'Dwyer, Shaun. 'The Yasukuni Shrine and the Competing Patriotic Pasts of East Asia'. *History and Memory*, vol. 22 nr. 2 (2010). 147-77.

Oxford English Dictionary Online, Oxford University Press, juni 2020, www.oed.com.

Oyler, Elizabeth. *Swords, Oaths and Prophetic Visions. Authoring Warrior Rule in Medieval Japan.* Honolulu: University of Hawai'i Press, 2015.

Piggott, Joan R. *The Emergence of Japanese Kingship.* Stanford, Californië, VS: Stanford University Press, 1997.

Power, Natsu Onoda. *God of Comics. Osamu Tezuka and the Creation of Post-World War II Manga.* Jackson, Mississippi, VS: University Press of Mississippi, 2009.

Rambelli, Fabio. 'Before the First Buddha. Medieval Japanese Cosmogony and the Quest for the Primeval Kami'. *Monumenta Nipponica*, vol. 64 nr. 2 (2009).

- *The Sea and the Sacred in Japan.* Londen: Bloomsbury Academic, 2018. Uitgave Amazon Kindle.

Reider, Noriko T. 'A Demon in the Sky. The Tale of Amewakahiko, a Japanese Medieval Story'. *Marvels and Tales*, vol. 29 nr. 2 (2015). 265-82.

- *Japanese Demon Lore. Oni from Ancient Times to the Present.* Logan, Utah, VS: Utah State University Press, 2015.

Roemer, Michael K. 'Thinking of Ancestors (and Others) at Japanese Household Altars'. *Journal of Ritual Studies*, vol. 26 nr. 1 (2012). 33-45.

Saitō, Hideki, en Premoselli, Giorgio. 'The Worship of Gozu Tennō and the Ritual World of the Izanagi-ryū'. *Cahiers d'Extrême-Asie*, vol. 21 (2012). 277-301.

Scheid, Bernhard. 'Shōmu Tennō and the Deity from Kyushu. Hachiman's Initial Rise to Prominence'. *Japan Review*, nr. 27 (2014). 31-51.

Shigeta, Shin'ichi, en Thompson, Luke. 'Onmyōdō and the Aristocratic Culture of Everyday Life in Heian Japan'. *Cahiers d'Extrême-Asie*, vol. 21 (2012). 65-77.

Smyers, Karen. A. "'My Own Inari". Personalization of the Deity in Inari Worship'. *Japanese Journal of Religious Studies*, vol. 23 nr. 1/2 (1996). 85-116.

Sundberg, Steve. 'Shirokiya Department Store, *c.* 1910-1940'. *Old Tokyo.* http://www.oldtokyo.com/shirokiya-department-store/, geraadpleegd op 30 september 2020.

Teeuwen, Mark. 'Attaining Union with the Gods. The Secret Books of Watarai Shinto'. *Monumenta Nipponica*, vol. 48 nr. 2 (1993). 225-45.

Teiser, Stephen F. *The Ghost Festival in Medieval China.* Princeton, New Jersey, VS: Princeton University Press, 1988.

Thakur, Yoko H. 'History Textbook Reform in Allied Occupation Japan, 1945-52'. *History of Education Quarterly*, vol. 35, nr. 3 (1995). 261-78.

Thành, Minh en Leigh, P.D. *Sutra of the Medicine Buddha, Translated & Annotated under the Guidance of Dharma Master Hsuan Jung.* Taipei: Buddha Dharma Education Association Inc., 2001.

- Het Aoi-festival in Kyoto. Bestuur van de prefectuur Kyoto. https://p.kyoto-np.jp/kp/koto/aoi/index.html, geraadpleegd op 20 juli 2020.

Traditional Japanese Literature. An Anthology, Beginnings to 1600. Ed. Shirane, Haruo. New York: Columbia University Press, 2007.

Tsunoda, Ryūsaku, en Goodrich, L. Carrington. *Japan in the Chinese Dynastic Histories. Later Han Through Ming Dynasties.* Zuid-Pasadena, Californië, VS: P. D./ I. Perkins, 1961.

Van Goethem, Ellen. *Nagaoka. Japan's Forgotten Capital.* Leiden: Brill, 2008.

Weiss, David. 'Slaying the Serpent. Comparative Mythological Perspectives on Susanoo's Dragon Fight'. *Journal of Asian Humanities at Kyushu University*, vol. 3 (2018). 1-20.

Wong, Eva. *Taoism. An Essential Guide.* Boulder, Colorado, VS: Shambhala, 2011.

Yamashita, Katsuaki, en Elacqua, Joseph P. 'The Characteristics of Onmyōdō and Related Texts'. *Cahiers d'Extrême-Asie*, vol. 21 (2012). 79-105.

Yoshimura, Ayako. 'To Believe *and* Not to Believe. A Native Ethnography of Kanashibari in Japan'. *The Journal of American Folklore*, vol. 128 nr. 508 (2015). 146-78.

Yu, Chün-fang. *Kuan-yin. The Chinese Transformation of Avalokitesvara*. New York: Columbia University Press, 2001. Uitgave Amazon Kindle.

DANKWOORD

Dit boek heb ik met veel plezier geschreven, het was een licht in donkere tijden, maar het was me nooit gelukt zonder de hulp en steun van velen. Edward Kamens wees me op deze kans, en steunde me tijdens het proces, zoals hij dat al heel mijn carrière doet. Mijn collega's Robert Lemon, Elyssa Faison, Dylan Herrick en Shizuka Tatsuzawa hebben elk op hun manier bijgedragen aan het voorbereidend onderzoek en de planning voor dit boek, en daar ben ik hen bijzonder dankbaar voor.

Tateno Kazumi, van het Osaka Prefectural Chikatsu Asuka Museum, en Sakaehara Towao, van de gemeenteraad van culturele eigendommen van Osaka, verschaften me waardevolle inzichten in de manier waarop Japanse geleerden hun eigen oude mythen begrijpen, en in de valkuilen die op de loer liggen als je ze wilt uitleggen aan buitenlandse lezers.

Afdelingshoofd Nian Liu en het personeel van de afdeling moderne talen, literatuur en letterkunde van de University of Oklahoma boden onmisbare ondersteuning voor de voltooiing van deze monografie.

Ben Hayes, Isabella Luta, Flora Spiegel, Rowena Alsey, Celia Falconer en alle andere medewerkers bij Thames & Hudson hebben me van begin tot einde geholpen dit project in goede banen te leiden. Ze gaven me de vrijheid om de Japanse mythologie op een nieuwe manier te benaderen, en de middelen om dat in een razend tempo te kunnen doen zonder aan helderheid of detail in te boeten.

Ten slotte wil ik mijn familie bedanken – Elyse en Alan, Jaime, Julian en Esme, Jared en Stephanie en natuurlijk mijn man Nathan – die me zoals bij elk project onvoorwaardelijk hebben gesteund.

BRONNEN AFBEELDINGEN

l = links; r = rechts

AA Film Archive/Alamy Stock Photo 232; Artokoloro/Alamy Stock Photo 48; Rijksmuseum, Amsterdam 12, 112, 126l; Museum of Fine Arts, Boston 126r; © Byodoin Temple 174; B. H. Chamberlain & W. B. Mason, *Handbook for Travellers in Japan*, 1894 53; Art Institute of Chicago 192, 213; Scripps College, Claremont, Californië 78; National Museum of Denmark, Kopenhagen 223; Dallas Museum of Art 164; Collection W. Michel, Fukuoka 225; German F. Vidal-Oriola/Getty Images 21; Ullstein bild/Getty Images 71; Ritsumeikan University, Kyoto 208; British Library, Londen 172; British Museum, Londen 43, 99, 123, 202; Los Angeles County Museum of Art 89; A. Mee, J.A. Hammerton & A.D. Innes, *Harmsworth History of the World*, 1907 116; Minneapolis Institute of Art 143, 151, 154l, 197; Yei Theodora Ozaki, *The Japanese Fairy Book*, 1903 176; Metropolitan Museum of Art, New York 19, 26, 55, 73, 119, 137, 142, 144, 154r, 155, 156, 158, 179, 194, 204, 206, 219, 224; New York Public Library 17, 58, 59, 62, 83, 114, 161; Toriyama Sekien, *Gazu hyakki yagyō* [*De geïllustreerde nachtparade van honderd demonen*], 1776 2, 187, 190, 193, 196, 215, 216; National Archives Japan, Tokyo 86; National Diet Library, Tokyo 210; Tokyo Metropolitan Library 64, 131, 175, 182r; Tokyo National Museum 23, 108, 141, 145, 147, 149, 179, 182l, 191, 199; Treasure of Yakushiji Temple, foto ter beschikking gesteld door Tokyo National Museum 162; Library of Congress, Washington, D.C. 16, 93; The Gerhard Pulverer Collection, Freer and Sackler Galleries, Smithsonian Institution, Washington, D.C. 37; Kikuchi Yōsai, *Zenken Kojitsu*, 1878 185.

REGISTER

Gecursiveerde paginanummers verwijzen naar afbeeldingen.